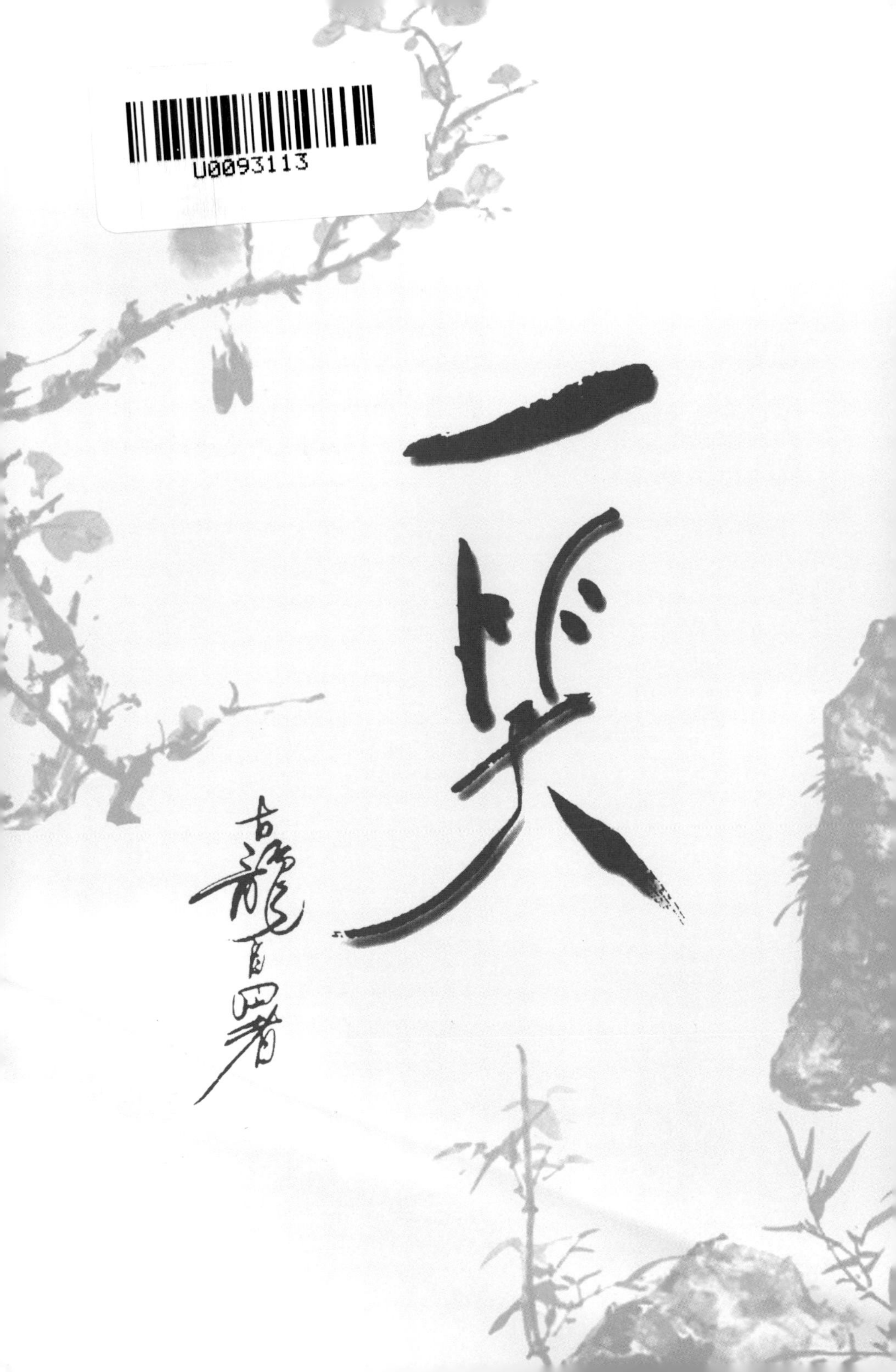

一笑

古龍著

盛期之風貌

臥龍生作品　帶動武俠風潮

《飛燕驚龍》開一代武俠新風

《飛燕驚龍》(1958)爲臥龍生成名作，共48回，約120萬言。此書承《風塵俠隱》之餘烈，首倡「武林九大門派」及「江湖大一統」之說，更早於香港武俠巨匠金庸撰《笑傲江湖》(1967)所稱「千秋萬世，一統」達九年以上。流風所及，臺、港武俠作家無不效尤；而所謂「武林盟主」、「江湖霸業」等新提法，竟成爲社會大眾耳熟能詳的流行術語了。

《飛燕》一書可讀性高，格局甚大。主要是寫江湖群雄爲覬覦傳說中的武林奇書《歸元秘笈》而引起一連串的明爭暗鬥；再以一部假秘笈和萬年火龜爲餌，交插敘述武林九大門派（代表正派）彼此之間的爾虞我詐，以及天龍幫（代表反方）網羅天下奇人異士而與九大門派的對立衝突。其中崑崙派弟子楊夢寰偕師妹沈霞琳行道江湖，卻如夢似幻地成爲巾幗奇人朱若蘭、趙小蝶之絕世武功技驚天龍幫，而海天一叟李滄瀾復接連敗於沈霞琳、楊夢寰之手；致令其爭霸江湖之雄心盡泯，始化解了一場武林浩劫云。

在故事佈局上，本書以「懷璧其罪」（與真、假《歸元秘笈》有關）的楊夢寰屢遭險難，卻每獲武林紅妝垂青爲書膽(明)，又以金環二郎陶玉之嫉才害能，專與楊夢寰作對(暗)爲反派人物總代表。由是一明一暗交織成章，一波未平，一波又起，極盡波譎雲詭之能事。最後天龍幫冰消瓦解，陶玉帶著偷搶來的《歸元秘笈》跳下萬丈懸崖，生死不明，卻予人留下無窮想像空間。三年後，作者再續寫《風雨燕歸來》以交代陶玉重出江湖，爲惡世間，則力不從心，當屬狗尾續貂之作。

在人物塑造方面，臥龍生寫男主角楊夢寰中看不中用，固然乏善可陳，徹底失敗；但寫其他三名女主角如「天使的化身」沈霞琳聖潔無瑕，至情至性，處處惹人憐愛；「正義的女神」朱若蘭氣質高華，冷若冰霜，凜然不可犯；「無影女」李瑤紅則刁蠻任性，甘爲情死等等，均各擅勝場。乃至寫次要人物如「賓中之主」海天一叟李滄瀾之雄才大略，豪邁氣派；玉簫仙子之放蕩不羈，爲愛痴狂；以及八臂神翁聞公泰之老奸巨猾，天龍幫軍師王寒湘之冷傲自負等，亦多有可觀。

與

摘自 葉洪生、林保淳著《台灣武俠小說發展史》

武俠小說

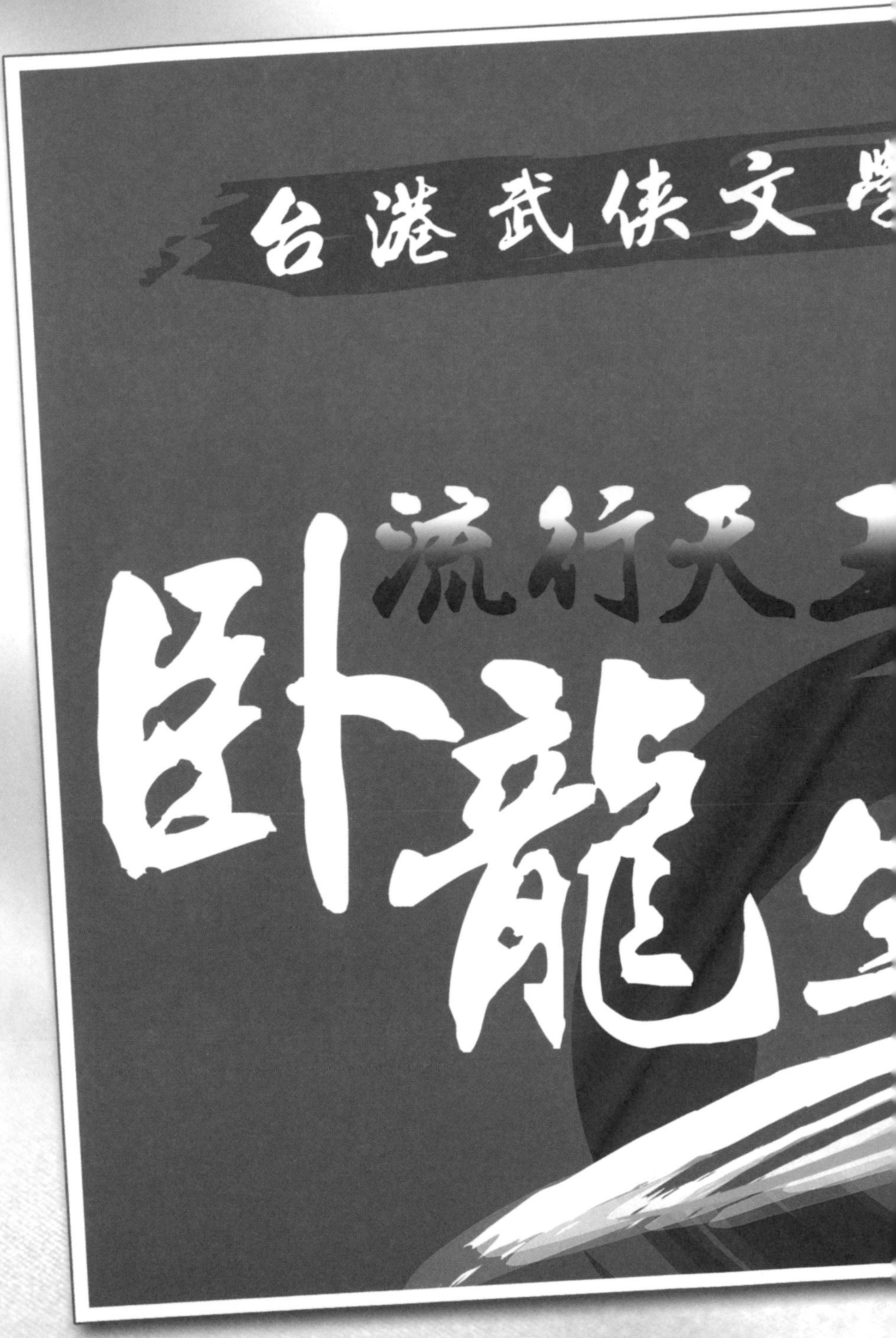
台港武俠文
流行天
臥龍

臥龍生是台灣最著名的武俠小説作家之一，自然也是海外新派武俠小説家中的重要一員。

在台灣武俠小説界，臥龍生曾獨領風騷被稱為「台灣武俠泰斗」。後來司馬翎、諸葛青雲脱穎而出，才與臥龍生並稱台灣俠壇的「三劍客」。那時候古龍還默默無聞。後來古龍名氣漸大，躋身高手之林，與「三劍客」合稱「台灣武俠小説四大家」，但臥龍生仍是深受讀者歡迎的武俠小説作家。

陳墨

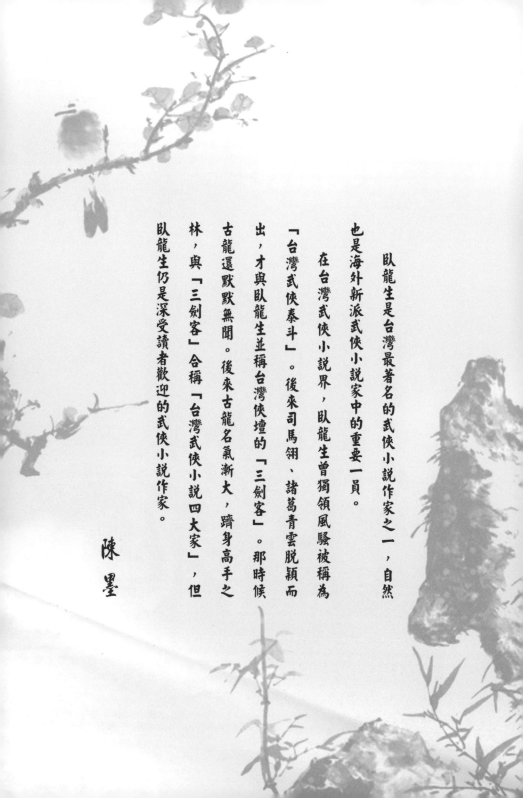

金劍雕翎（二）

臥龍生

武俠經典珍藏版 22

臥龍生

臥龍生精品集㉒

金劍雕翎（二）

目錄

十四　落花流水

莊門外早已排列了數十個勁裝大漢，每人佩帶兵刃，牽馬肅立，眼看兩人行來，齊齊躬身相迎。

周兆龍舉手一招，五個分著紅、黃、藍、白、黑的大漢，迎了上來，抱拳作禮，神態間極是恭謹。

周兆龍笑對蕭翎說道：「不論一個人武功如何精深，亦必得有人相助，這五人分著五色衣服，那是代表五行，每組五人，合共五五二十五人，都是大哥選出的資質絕佳之人，苦心訓練而成的勇士，從未在江湖上出現過，三弟加盟百花山莊，大哥歡喜異常，不瞞兄弟你說，為兄的記憶之中，還從未見過大哥那等歡愉之情，特地把這二十五人，交由三弟統領，以三弟的神勇，加上這二十五人相助，揚名武林，立威江湖，實如折枝反掌之易……」

蕭翎還未及答話，那周兆龍又接口說道：「還有一事，小兄還未告訴三弟，咱們這百花山莊中，不論男女，都會武功，一向被武林視作泰山北斗的少林寺，自詡寺中僧侶，無一不會武功，但咱們這百花山莊，卻不讓它專美於前，金蘭、玉蘭聰慧過人，秀出群倫，在諸婢中，武功最好，大哥已下令撥為三弟隨身侍婢，二婢武功上的成就，三弟或已看出，不去說它，而且二婢還極善心機，日後追隨左右，當可代三弟運籌、獻策，分擔憂苦……」

突聞蹄聲得得，一騎健馬，飛奔而來。

馬背上馱伏著一個黑衣人，直向幾人停身之處衝來。

周兆龍右手一擺，道：「看看他斷氣沒有。」

那紅衣大漢應聲轉身，迎著快馬奔去，左手一探，抓住馬韁，用力一帶，那急奔健馬，打了一個旋身，停了下來，右手一把抓起那黑衣人頭骨，抱起一看，道：「稟告二莊主，這人斷氣多時了！」

周兆龍道：「傷在何處？」

那紅衣人答道：「眉心之上，一劍致命。」

周兆龍道：「放他回莊，咱們上馬趕路。」

那紅衣人應了一聲，放開韁繩，那健馬馱著黑衣人的身軀，向莊中奔去。

蕭翎目光一轉，眼看二十五雄，都上了馬，忍不住說道：「二哥，咱們只不過是到江畔找人，能否找著還難預料，帶著這樣多人同去，如臨大敵一般，豈不要人恥笑咱們膽小怕事，倚多為勝？」

周兆龍道：「那咱們少帶幾個。」轉身對身側五個分著五色衣服的大漢，道：「你們既是五組中的首腦，就由你們五個去吧！」

五人齊齊應了一聲，舉手向後一揮，其餘之人，轉身退了回莊去。

周兆龍道：「三弟上馬吧！那人又傷了咱們莊中一人，想必還在近處。」

蕭翎一躍上馬，道：「二哥請。」

周兆龍道：「咱們並騎而馳。」

雙騎齊齊放轡，健馬奔行如飛，片刻時間，已出去了七、八里路。

周兆龍突一收馬韁，道：「三弟，等一下，有咱們派出的暗樁迎來，或有要事稟告。」

蕭翎抬頭看去，只見一個頭戴竹笠、身披簑衣的漁人，大步行了過來。

那漁人行近了兩人的勒馬停身之處，低聲說道：「來人在三柳彎。」匆匆行了過去，似是甚怕被人瞧出他的身分。

那人頭上的竹笠，低壓眉際，蕭翎只看到他留著山羊鬍子，竟未看清楚他的面貌。

周兆龍把馬一帶，低聲說道：「咱們到三柳彎去。」

七騎馬奔行在黃土小徑上，又行數里，已無路徑，放眼看一片碎石、淤泥，耳際間響起了澎湃的江濤。

周兆龍伸手遙指著遙遠一叢樹影，道：「那就是三柳彎了，這是一片荒涼的江岸，不知那人何以會來此地？」

蕭翎抬頭看去，果然不錯，這是一片異常荒涼的地方，除了碎石、淤泥之外，數里內不見人跡。

三株老柳，並排而生，矗立在江畔，老柳下放著一張木桌，桌前放著一個香爐，爐中的煙氣裊裊升起，隨風飄散，陣陣香氣，撲進鼻中。

木桌上擺著酒菜，還微微冒著熱氣，顯然是這酒菜擺上的時間不久。

蕭翎道：「不知在祭奠什麼人……」

目光一抬，瞥見那並生的三株老柳，正中一株上，掛著一方雕花的精緻木牌，上面寫著：亡弟蕭翎靈位。

下款寫道：斷魂人奉立。

蕭翎只瞧得心頭大震，暗道：這世間不知究竟有多少蕭翎，一個已然名重天下，我好好站在這裏，又有人在這老柳之下，奠祭蕭翎的靈位。

周兆龍回頭望了蕭翎一眼，道：「三弟，這是怎麼回事？」

原來，蕭翎雖和沈木風、周兆龍結拜兄弟，但卻未把自己身世際遇告訴兩人，周兆龍雖然是才思敏銳，城府深沉之人，一時間也是想不明白，不禁脫口一問，但話一出口，立時警覺。

蕭翎茫然說道：「我也想不明白這是怎麼回事，取下那靈位瞧瞧。」

周兆龍一伸手，攔住了蕭翎，道：「三弟不可造次，江湖險詐，不可不防。」

一躍下馬，緩步行到那老柳之下，抬頭看了一陣，低聲對蕭翎說道：「兄弟，那人掛這靈位，只用白線繫上，顯然是還要來取的……」

蕭翎接道：「咱們大隊人馬一來，只怕是把他嚇跑了。」

周兆龍凝目沉思了一陣，突然一躍而起，去取那掛的靈位，只聽一聲清叱傳來，道：「不許動。」寒芒一閃，電射而來。

周兆龍躍起取那靈位之時，早已有了戒備，聞得那清叱之聲，立時一沉真氣，身子疾沉而下，右手揮處，一片綠光飛起，擊落那射來寒芒。

轉頭望去，只見一個眉目清秀，十五、六歲的青衣童子，雙目中暴射出森寒的冷芒，手中長劍已然出鞘，凝注幾人，神態倨傲，毫無畏懼之意。

那五個分著各色衣服的大漢，迅快地移動身軀，布成了合圍之勢，兵刃出手，已成劍拔弩張之局，只要周兆龍一聲令下，立時將一齊出手。

蕭翎目注那高掛的靈位，耳聽著滔滔江流，數年前的往事，忽然間回集心頭，他想到自己被商八掌風震落江中的往事……

陡然大聲喝道：「二哥，請不要動手。」喝聲中一躍而起，隨手抓下那高掛的木牌。

但聞青衣童子怒聲喝道：「不要動那靈位。」右手揚處，三點寒芒，一齊飛來，緊接著飛身急撲而上，長劍在日光下閃起朵朵劍花。

蕭翎心中有備，左掌疾翻，劈出了一掌，右手已取下靈位，躍飛出一丈開外。

那青衣童子，接了蕭翎一掌，人被震得落著實地。

蕭翎取下靈牌，只見靈牌後面寫道：成化十一年二月二日，蕭翎在此落江，中州雙賈留書。

這幾個字寫得歪歪斜斜，但卻深深陷入樹中二分多深，一望之下，立可辨出是用驚人的指力，刻在上面。

蕭翎心中默算時間，那正和自己落江時間相合。

他落江一事，雖是記得清楚，但卻不知在何處落江，目睹中州雙賈的留書，心中再無懷疑，這人分明是來奠祭自己了，但不知那斷魂人是誰？

這時，那青衣童子又仗劍衝上，卻被周兆龍揮動翠玉尺截住，那青衣童子劍招十分辛辣，著著攻向周兆龍的致命所在，兩人交手幾招，已然是凶險百出。

蕭翎大聲喝道：「二哥請停手，小弟有話問他。」

周兆龍心中正自驚異那青衣童子小小年紀，劍招如此辛辣，聽得蕭翎呼喝之聲，立時閃身讓開。

那青衣童子長劍護胸，飛身一躍，人已到了蕭翎身前，怒聲說道：「快把靈牌還我！」

蕭翎看他急怒之情，溢於言表之間，這靈牌對他似是十分重要，微微一笑，道：「靈牌還你不難，但你得回答我幾件事情，第一，這靈牌之上，寫的蕭翎，你可認識他嗎？」

青衣童子搖頭說道：「不認識。」

蕭翎道：「你既不認識他，爲什麼要祭奠他的靈牌？」

青衣童子道：「又不是我要祭奠他，是我們相公。」

蕭翎道：「他現在何處？」

青衣童子怒道：「你問起話來有完沒完？快把靈牌還我。」左手電疾伸出，來奪靈牌。

蕭翎肩頭微晃，人已後退三步。

那青衣童子一把沒有抓著靈牌，右手長劍卻突然刺了過來，劍勢奇快，一閃而至。

蕭翎料不到他出劍如此之快，幾乎被他刺中，當下一提丹田真氣，橫跨三尺，急急避開一劍，一躍而退，笑道：「不用打啦，我還你靈牌。」

那青衣童子聽得蕭翎說要歸還靈牌，立時停手不攻，道：「拿來，哼！你們要是不肯還我，事情就不能算完，我接受一頓責打，非得殺了你們不可……」

周兆龍冷笑一聲，道：「好大的口氣。」

青衣童子接過靈牌，心中氣憤頓消，微微一笑，道：「你們把靈牌還我，那自又當別論，等會兒我家相公回來，我不給他講就是。」言詞之間，對主人充滿恭敬和信心。

蕭翎回頭對周兆龍道：「二哥，此事甚多可疑之處，小弟想多問他幾句。」

周兆龍對這青衣童子也動了好奇和懷疑，甚想查明對方的來歷和底細，當下說道：「三弟儘管請問。」

蕭翎回目望去，只見那青衣童子，竟然抱著靈牌，轉身而去，不禁心頭大急，厲聲喝道：「小兄弟快站著，我有話問你。」

他不叫還好，這一叫，那青衣童子突然放腿疾奔而去，眨眼間已出去四、五丈遠。

蕭翎怒喝一聲：「你跑得了嗎？」拔步飛追。

周兆龍緊隨蕭翎身後追去。

五個隨行大漢，也緊緊追了上去。

那青衣童子輕功奇佳，矯健如飛，疾逾飄風，蕭翎追出百丈，只不過趕上二、三尺遠，周兆龍還可勉強趕上，那五個隨行大漢，已被甩後了兩丈多遠。

只見那童子沿江而奔，行約四、五里，突然躍上了一艘停泊在岸邊的小舟，雙手拖起鐵錨。船艙中人影一閃，又躍出一個青衣童子，竹篙一點江岸，小船立時向江心衝去。

這時，蕭翎距那青衣童子，還有兩丈多遠，他拖錨動作雖快，總要延誤一些時間，小船划動，蕭翎已到了岸畔，縱身一躍，直向那小舟上飛去。

那撐篙的青衣童子一揮竹篙，一招「橫掃千軍」擊了過來。

蕭翎身子疾沉，竹篙掠頂掃過，左手疾快地伸了出去，順勢抓住了竹篙，沉身、出手、抓篙，在一剎那間完成，動作快得使人看不清楚。

那執篙童子突然振腕一擲，手中竹篙，斜向江裏飛去。

周兆龍大聲叫道：「三弟快退回來，他們絕跑不了。」

蕭翎抓住竹篙，借勢換一口氣，原想借這竹篙之力，躍上小船，卻未料到，那青衣童子突然投擲出手，身子吃那竹篙一帶，斜向一側，小舟卻破浪突向江心，這一去一來間，又拉長了不少距離。

蕭翎雖然身負著三位奇人傳授的絕技，但他毫無臨敵經驗，應變不夠靈活，直待那竹篙將要落水，才一振右臂，把竹篙下衝之力一收，乘竹篙下衝之勢，左足踏上竹篙，一點水面，重又躍飛而起，飛向江岸。

這時他距江岸已然四丈多遠，那竹篙借力有限，距江岸還有丈餘左右，已力盡向下落去。

只聽周兆龍大聲喝道：「三弟接著！」

一條白索，抛了過來。

蕭翎伸手抓住繩索，雙足已落入水中。

周兆龍用力一帶繩索，蕭翎又借勢躍起，飛到岸上。

蕭翎望著漸遠小舟，心中實有未甘，歎息一聲，道：「二哥，可有辦法追上去嗎？」

周兆龍沉吟了一陣，道：「他們行舟手法甚熟，縱有快舟，只怕也追趕不及，不如先回莊去，只要他們在歸州境中百里之內，至多一日夜間，可查出他們的行蹤。」

蕭翎望著那消失於滾滾江流中的舟影，心中泛起了無數的疑問，那祭奠自己的人是誰呢？還有那兩個青衣童子，只看那輕功的提縱身法，和那揮篙一擊的雄渾腕力，分明都是從小即有良師調教的內家高手，這些人爲什麼跑到這荒涼的江畔，來祭奠自己？

回頭看去，只見周兆龍低首凝目，亦似在用心思索，顯然，他也對那兩個青衣童子的武功，有著極深的震駭，良久之後，才見他抬起頭來，目注蕭翎，緩緩說道：「兄弟，那靈位上記著的蕭翎，可是你嗎？」

蕭翎道：「是的，中州二賈的留字，證明確是小弟。」

周兆龍目中光亮一閃，道：「兄弟，你仔細想想，武林之中會有什麼人來這裏祭奠你？」

蕭翎低首沉吟，默然不語。

周兆龍微微一笑，道：「兄弟，這很好想，你也許認識很多武林人物，但身負有絕世武功的絕然不多，尤其那兩個青衣童子，年歲不大，但劍招的辛辣、詭異，都是江湖上甚少見聞，如若你見過他們，那該是不會忘記。」

蕭翎搖搖頭，苦笑道：「二哥，那兩個青衣童子，會不會是武當門下？」

周兆龍道：「武當門下的劍術，雖然馳名天下，但卻不及那青衣童子的劍招辛辣……」

他忽然放聲笑道：「兄弟不用想了，咱們早些回去吧！」牽著蕭翎，直奔百花山莊而去。

那通往百花山莊的大道上，一反平日的寂靜、荒涼，銜接不斷的快馬，往來飛馳，觸目一片緊張。

蕭翎心中奇怪，低聲問道：「二哥，咱們的百花山莊中出了事嗎？」

周兆龍搖頭笑道：「大哥養痾數年，目下體能已復，又得三弟加盟，大哥爲使兄弟一舉成名武林，特地派出快馬捷足，遍傳金簡，要在咱們百花山莊，舉行一次英雄大會，一則慶祝三弟入盟，二則慶祝他功行圓滿，三則昭告武林，血影子沈木風，重出江湖。」

蕭翎道：「這麼說來，大哥昔年在江湖上，名頭是很大了？」

周兆龍臉上兩道目光，緩緩由蕭翎的臉上掃過，道：「兄弟，咱們大哥的名頭，何止是很大，在十幾年前，凡大哥行蹤所至之地，不是引起軒然大波，便是令那一帶武林人，退避三舍。」

蕭翎道：「這些年來，大哥退出江湖，不問武林中的是非，可是因爲養病嗎？」

周兆龍低聲說道：「大哥內功精深，哪裏會真的有病……」

蕭翎道：「是啦！大哥要閉門不出，苦練絕技。」

周兆龍對蕭翎似已十分放心，淡淡一笑，道：「三弟只算猜對了一半，大哥避世不出，固然是爲了苦練絕技，怕人打擾，但也確實要藉機養息傷勢。」

蕭翎道：「養傷，大哥被誰打傷了？」

周兆龍道：「這已是十幾年前的事了，那一戰，參與的高手甚多，九大門派中，有四家掌門人，親率高手臨敵，還有各處的寨主、幫主、教主等，都是一方之雄，大哥連勝十三場，擊敗了少林寺中羅漢三僧，武當派中的雲陽子、終南二俠，和峨嵋、青城兩派的掌門人，當真是天下轟動，最後敗在了少林寺達摩院主持十方大師手下。那十方大師號稱當代少林門中第一高僧，大哥也算是雖敗猶榮。」

蕭翎心中暗暗忖道：常聽人言，少林一派乃是武林中正大門戶，沈大哥和少林派作對，只怕不是好人……

但覺一陣煩惱湧上心頭，不願再想下去，放腿疾奔，五個隨行的大漢，又被甩落甚遠。

百花山莊中，刁斗森嚴，如臨大敵。

周兆龍送蕭翎進了蘭花精舍，才告別而去。

金蘭、玉蘭早已迎候室外，一見蕭翎歸來，巧笑相迎，送茶捧水，極盡柔媚。

玉蘭提著一雙便鞋，屈下一膝，替蕭翎脫下靴子，道：「三爺，奴婢和金蘭姊姊，已奉莊主之命，撥做三爺隨身侍婢了。」

蕭翎嗯了一聲，道：「這個我如何敢當。」

玉蘭笑道：「我和金蘭姊姊，為此欣幸萬分，此後得常隨三爺身旁，鋪床疊被，執鞭隨鐙，不再侍客蘭花精舍，但願三爺能恩准留用，實奴婢姊妹之福。」

蕭翎輕輕歎息一聲，道：「兩位這般垂青於我，在下感激不盡。」

二婢慌的齊齊跪了下去，眼眶中淚光隱隱，同聲說道：「三爺答應了？」

蕭翎點頭一笑，伸手去扶二婢，口中說道：「你們快站起來。」

二婢一躍而起，道：「謝三爺的恩典。」

蕭翎心中仍然惦念著江畔靈牌之事，說道：「我要回房去休息一下，無事不要擾我。」

是夜二更，蕭翎換上了一身黑色勁裝，帶上了柳仙子賜贈的千年蛟皮手套，赤手空拳，輕啟室門而出。哪知二婢對蕭翎的一舉一動，都異常留心，蕭翎剛出房門，二婢早已悄立室外，勁裝佩劍，似已等候多時。

金蘭輕聲說道：「三爺，可要奴婢等隨行聽差？」

蕭翎怔了一怔，道：「不用啦。」

玉蘭解下背上長劍，道：「眼下這百花山莊，風雲緊急，三爺最好帶上兵刃。」

蕭翎笑道：「不用啦！我隨便走走！」大步離開了蘭花精舍，穿越花圃，直出莊外。

花園中雖有守夜之人，他們都已識得蕭翎，已是百花山莊中的三莊主，誰還敢攔阻於他。

蕭翎仰望星辰，辨識了一下方向，突然一提真氣，直奔三柳彎。

這是晚月之夜，星光朗朗，景物依稀可辨，三柳彎仍然一片荒涼、寒冷。

蕭翎鹿伏鶴行，走近那三株老柳，提氣躍起，抓住一個柳枝，借力一個倒翻，隱入枝葉密茂之處，探首向下望去，只見那木桌依然放在原處，香爐也好好擺在上面，只是金爐中，已沒有那飄升起來的裊裊煙氣，顯然，在這一段時間中，無人來過。

江濤澎湃，濁浪滾滾，夜暗中望上去一片銀白。

蕭翎隱身在老柳密枝處，足足等候了一個更次，仍不見有何動靜，不禁暗暗一歎，道：看來今夜是不會有人來了。

正等躍下樹去，突聞一陣木櫓划水之聲，傳了過來，不禁心中一動。

轉頭望去，只見朗星微光下，一艘小舟，急馳而來，片刻間，已近江岸。

三條人影，連翩由小舟之上飛起，瞬間已到了老柳樹下。

蕭翎仔細一看，敢情那當先一人，正是白晝在此見過的青衣童子。

只見他身上斜揹長劍，雙手捧著那塊靈牌。

緊隨他身後，也是個身著青衣的童子，手中捧一架古琴。

最後一人，藍衫白履，右手拿著一個摺扇，緩步隨在兩個童子身後。

蕭翎目光一轉，瞥見一條黑影一閃而沒，似是伏下了身子，心中納悶，暗暗忖道：這一條人影，不知是何許人物？

就這一轉念間，那藍衫人和兩個青衣童子，已然行近木桌。

那當先一個青衣童子，躍身而起，掛上了蕭翎的靈位，然後取出三炷香來，晃燃火摺子，點起了拜香，插入香爐。

藉著火光望去，看出那藍衫人，也不過二十左右，玉面劍眉，生相十分俊雅。

藍衫人放下手中摺扇，微微一整衣衫，抱拳對著靈位說道：「兄弟年前到此，見兄大名刻在樹上，一時動了奇想，借用了蕭兄之名，蕭兄地下陰靈有知，請恕在下冒名之罪。」

蕭翎暗暗舒了一口氣，道：原來如此，我還道這世上，當真有著兩個蕭翎呢。

只聽那藍衫人繼續說道：「兄弟雖然是冒用了蕭兄之名，但自信並未有辱蕭兄的名諱。」

但聞藍衫人接下去道：「兄弟乃受人之托，帶這靈牌來此奠祭蕭兄，今日已滿七日，明晨兄弟就攜這靈牌別去，交還那相托之人，但願今宵蕭兄能顯些靈異，也好讓兄弟歸去時，講給那相托之人聽，唉！蕭兄啊！你雖已死，但世間還有一位紅顏知己，為你痛不欲生，晨昏時分，對著你的靈牌流淚祈禱，比起兄弟來，蕭兄是強得多了，蕭兄陰靈有知，也可瞑目九泉。」

蕭翎聽得心中納悶，忖道：這人在胡言亂語些什麼？我哪裏有什麼紅顏知己……

藍衫人又朗朗接了下去，打斷了蕭翎的思路，道：「你那紅顏知己，為你譜了一首憑弔你的曲子，兄弟今宵就彈此一曲，一慰蕭兄亡魂。」

只見那青衣童子，捧過古琴，端放在木桌之上，藍衫人揚手把摺扇插入衣領之中，右手一揮，錚錚幾聲弦響，劃破了寂寂靜夜。

緊接著琴音絲絲揚起，果然是聲聲斷腸，九曲百轉，如泣如訴，古琴哀弦，聞之斷魂。

蕭翎心神受到了強烈的感染，不自覺潸然淚下。

突然，錚錚兩聲，哀哀琴音，倏然而止。

兩個青衣童子霍然拔出長劍，躍向兩側，流目四顧。

原來那藍衫人正彈到哀傷緊要之處，琴弦忽然斷了兩根。

只聽那藍衫人長長歎息一聲，道：「可是蕭兄的陰靈，來此聽琴？」

他舉起衣袖，輕拭去頰上淚水，道：「你那紅粉知音，在傷心千回、斷腸百折之中，譜出這一首『流水斷魂』的曲子，當真是每一聲、每一字，都和她那哀哀哭聲一般，蕭兄啊！蕭兄！你如陰靈有知，能忍心讓她為你哀傷一世嗎？」

但聞那藍衫人口風一轉，接了下去，道：「她為你這般傷心欲絕，蕭兄也該為她想想才對，如若蕭兄的陰靈，能顯些靈異，使兄弟取信於她，兄弟不才，願一生追隨她羅裙之下，慰藉她的哀傷。」

蕭翎聽得怔了一怔，道：「好啊！原來你這般求我，要我顯些靈異，好如你求凰之願……」

那藍衫人突然撩起長衫，不顧滿地泥漿，跪了下去，說道：「兄弟借用了蕭兄名諱，當盡我之能，使蕭兄的大名，宏揚於武林之中，人人敬慕，流芳百代，兄弟這一生一世，永做蕭兄的化身，蕭兄如肯答允兄弟之求，就請顯靈給兄弟瞧瞧。」

這時，那同來的兩個青衣童子，看那藍衫人跪在地上，也跟著跪了下去。

荒涼的江畔，恢復寂靜，只有澎湃的江濤聲，永不絕息。

蕭翎居上臨下，看得甚是清晰，那藍衫人閉著雙目面對靈牌，口齒還不住微微啓動，似是在暗暗祈禱，一時間，倒不知是否該現身問他一聲，那位紅粉知音，究竟是何人。

正自拿不定主意當兒，忽見遙遠處，一條人影，悄無聲息地掩了過來。

那人舉步落足，輕如落葉，雖是行走在泥漿地上，也是聽不出一點聲息。

藍衫人和兩個青衣童子，似都在至誠期待著蕭翎的陰靈出現，全神貫注，不知危難將至。

星光下，可看出那是個瘦高的人影，已然逼近那藍衫人身後丈餘之處。

那人的行動更慢了，躡手躡足，異常小心，生怕弄出一點聲息，驚動了三人。

蕭翎的心中也開始緊張起來，不知是否該出手救那藍衫人。

沉默寂靜中，瀰漫著沉沉的殺機，那悄然而至的瘦高黑影，每向前移動一步，就加重了一分殺機。

驀地裏，江流中又傳來一陣木櫓划水聲音，又有一艘小舟，如飛而至，那瘦高的黑影，似是被那划水的木櫓聲所驚，陡然停下了腳步。

急遽的變化，使蕭翎有著目不暇接之感，回頭望去，只見那小舟上飛起了一條嬌小的人影，一躍飛下，落在江岸上。

來人是個全身勁裝的女子，背上斜揹著一柄長劍，腳落實地，略一回顧，縱身而起，飛向那藍衫人停身之處。

就這一剎那，那悄然掩至近處的瘦高黑影，忽然不見，蕭翎窮目搜望，才看出他伏臥在地上，想是因爲那勁裝少女出現的太快，那黑影自知逃避不及，才伏身倒臥了下去。

那勁裝少女飛落在木桌旁側，砰的一掌擊在木桌上，說道：「我到處找你不到，你躲在這裏幹什麼？」

藍衫人緩緩站起身子，語氣中甚是冷漠，說道：「你這一鬧，驚跑了蕭翎的陰靈，我祈禱了半天，眼看陰靈將至，卻被你這一鬧，前功盡棄了……」

那勁裝少女怒聲接道：「哪裏來的陰靈，我瞧你是被鬼迷了心竅啦。」

藍衫人道：「就算我被鬼迷了心竅，也用不著你來擔心。」

那勁裝少女呆了一呆，嚶的哭出聲來，飛起一腳，踢飛了木桌，桌上的古琴、香爐，一陣乒乒乓乓飛出了兩、三丈遠。

蕭翎看她飛出一腳的威勢，心中微微一動，暗道：這女子的武功不弱。

兩個青衣童子，早已嚇呆了，眼看主人心愛的古琴飛摔出去，也不知飛身去接，半晌之後，那適才捧琴的童子，才訥訥地說道：「公子，那張古琴……」

藍衫人接道：「快去撿回來，咱們走啦。」

青衣童子應了一聲，跑去撿回古琴。

另一個青衣童子說道：「公子，那蕭翎的靈牌，要不要帶走？」

藍衫人怒道：「那靈牌如是丟了，你就別想再活了。」

這青衣童子一驚，返身一躍，直向那正中老柳之上飛去，伸手取下靈牌。

只聽那勁裝少女喝道：「什麼人的靈牌，拿來給我瞧瞧。」

這少女似是也有著一種很高的身分，竟使那青衣童子大大爲難，捧著靈牌，呆在當地。

勁裝少女怒道：「你敢不聽話嗎？」

劍童望了藍衫人一眼，慢慢抬起右腿，向少女邁出一步。

那藍衫人喝道：「大膽，掌嘴！」

劍童揚起手，乒乒乓乓，自己掌起嘴來。

那勁裝少女越看越感覺不是味道，厲聲喝道：「住手！」

劍童停下雙手，望了那勁裝少女一眼，又繼續打了起來。

那勁裝少女羞怒交集，長劍一揮，哭道：「好啊！你欺侮我還不算數，要琴、劍二童也來欺侮我了？」

那藍衫人舉手一揮，道：「不用打了。」

劍童停下手來，但雙頰已紅腫起老高，嘴角汩汩流出血來。

那勁裝少女哭了一盞茶工夫，那藍衫人有如未聞未見，既不勸解，也不喝止。

蕭翎隱身在老柳之上，看得十分真切，暗暗想道：看來這一對男女有著很深的淵源，但不知何故，藍衫人竟然對她如此冷漠，唉！女的雖是潑辣一點，但這男的心腸卻是太過冷酷一些。

那勁裝少女哭了一陣，也不見那藍衫人來解勸，似是下不了台，哭聲愈發尖厲，一面怒罵道：「你們站在這裏瞧什麼？快些給我滾遠些去！」

那藍衫人不勸不問，似是就在等她這一句話，當下冷笑一聲，道：「很好，可是你讓我滾的。」抱起蕭翎靈牌，大步而去。

琴、劍二童緊隨身後，護擁著藍衫人上了小舟，但聞木櫓撥水之聲，小舟去如驚鴻，片刻間走得蹤跡不見。

那勁裝少女耳聞小舟去遠，似是真的傷了芳心，嗚嗚咽咽的當真哭了起來。

蕭翎心中忽生不忍之感，暗自想道：得想個法子勸她一勸才行……

心念初轉，忽見那臥伏在地上的瘦高黑影，突地又站了起來，緩步向勁裝少女行去。

那勁裝少女哭得天昏地暗，那瘦高黑影逼近了她四、五尺遠，仍無所覺。

蕭翎心中大爲緊張起來，伸手折了一段柳枝，分斷三截扣在手中，暗運內力，蓄勢待發。

哪知事情變化，又大大地出了蕭翎的意外，那瘦高的黑影，逼近那勁裝少女五尺左右時，突然停了下來，說道：「姑娘，不用哭了！」

他雖然盡量想使自己的聲音平和，但聽上去仍然帶著一股冷冰冰的味道。

蕭翎心中一動，暗道：這聲音有些耳熟，當下運足目力望去。

那勁裝少女，似是突被毒蛇咬了一口般，哭聲頓住，一躍而起，劍隨身轉，護住了前胸，目注那瘦高黑影，冷冷喝道：「什麼人？」

那瘦高的黑影道：「在下毫無惡意！」說話之間，人又向前了兩步。

勁裝少女寶劍一揮，劃起一片寒芒，道：「快給我滾開，再要妄進一步，可別怪姑娘我手中寶劍無眼。」

那瘦高的黑影，突然放聲一陣哈哈大笑，道：「姑娘今宵的際遇，在下已是親目所見，親耳聽聞的了！那人對姑娘實在是太過份了。」

勁裝少女道：「我們自己的事，用不著別人來管。」

瘦高的黑影道：「可是那人早已不把姑娘當做自己人了，哈哈，如若在下把今宵所見，在江湖上宣揚出去，日後姑娘還有何顏在江湖之上走動？」

那勁裝少女怒道：「閉口，你這般恥笑我，可別怪我要殺你滅口了。」

那黑衣人冷笑一聲，道：「只怕姑娘難以是在下之敵……」

那勁裝少女怒道：「胡說！」刷的一劍，刺了過去。

那瘦高黑衣人側身一閃，避開一劍，卻不肯還擊，冷然接道：「姑娘如肯聽在下之言，和我合作，不但可挽回情郎變去之心，而且還可大大的在武林中揚眉吐氣一番。」

那勁裝少女似被說動了心，刺出的長劍，陡然收了回來，緩緩道：「咱們要如何合作？」

黑衣人道：「只要姑娘聽在下之言，假冒一個死去之人的名字，做幾件驚人之事。」

那勁裝少女對藍衫人，似是有深摯異常的情愛，急急問道：「要我冒什麼人的名字？」

黑衣人道：「蕭翎。」

藏身那老柳樹上的蕭翎，只聽得心頭一震，暗道：想不到蕭翎這名字，除了那藍衫人冒用之外，還有人威迫這勁裝少女冒用……

只聽那勁裝少女低聲說道：「蕭翎，蕭翎……就是那靈牌上的名字嗎？」

黑衣人道：「不錯，那人因假冒蕭翎之名……」

勁裝少女接道：「你說的哪一個？」

黑衣人道：「就是那個穿藍衫的少年！」

勁裝少女道：「他叫藍玉棠。」

黑衣人道：「就是那藍玉棠了，他假冒蕭翎之名，引出了一位絕代紅顏，才使他見新棄舊，不再喜愛你了……」

那勁裝少女的杏目圓睜，冷哼一聲，道：「真有這樣的女子？那我非得找著她瞧瞧不可，看她哪裏比我強了！」

黑衣人道：「那位姑娘武功高強，你縱然找得到她，也未必是她敵手，何況你也找她不到。」

勁裝少女道：「這你怎麼知道？」

黑衣人道：「姑娘還未答覆在下之言！」

勁裝少女道：「我這樣去找她也是一樣，爲什麼要假冒死去的蕭翎之名？我不幹。」

黑衣人道：「好！姑娘既是不願，在下也不勉強，咱們就此別過了！」轉身大步行去。

勁裝少女心中大急，高聲叫道：「站住……」

黑衣人停下腳步，勁裝少女問道：「你話還沒說完，她叫什麼名字，我要到哪裏找她？」

黑衣人冷笑一聲，道：「姑娘如肯聽在下之言，和區區合作，咱們是各取其利……」

勁裝少女奇道：「怎麼各取其利……」

黑衣人道：「在下只要她身上一件東西，其餘盡交由姑娘去處理。」

勁裝少女道：「什麼東西？」

黑衣人冷笑一聲，道：「姑娘不覺著問得太多了嗎？哼哼！你若不願答應，在下還得去找別人，無暇奉陪了。」

勁裝少女突然長歎一聲，道：「好吧！我答應你，但你可不能食言，要把她交我處理，殺剮任我作主。」

黑衣人道：「這是自然，在下生平和人鬥智用謀，倒是無計其數，自毀承諾，從不屑為。」

勁裝少女道：「你等一下，我去取來應用之物。」

黑衣人道：「慢著！有一件事，在下必得先行說明，姑娘也可想一想，就是在未曾找到那位女子之前，姑娘必須聽從在下之命。」

勁裝少女道：「依你就是。」轉身一躍，登上小舟，搖櫓而去。

黑衣人道：「姑娘要快去快來，在下不能多等。」

黑衣人緩步走近江邊，舉目遠眺。

蕭翎暗中一提真氣，悄無聲息地躍下樹來，正好落在那黑衣人的背後。

這時，如若他在暗中算計那黑衣人，只不過舉手之勞，生擒打死，都無困難。

要知江濤如嘯，聲聞數里，那黑衣人又正在想著心事，雖然有很好的武功，過人的耳力，也是難免受到干擾，不若平時靈敏，何況蕭翎的輕功，得自柳仙子的嫡傳，飄身下落，不帶一點聲息。

那黑衣人心中似是焦慮，站立不安，轉身遊走，哪知目光一瞬，突見蕭翎站在身後，這一驚非同小可，但他久經大敵，遇事的應變能力過人，右掌一立，護住前胸，霍然橫移三尺，冷冷地問道：「什麼人？」

蕭翎道：「蕭翎……」

黑衣人心頭一震，道：「什麼……」

蕭翎道：「貨真價實的蕭翎，你如是想找我，那就用不著請別人假扮了！」

黑衣人鎮定一下心神，道：「那蕭翎早已葬身江中魚腹，世間哪裏還有真的蕭翎，區區親眼所見，你還騙得過我不成？」

蕭翎冷笑一聲，道：「哼！我道是誰，原來是你，好啊！當真是『踏破鐵鞋無覓處，得來全不費工夫』的了。」

黑衣人越發驚異地說道：「你知道我是誰？」

蕭翎道：「冷面鐵筆杜九，中州雙賈中老二，哼哼！你可以易容改裝，卻無法改變你的聲音！」

黑衣人呆了一呆，道：「你當真是五年之前，落在這江中的蕭翎嗎？」

蕭翎道：「托天保佑，在下未死！」

黑衣人一拉包頭黑巾，道：「那很好，在下正是杜九，你既然沒有死，在下也用不著改裝易容，掩去本來面目了！」

蕭翎冷冷說道：「中州雙賈一向是形影不離，你既然在此，想那商八也定在左近了，帶我去見他！」

杜九道：「你要見他不難，但中州雙賈一向是不受人令，何況你是否真是蕭翎，在下還未曾認得清楚！」

要知蕭翎跌入河中之時，不過是十二、三歲的孩子，身罹絕症，瘦弱異常，此刻的蕭翎，雄挺秀偉，英氣逼人，五年之變，判若兩人，那杜九閱人再多，也是難以辨識。

杜九道：「我要你說明那日落江的情形。」

蕭翎道：「這又何難。」當下把那日落江經過，說了一遍。

杜九上下打量了蕭翎一陣，道：「果然是你了，我們兄弟，為你改扮易容，五年餘未以真面目出現江湖，哈哈，從今之後，再也用不到這般……」

蕭翎接道：「快帶我去見那商八。」

杜九冷笑一聲，道：「這五年的時光中，你一定有了奇遇？」

蕭翎劍眉聳動，道：「你可要試試嗎？」

杜九道：「該當領教。」

蕭翎提起了右掌，道：「那就接我一掌試試！」緩緩推出右手。

蕭翎不知自己五年的成就有多大，但腦際中卻記著中州雙賈的武功十分高強，這一掌去勢雖緩，卻運足了十成勁力。

杜九疾快地抬起右掌，推了出去。

雙掌接實，蕭翎蓄蘊在掌心的暗勁，突然發了出來。

杜九在雙方相觸的一剎那，已然覺出不對，但已無法閃避，只好硬接下了一掌。

只覺一股強猛絕倫的勁道，直撞過來，心神一震，身不由己地退了三步。

蕭翎收了掌勢，道：「可以去見商八了吧？」

杜九長長吸一口氣，納入丹田，壓制住翻動的氣血，道：「皇天不負有心人，你真的投到了北天尊者門下。」轉身放步而行。

蕭翎急欲早見商八，也懶得解說，緊隨在杜九身後而行。

十五　中州雙賈

杜九逐漸地加快行速，行了頓飯工夫，到了一處孤立的茅舍前面。

茅舍的木門緊閉，室中不見燈光。

杜九輕輕咳了一聲，道：「大哥在嗎？」

木門呀然而開，一個竹笠魚裝的白髯老人，當門而立。

杜九晃燃火摺子，點起了燭火，道：「大哥，從今以後，咱們用不著掩飾本來的面目了，蕭翎他沒有死去……」突然張嘴吐出了一口血，摔倒在地上。

白髯老人兩道冷電一般的目光投注在蕭翎的身上，道：「你真是五年前落江的蕭翎嗎？」

蕭翎應道：「正是在下。」

白髯老人突舉手在臉上一抹，白髯盡落，露出一張圓臉，道：「可是你打傷了他？」

這張圓臉，留給了蕭翎很深的記憶，正是那金算盤商八。

蕭翎道：「適才在江畔，在下和他對了一掌。」

商八臉上泛現起困惑之色，道：「只一掌，你就震傷了他？」

伏下身子，扶起杜九，接道：「救人要緊，咱們等一會兒再談。」

蕭翎倚門而立，道：「既然見著了，我也不怕你逃走。」

商八仔細在杜九身上查看了一陣，推活杜九的脈穴，摸出一粒丹藥，送入杜九口中，低聲說道：「二弟，你運氣先調息一下，我和這位蕭兄談談……」

蕭翎冷冷接道：「道不同不相爲謀，我瞧咱們也不用談了，我記得五年前，我曾說過不殺你們，快些告訴我，那岳姊姊現在何處？」

商八搖搖頭，道：「不知道，自從你落江之後，咱們兄弟失信於那岳小釵，也無顏回去見她，屈指算來，五年有餘，沒有見過她了！」

蕭翎眉宇間泛現出一片憂鬱，冷然說道：「如若我那岳姊姊，有了三長兩短，兩位縱然被我斬作肉醬，也難消我心頭之恨。」

語音微微一頓，接道：「我那岳姊姊是被你們囚禁起來的，這話沒有冤枉兩位吧？」

商八道：「不錯，岳姑娘確是我帶她安居在一處安全所在，可是我們兄弟答應了把蕭兄帶去見她，交換那禁宮之鑰，不幸你落江失蹤，中州雙賈能在江湖之上立足，就是因爲一生中從未失信於人，既是找不到你蕭翎的下落，那等於砸了我中州雙賈的招牌，自是壯士無顏去見那岳小釵了……」

蕭翎急急接道：「她在什麼地方，快帶我去見她！」

商八搖頭說道：「岳姑娘的秘密居所，咱們只留有半年的食用之物，我們兄弟找不到蕭相公，無顏回去見她，但卻不能讓她活活餓斃，因此，在蕭兄落江五個月後，咱們兄弟易容改裝，悄然潛返，給她送去些食用之物……」

輕輕咳了一聲，接道：「但當咱們兄弟回到那處秘居，岳姑娘早已自斷鐵柵而去，行蹤不明，咱們兄弟化裝尋訪數年，足跡遍及大江南北，仍是找不出她的下落。」

蕭翎冷笑一聲，道：「未找到我岳姊姊之前，兩位不能算脫干係，有勞兩位隨我一行到百花山莊去……」

杜九突然一睜雙目，失驚道：「百花山莊！」

蕭翎道：「不錯，如是三年之內，還找不到我那岳姊姊，我就殺了兩位。」

啇八沉吟了一陣，道：「你認識那血影子沈木風？」

蕭翎略一沉吟，道：「那是我的結盟大哥！」

啇八道：「你從那血影子沈木風學藝，武功自是了得，五年時間，不算太長……」

他頓了一頓，又道：「縱然他細心相授，你天資聰慧，盡得他的真傳，但真力內功方面，卻未必就強過咱們兄弟，一對一的搏鬥，你或可有取勝的機會，但如我們兄弟二人聯手，你卻是必敗無疑之局……」

冷面鐵筆杜九冷冷接道：「就算那沈木風親自到來，也難在百招內，勝得中州二賈。」

蕭翎聽得心中一動，暗道：聽這兩人口氣，對我那結盟大哥沈木風，似是甚多畏懼，看來大哥的名頭，果然是威震江湖，非同小可。

金算盤商八不容蕭翎開口，又搶先接道：「如是我們兄弟不走呢？」

蕭翎道：「由不得你兩位作主。」

商八笑道：「好大的口氣，做生意講究本錢，你這娃兒憑什麼？」

蕭翎道：「就憑我這一雙掌。」

商八笑道：「那很好，我們兄弟是當得奉陪。」

蕭翎道：「這室中狹小，動手時有礙手腳。」

商八道：「北行三、四里，有一座荒涼的破廟，咱們到那裏去如何？」

蕭翎道：「事不宜遲，要走就得立刻動身。」

商八一躍而出，道：「兄弟帶路。」

三個人影聯袂而起，疾向正北方奔了過去。

果然，行約四里左右，有一座殘破的大廟，商八帶路，躍入廟中，直奔大殿後一座陰森的院落。這座後院，足足兩畝大小，荒草及膝，四周長滿了高大的槐樹，只有中間三、四丈見方處，長草已被剷去，露出一片黃土地。

商八伸手指著近東一排廂房，道：「在那排廂房中，放有二口空棺材，如若我們兄弟傷亡在你的手中，那就有勞代爲收了我們兄弟屍體，埋入這一片黃土地中。」

蕭翎心知中州雙賈的武功高強，如若二人一齊出手，實難有制勝把握，淡淡一笑，道：

「兩位是一齊上呢，還是一個一個的動手？」

商八回顧了杜九一眼，道：「在下先單獨領教，如若是你當真能把我打敗，我們兄弟再聯合出手如何？」

蕭翎豪氣飛揚地說道：「如若是我蕭翎怕你們中州二賈聯手合擊，也不敢奉陪來此了。」

商八道：「那就請出手吧！我們人多，先讓你三招。」

蕭翎道：「且慢，還有一事，必得先說清楚，貴兄弟爲了一世英名，此刻已有了拚命一戰的決心，但兄弟此際卻無殺害兩位之意，如若我僥倖勝了兩位，還得兩位答允留下有用的性命，幫我尋找我那岳姊姊！」

商八哈哈大笑，道：「我兄弟如若當真是同敗在你手下，那就終身聽命於你。」

蕭翎道：「好吧！小心了。」

呼的一掌，劈了過去。

商八身軀橫裏一閃，一式脫袍讓位，避開一掌，只覺一股勁急的掌風，從身側飛過，飄起衣袂，不禁吃了一驚，暗道：好小子，掌力果然不弱。

蕭翎一擊不中，跟著欺身而進，雙手左右合擊，拍了過來。

這一擊卻是無聲無息，勁力蓄蘊掌心不發。

商八一式移形換位，身子滴溜溜一個大轉身，又避開了一掌。

但覺人影一閃，蕭翎雙掌如影隨形般緊接而到，這次卻是擒拿手法，五指搭向商八右腕。

商八心頭大駭，暗道：好快的手法，急施了招風迴弱柳，腳尖微微一用力，身子飄飄而起，避開一擊。

他雖然避開了三招，但人卻退後一丈多遠。

蕭翎停手不攻，冷然說道：「這一次，你該還手了。」

商八道：「不勞費心。」

身子向前一探，右拳迎胸擊了過來，拳勢將要接近蕭翎時，突然一張五指化作神龍探爪，抓向蕭翎肩頭。

蕭翎一塌肩，人立原位不動，右掌卻疾然而起，食、中二指急急劃出，拂向肩頭。

商八駭然而退，失手叫道：「蘭花拂穴手！」

蕭翎道：「不錯啊！貴兄弟當真是見過世面。」

左手一探，五指平屈半伸，拂向肩頭。

商八哪裏還敢大意，右手一招驚濤裂岸，呼的一掌，劈了出來，強猛的內勁，山湧而至。

蕭翎已打得性起，右手一揮，接了一掌，左手斜裏拂出食、中、無名三指，半屈輕彈，點向商八左肩缺盆、堂門、中府三穴。

這一招蘭香四射，乃「十二蘭花拂穴手」中一記絕招，金算盤商八，雖是久經大敵之人，也不禁有些應變不及之感，何況他右手已和蕭翎硬拚上了掌力，閃避之間，更是困難。

匆忙中一吸真氣，左肩疾沉，塌落五寸。

他應變雖已夠快，仍是晚了一步，中府穴上，已被蕭翎彈出的指力拂中。

冷面鐵筆杜九，眼看商八已吃了虧，如不及時解救，三、兩招中，即將落敗，冷冷喝了一聲：「接我一掌。」

中州二賈，正好和蕭翎相反，越打越是心驚，杜九首先為蕭翎快速掌法所惑，右手斜裏推出一招閉門推月，去封蕭翎掌勢，卻不料蕭翎左掌穿隙而入，拍向前胸。

杜九門戶洞開，這一掌眼看招架不及，只好向後退避。

卻不料蕭翎拍向前胸的掌勢，陡然收回，左掌一翻，拂穴手掠著右臂而過。

杜九只覺臂膀一麻，一條右臂勁道頓失。

商八大驚之下，突然拍出一掌百鳥朝鳳，幻起無數掌影，當頭罩下。

蕭翎毫無對敵經驗，眼看對方掌勢幻起罩下，心頭微慌，身軀一轉，準備避開，左手卻施一招滿天星斗，封架攻勢。

就這稍一猶豫，已然慢了一步，商八的掌勢，已然拍中右肩肩頭。

蕭翎得莊山貝傳授乾清氣功，護身罡氣，已有小成，商八一掌擊中，立時有一股反震之力，彈了回來，心頭更是驚駭，失聲叫道：「護身罡氣！」

蕭翎受創之下，左手一招點出，修羅指力激射而至，點中了商八天池大穴。

金算盤商八身軀搖了兩搖，一跤跌倒。

杜九大吃一驚，急急叫道：「大哥……」撲了過去。

他右手受傷，難以運勁，左手一探，抓起了商八的身子。

蕭翎右肩挨了商八一掌，打的骨疼如折，他護身罡氣，只不過三成左右的火候，如何能擋得商八的雄渾掌力。

這一戰，三人盡皆受創。但蕭翎受傷一事，中州雙賈卻是懵無所覺。

蕭翎暗中咬牙，強忍傷疼，沉聲說道：「不要動他，他中了我修羅指力，不知解救之法，不但徒勞無益，且將害他性命。」

杜九臉色一變，道：「修羅指力？」放下商八，緩緩退到一側。

蕭翎運起功力，抵拒傷疼，一面又施展柳仙子傳授的獨門手法，解開了商八爲修羅指力所點傷的穴道。

他雖然解開了商八的穴道，但自己卻疼出了一身大汗。

杜九冷眼旁觀，還道他爲了替商八解穴療傷，累出了一身大汗，心中暗生感激之情。

商八穴道被解，挺身坐了起來，雙目圓睜，望著蕭翎出神，半晌之後，才長歎一聲，道：「蕭兄身兼數家之長，我商八今宵算是大開了一次眼界……」

長歎一聲，接道：「兄弟這一生之中，和人鬥智比武，雖非第一次挫敗，但卻從未敗得似今日之慘……」

他回顧冷面鐵筆杜九一眼，道：「兄弟，今將如何？爲兄已答允了蕭翎，如若是敗在他的手中，就終身聽命於他，但兄弟並未親口答允過他，眼下倒還有個擺脫爲兄代你承諾之策。」

杜九默然不言，但從閃爍不定的目光中，顯見他心中正有著強烈的變化，良久之後，才緩緩接口說道：「有何良策？」

商八道：「如若兄弟此刻和我割袍斷義，劃地絕交，從此兩不相關，那兄弟自是可不受為兄承諾之言的約束了。」

但見冷面鐵筆杜九仰臉長長吁一口氣，道：「小弟還是要追隨大哥，不論天涯海角，刀山劍林，生死不離。」

此等友愛誠摯之言，出自他的口中，仍是有些冷冰冰的味道。

商八輕輕歎息一聲，道：「為兄的害了你啦。」

蕭翎突然一抱拳，道：「兩位肯答應，幫我找尋我那岳姊姊，兄弟已感激不盡，此後咱們是兄弟相稱，平坐平行，不要談那些終身受命的事了！」

商八哈哈一笑，道：「蕭兄的年歲不大，胸襟氣度，實非常人能及，既是如此，兄弟也不再謙辭，從此刻起，蕭兄是我們龍頭大哥就是。」

蕭翎道：「兄弟這等年歲，如何敢當……」

商八接道：「武林之中，強者為高，原本也無年歲之分，大哥請受兄弟一禮。」一撩長衫，拜了下去。

杜九緊隨著商八拜倒地上。

蕭翎也急急大禮相還，相對一拜而起。

只見杜九仰起臉來，望著滿天繁星，重重地咳了兩聲，道：「我們今宵一諾，那是終身奉行，但卻是只聽你大哥一人之令，至於其他的人，不管和你蕭大哥什麼關係身分，咱們可是不賣這份交情。」

蕭翎沉吟了一陣，道：「這個任憑兩位。」

商八道：「兄弟也有句不當之言，如鯁在喉，不吐不快，大哥這身武功，是不是從那血影子沈木風學的？」

蕭翎道：「不是，不過那三位授藝前輩都已多年絕跡江湖，說將出來只怕兩位也不知。」他年輕面嫩，面對著兩個幾十歲的大漢，實在叫不出兄弟二字。

商八哈哈笑道：「大哥如是有不便告人之處，那就作罷，但若無礙，何妨告訴小弟們。」

蕭翎道：「已是自己兄弟，說說自是無妨，但兩位卻不可隨便告人！」

杜九道：「大哥放心，小弟等豈敢亂談大哥的出身。」

蕭翎道：「我這身武功得自三位奇人，義父南逸公、恩師莊山貝，還有位姑姑柳仙子。」

商八雙目圓睜，道：「這三人還活在世上嗎？」

蕭翎黯然說道：「他們隱居在三聖谷內……」想到別離三位老人時，那等情景，心頭一酸，再也接不下去。

商八道：「大哥曠世奇遇，能得這三位老前輩的垂青，各傳絕藝，那是無怪大哥的成就，超逾了武學常規。」

杜九接道：「血影子沈木風十年前凶名已震動江湖，大哥和他交往，還望要小心一些！」

商八道：「沈木風、周兆龍，陰險毒辣，最善暗箭傷人，他們結交大哥，恐是別有用心，唉！大哥的事，小弟們本是不該多問，但此事關係大哥安危，務望大哥多多留心。」

杜九道：「最好把咱們今宵之事，別告訴兩人，免得他們對你生疑。」

蕭翎還未及接口，商八又搶先說道：「近日江湖上，似是起了甚大的波動，但小弟等一直全神在追查那藍玉棠，希望能查出岳姑娘的下落，未曾留心其他的事，明日起當在暗中查明情勢，稟報大哥……」

蕭翎急急接道：「怎麼？那位藍玉棠和我岳姊姊有關連嗎？」

杜九道：「眼下還未查出眉目，但那藍玉棠冒用大哥之名，出道不過年餘時光，已然震動江湖，此人出身如謎，來歷不明，但劍招之詭奇、辛辣，卻是一時無兩，小弟眼看他和人動手，從未用過兩招，拔劍一擊，對方不死即傷，大哥日後遇得此人，還望多加謹慎小心。」

商八道：「未遇大哥之前，小弟等是一心查追那岳姑娘的下落，但此刻，小弟卻不得不留神江湖上的動靜了，大哥目下和絕世凶人相處一堂，諸事望多小心，兄弟要先走一步了。」

蕭翎急道：「咱們日後要如何相會？」

商八道：「我等如有要事，自會找上大哥，傳遞消息，但如大哥相招，可用暗記指引。」

當下把暗記告訴蕭翎。

此人心思縝密，說完暗記之後，仍是有些不大放心，回頭指著那正東廂房，接道：「如是江湖有甚驚變，咱們兄弟連絡不易，或小弟等因要事困擾，難以晉見大哥，大哥可到那廂房之中，靠南方一口棺材裏，取閱小弟們的報告，但這等連絡之法，乃非常手段，平常之時不可輕用，大哥珍重。」抱拳一禮，回身而去。

杜九隨著離去。

蕭翎望著兩人遠去的背影，說不出心中是何感覺，兩人再三警告他處境險惡，使蕭翎生出一種悵然的感覺，想不到那日和周兆龍等結盟，確實是爲人情、形勢所迫擾，糊糊塗塗的答應了下來，事後想來，無疑中了圈套，但米已成飯，悔之已晚，日後要小心從事，相機應付了。這番深深的思量，似是陡然間長了不少見識，仰天長長吁一口氣，離開了荒涼的破廟，直向百花山莊而去。

夜色沉沉，寒風拂面，蕭翎一路急奔，直待將近百花山莊，才放緩了腳步。

忽然間，瞥見一條黑影，一閃而沒。

蕭翎心中一動，暗道：什麼人，深更半夜，這麼慌急地趕路，而且不走大道，看去向，又似是趕往百花山莊。正自難作主張，突然身後蹄聲得得而來。

回頭望去，只見一匹快馬，閃電流矢一般，飛馳而來，瞬間已到身側。

馬上人一身黑色的勁裝，伏在鞍上疾奔。

蕭翎還未看清楚來人面貌，那馬上人已搶先喝道：「什麼人？」

呼的一聲，一條長長的皮鞭，抽了過來，蕭翎心中大怒，暗道：這人好生冒失，也不問清敵友，出手就是這樣重的鞭子，左手一揮，疾向那馬鞭抓了過去。

馬上黑衣人武功了得，右腕一挫，長鞭陡然收回。

那前行的健馬，快速驚人，那人收回鞭子，快馬已遠距蕭翎兩丈開外。

蕭翎心頭大怒，一提真氣，正待施展輕功，追那快馬，卻不料那快馬突然打了一個旋身，重又轉了回來，長鞭揚處，又抽過來。

這一次，蕭翎有了準備，哪還容他收回長鞭，右手疾翻而起，一式破雲摘星，五指一合，已然抓住皮鞭。

蕭翎這快速、準確的手法，使那馬上黑衣人大吃一驚，冷哼一聲，道：「放手。」寒光一閃，削向蕭翎的右腕。此人出手奇快，長劍緊隨在長鞭之後削來。

蕭翎暗暗吃驚，道：好快的劍招。右手一挫，帶動長鞭，左手蘭香暗送，五指半屈半伸，拂向那人腕脈。

快馬上的黑衣人，似是知道此招厲害，雖然未失聲叫出蘭花拂穴手，人卻鬆開了長鞭，一躍下了馬背。

蕭翎右腳一抬，直踏中宮而上，左手閃電劈出四掌。

南逸公那連環閃電拳掌，爲武林一絕，出手之快，變化之急，世間拳掌，無與匹敵，這四掌快攻，迫得那黑衣人連退了四、五尺遠。

那黑衣人躍下馬背時，長劍已橫胸而立，準備出手搶攻，哪知蕭翎的動作，比他更快，一欺而上，照面攻出四招，搶盡先機，迫得那黑衣人不但無力還手，而且連招架也來不及。

但他武功確實不弱，待蕭翎四掌攻過，勢道一緩，立時展開了反擊，長劍揮動，寒芒流轉，快劍急攻，湧起朵朵劍花，又把蕭翎迫退了兩步。

蕭翎怒氣上湧，正等出手反擊，忽聽一聲熟悉的大喝道：「快快住手，是自己人！」一條人影，疾奔而至。

那黑衣人當先一躍而退，收了長劍肅然而立，道：「不知二叔駕到，小侄未能迎候，尚望恕罪。」說話中抱拳一揖。

蕭翎轉眼望去，只見來人一身華衣，正是百花山莊的二莊主周兆龍。

周兆龍揮手微笑，道：「這位是你的蕭三叔，快快過來見過。」

那黑衣人愣愣地望著蕭翎，呆了一陣，抱拳說道：「小侄單宏章，見過蕭三叔。」

蕭翎凝目望去，只見那單宏章二十四、五，面如鍋底，黑中透亮，虎目闊口，兩道濃眉，看上去一臉精悍之氣。

這人的年齡大過蕭翎甚多，這麼恭恭敬敬地叫了一聲蕭三叔，蕭翎心中倒覺得有些不好意思起來，急急還了一禮，道：「不敢當，單兄……」

周兆龍急急說道：「長幼有序，這輩份禮數，亂它不得，三弟不用客氣了。」

單宏章一直瞪著一雙虎目，不停地打量蕭翎。

蕭翎輕輕咳了一聲，道：「單賢侄不用多禮。」

周兆龍微微一笑，道：「單賢侄乃大哥的入室弟子，派去塞外兩年，今宵才趕了回來，不知三弟加盟之事，如有開罪兄弟之處，萬勿放在心上。」

蕭翎道：「小弟亦有莽撞之處，如何能怪得單賢侄。」

周兆龍目光一轉，望著單宏章，道：「賢侄最得你那恩師器重，此行塞外定有大成了？」

單宏章道：「只能說幸不辱命……」微微一頓，又道：「我那恩師傷勢可好了嗎？」

周兆龍笑道：「足以告慰賢侄，令師不但傷勢痊癒，而且他數十年的苦練，始終未能大成的『血影神功』，也借這養傷之機，功行圓滿，連帶幾種絕學，均都練成，再有你蕭三叔加盟相助，單賢侄塞外之行，又圓滿如願歸來，行即將見百花山莊的金花令諭，號令天下武林。」

單宏章抬頭望望天色，道：「小侄還得先行回莊，稟報此次塞外之行的經過，兩位叔父且請慢行一步，小侄得先走了。」

周兆龍道：「你那恩師正在望花樓上歡宴佳賓，遍尋三弟不著，莊中已派出一十八騎快馬，傳諭百里內的暗樁，找尋你蕭三叔的下落，想不到你們叔侄，卻在這裏打了起來……」

他縱聲一陣大笑，接道：「大哥久候三弟不見，又不便怠慢佳賓，已然開了筵席，咱們也得早些回去了。」帶著蕭翎，放腿而奔。

蕭翎低聲問道：「來的什麼人物，竟得歡宴於望花樓上？」

周兆龍道：「屆時大哥自會替三弟引見，急也不在一時，咱們得快些趕路了。」

三條人影，疾如流矢般，奔行在寬闊的大道上。

單宏章雖然已和蕭翎動手數招，覺出他武功確實不弱，但見他那點年齡，心中仍是有些不平，暗暗想道：師父也是，縱然是邀人加盟，也該找個年齡大一點的才對，此人年不過弱冠，此後我要以長輩之禮，侍奉於他，實叫人心下難服。

他胸中一股悶氣，難以發洩，全力提氣奔走，希望能在輕功之上，壓倒蕭翎，也好舒出一點悶氣，棄馬步奔，疾若流星，眨眼間已然超過了周兆龍和蕭翎。

周兆龍何等狡猾，哪還會猜不出單宏章的用心，當下放開蕭翎手腕，低聲說道：「三弟，咱們也走快一些。」全力奔馳，快如飄風。

蕭翎的輕功，得自柳仙子的傳授，那柳仙子昔年以輕功稱絕江湖，一時無兩，但是蕭翎不願太露鋒芒，始終追隨在周兆龍的身後，三個人保持不足一丈的距離，電掣星馳般，衝向百花山莊。

這一段行程，不足五里，三人這般追奔，哪消片刻，已然進了百花山莊。

單宏章陡然收住奔行之勢，暗運一口真氣，調息一下，轉目望去。

只見周兆龍和蕭翎並肩而立，相距自己不過二尺。

那周兆龍面上微現紅暈，隱隱間有喘息之聲，但蕭翎卻是行若無事，不禁心頭微微震驚，忖道：看來，我和周二叔，都已使出了全力奔走，這位蕭三叔卻是輕描淡寫地追蹤而行，幸得這段行程很短，難以明顯的分出優劣，如是長程奔走，只怕畫虎不成反類犬了。不自禁地對蕭翎多生出兩分敬重之心。

周兆龍是早已知蕭翎的武功，自是不放在心上，微微一笑，道：「賢侄北上塞外兩年，輕功反是大有進步了，可喜，可賀。」當先舉步領路，大步直奔望花樓。

高聳的望花樓上，燈火通明，隱隱可聞傳下來的歡笑之聲。

周兆龍當先入樓，單宏章卻欠身相護，走在最後。

蕭翎目光微轉，見各層樓門處的守護之人，都是兵刃出鞘，戒備十分森嚴，心中暗暗忖道：看來那來人身分不低。

三人直登上了十三層樓，見樓上盛筵已開，四名美婢出侍兩側，首位坐著一個全身白衣、繡有金花的美婦，次位上坐著一位四旬左右，天藍長衫，胸前黑髯及腹，臉色紅如童子的人。

蕭翎只覺那人十分面熟，似在哪裏見過，目光一轉，看到他腳旁放著一個三尺長短，二尺寬窄的描金箱子，心中靈光一閃，暗道：是了，這人是浙北向陽坪璇璣書廬的主人宇文寒濤。

周兆龍急行兩步，欠身說道：「大哥，小弟已把三弟找回來了。」

沈木風緩緩轉過臉來，望了蕭翎一眼，拍拍身邊的椅子，道：「你過來，坐在這裏。」

他氣度言行，自有一種威嚴，蕭翎不自主地走了過去，在他身旁坐下。

周兆龍獨自在下首落座。

單宏章屈下一膝，道：「弟子叩見師父。」

沈木風道：「你回來了，塞外之行如何？」

單宏章道：「未辱師父之命。」

沈木風舉手一揮，道：「知道了，你下樓休息去吧！」

單宏章起身倒退至樓梯口處，抱拳說道：「弟子告退。」轉身下樓而去。

沈木風指著那胸繡金花的美婦，道：「這位金花夫人遠由苗疆到此，三弟快敬一杯酒。」

蕭翎端起酒杯，道：「兄弟蕭翎，夫人多指教。」舉杯一飲而盡。

金花夫人櫻唇輕啓，笑道：「傳言中原多靈秀，今宵見得小兄弟，可證傳言不虛。」皓腕輕伸，取過面前酒杯，也乾了一杯。

沈木風道：「在下這位兄弟，武功雖小有成就，但江湖見聞不多，還得夫人多指點他。」

金花夫人眼波流轉，風情萬種地笑道：「如若令弟有興，我絕不吝絕技。」

她口中雖是在和沈木風說話，但兩道目光，卻是一直在蕭翎的身上打轉。

沈木風道：「在下代三弟謝謝夫人了……」

目光一轉，望著宇文寒濤，接道：「這位是璇璣書廬主人，宇文寒濤先生。」

蕭翎一抱拳，道：「久聞大名，有幸一會。」

宇文寒濤笑道：「蕭兄出道江湖不過一年有餘便已盛名大噪，今能一見，實償渴慕。」

那宇文寒濤雖在武當山上聽蟬閣中見過蕭翎，但那時蕭翎還是個弱不禁風的小孩子，和此刻大不相同，哪裏還能記得蕭翎的樣子。

沈木風見宇文寒濤稱讚蕭翎，淡笑道：「宇文兄誇獎了。」他搶先出口，不要蕭翎有辯正的機會。

宇文寒濤道：「沈兄神功已成，金花夫人也從苗疆趕來，眼下時機已熟，但不知沈兄做何安排？」

沈木風道：「兄弟想到幾點辦法，但卻不敢專擅，兩位來得正好，兄弟正想聽聽兩位的高見。」

宇文寒濤道：「目下各大門派中，除了武當派中的無爲道長之外，都還如在夢中一般……」

金花夫人突然接口說道：「宇文先生數度駕臨武當山，難道還沒有說服那無爲道長嗎？」

宇文寒濤道：「那牛鼻子老道，雖曾數度和我接談，但卻一直沒有和咱們聯手之意，每當我話及正題時，他不是裝糊塗，就是顧左右而言他，硬把話題岔開，兄弟也不便講得太過露骨，雖然數度晤面，卻是一無所成。」

沈木風道：「那無爲牛鼻子，自認是正大門戶中人，自是不肯與咱們聯手了！」

宇文寒濤笑道：「這個沈兄但請放心，兄弟前數日和無爲道長見面之時，暗中施放了金花夫人相贈之物，那毒物發作雖然緩慢，但卻厲害無比，除了夫人的獨門解藥外，無法解得，故而我料他一月之內必來。」

沈木風淡淡一笑，道：「那無爲道長一向自負，只怕他寧讓毒發而死，也不肯來這百花山莊求救！」

金花夫人的臉上，突然泛現出一片冷厲之色，兩道勾魂攝魄的秋波，也暴射出一片寒芒，凝注著宇文寒濤，道：「宇文兄怎知那無爲道長會到百花山莊中求救？你可是告訴他，暗中放出了我的金虻？」

宇文寒濤笑道：「在下雖然愚拙，也不至如此的冒失，我說他近日氣色不佳，或將身罹怪疾，在下現在借居百花山莊，道兄如有不適之感，不妨派人趕往百花山莊之中。」

金花夫人凝目沉思了片刻，說道：「你暗放金虻襲攻那無爲道長，今日是第幾天了？」

宇文寒濤道：「算上今日，已有七天，不知那金虻該在何時發動？」

金花夫人微作沉吟，道：「算來早該發動了！就算他內功精湛，開頭兩天能忍得住，但昨天便該躺下，彼等若是見機得早，今日就該有人趕來。」

沈木風道：「在下雖是久知苗疆絕藝的厲害，卻還不知厲害到這等境界。」

金花夫人毫不謙遜，目光一轉，笑道：「一個人身懷絕藝，難免好強，其實呢，以真實功夫取勝固然也好，只是多費手腳，有時太不值得。」

蕭翎暗暗忖道：她講出此等閒話，不知用意何在？

他心中早已驚疑不已，隱隱聽出這幾人聚在一處，圖謀著一件大事，那無爲道長似是首當其衝，先遭毒手……

忽聽一陣喝叱之聲隱隱傳來，似是第三層上有了事故。

沈木風忽然端起酒杯，笑道：「夫人的見解高人一等，三弟入世未深，多向夫人討教，一定得益匪淺。」

金花夫人微微一笑，一伸皓腕，酒杯朝蕭翎一晃，蕭翎只好舉杯就唇，三人乾了一杯。

這幾人談笑自若，鎮靜逾恆，全都不將下層隱約的喝叱聲放在心上。

酒過三巡，宇文寒濤忽道：「沈兄，來人能夠硬闖到七層樓上，必然不是泛泛之輩……」

沈木風面龐一轉，道：「二弟下去瞧瞧，來人若是武當派的，就將他領來此地。」

周兆龍急忙放下酒杯，疾步走下樓去，片刻之後，領著一位仙風道骨、飄飄出塵的道人登上樓來。

沈木風轉面一看，原來竟是武當門下名重一時的雲陽子到了，這雲陽子面如滿月，黑髯拂胸，十多年間，相貌一些未變，沈木風雖然與他久違，仍舊一眼即認了出來。

雲陽子乃是武林中的知名之士，沈木風未便失禮，當下離座而起，拱手笑道：「我道是誰，原來是雲陽道兄，未曾遠迎，罪甚罪甚。」

沈木風離座相迎，蕭翎主人身分，也隨同起立，跟在他的身後，宇文寒濤與雲陽子亦是舊識，彼此未曾破臉，因而也出座相迎，只有金花夫人留在座中，恍若未睹。

只見雲陽子走前兩步，朝沈木風稽首一禮，道：「昔年一別，匆匆十餘載，沈莊主英風勝昔，可喜可賀。」

沈木風見他氣定神閒，飄逸雍穆，一點剛剛激鬥過的痕跡也沒有，心頭亦是暗暗佩服，聽他恭維自己，不禁哈哈一笑，道：「這位是武當派下大名鼎鼎的雲陽道長，三弟先行見過。」

蕭翎忙一拱手，道：「不才蕭翎，道長多指教。」

雲陽子先是一怔，隨即單掌當胸，道：「原來是蕭公子，恕貧道眼拙了。」

突然轉過身子，將手一伸，含笑道：「宇文施主果然在此，貧道那掌門師兄是有救了。」

他口中講話，手已伸了過來，按照江湖規矩來說，這舉動顯然含有較量功力之意，宇文寒濤微感意外，暗道：這老雜毛急昏了頭，居然也來這俗套。

他坦然無懼，伸手迎去，縱聲笑道：「日前到武當拜訪，適逢道長雲遊在外……」

說話中，兩人的手掌業已緊緊握住，雲陽子的手掌灼熱無比，內力非同小可，不過宇文寒濤勁力足以承受。

雲陽子好似點到為止，略略一握，立即內力一收，把住宇文寒濤的膀臂，笑道：「貧道的掌門師兄對施主佩服不已，叮囑貧道一定要向施主好好請教。」

沈木風肅容入座，心頭直是犯疑，暗道：這老道的言語舉動不倫不類，大是反常，其中必然有詐。

眾人坐定，沈木風一指金花夫人，道：「這一位是苗疆奇人金花夫人，道長可曾見過？」

雲陽子舉掌一禮，道：「貧道前此無緣識荆，夫人的大名卻是久已耳聞。」

金花夫人淡淡一笑，道：「聽道長先時之言，莫非貴掌門玉體違和了？」

雲陽子道：「夫人猜得不錯，敝掌門忽身罹怪疾，百藥罔效，想起宇文施主曾講過，有事可至百花山莊求救的話，貧道因掌門人的安危非比尋常，故爾不揣冒昧，擅自闖到此地來。」

宇文寒濤哈哈一笑，道：「在下雖然善觀氣色，略識休咎，卻無回春妙手，不懂針灸藥物，不過道長寬心，沈莊主這百花山莊之內，時有奇人異士來往，無爲道長的貴恙，包在宇文寒濤身上便了。」

雲陽子舉掌爲禮，道：「宇文施主鼎力相助，貧道感激不盡。」

金花夫人倏地冷冷一笑，道：「道長此來，除了求藥之外，難道就沒有旁的事？」

雲陽子故作沉吟，道：「沒有啊！貧道來此之前，也曾問過掌門師兄，但敝師兄言道：那藥求得到則求，萬一求不到麼……」

那金花夫人冷哼一聲，道：「求不到則怎樣？」

雲陽子道：「萬一良藥難求，那就只有交換了。」

金花夫人黛眉一聳，道：「武當派有什麼稀世之寶，能夠換回掌門人的性命？」

雲陽子神情肅然，目光由沈木風、宇文寒濤臉上掠過，最後落在金花夫人的臉上，緩緩說道：「自然是價值連城之物。但貧道要事先瞭解，你們如何能救得敝掌門的性命。」

金花夫人冷笑一聲，道：「只要那寶物的價值，確能重過於無爲道長的生死，我自然有藥到病除的手段；如是那寶物不值一顧，倒也有兩條路可以選擇。」

雲陽子道：「哪兩條路？」

金花夫人道：「一條是由貴派和百花山莊聯手合作，聽命於沈大莊主；一條是你立刻回歸到武當山去，爲貴派掌門人準備後事。」

雲陽子臉色一變，似要發作，但立刻又忍了下去，淡淡地笑道：「可有第三條路嗎？」

宇文寒濤接道：「道兄不用太急，慢慢的商量，總可以找出兩全其美之策。」

金花夫人冷笑一聲，道：「這第三條路麼，那就瞧瞧道長那價值連城的寶物了。」

突然撩起衣衫，探手入懷，摸出一個淡青色盒子，揚手一揮，叭的一聲，投在那樓梯門口之處，盒子應手而碎。她這出人意外的舉動，不但使雲陽子瞧得莫名其妙，就連那沈木風和宇文寒濤，也瞧得有些大惑不解，卻不禁凝目望去。

一瞧之下，室中群豪，都不禁爲之心頭一震。

原來那淡青色盒子破裂之後，八隻黑色人面蜘蛛，一擁而出，交錯遊走，片刻之間，在那樓梯門口結了一片蛛網。

燈光照射之下，那蛛網上泛現出一片慘綠之色。八隻黑色蜘蛛，分盤在一大片蛛網之上。

金花夫人舉起雪白的右手，理著鬢邊散垂下來的秀髮，笑道：「諸位縱然認不出這黑色蜘蛛是何等可怖的毒物，當該從那綠芒閃閃的蛛網上，瞧出異常之處，別說被牠們咬一口了，單是那蛛網絲沾在身上，就足致人死命了……」

蕭翎突然插口說道：「那蛛網縱含奇毒，但卻未必能夠傷得到人。」

此言如是出自別人之口，金花夫人必然大爲震怒，但自蕭翎口中說出，情勢大爲不同，金花夫人不但毫無怒意，反而柔媚一笑，道：「小兄弟這般說來，想是已有高見了？」

蕭翎道：「那蜘蛛縱有奇毒，但牠行動緩慢，豈能追得上人，至於那片蜘蛛網，更是不足爲害，縷縷弱絲，擋不得一陣風雨，難道還能擋得內家掌力一擊不成？」

金花夫人咯咯一陣嬌笑，道：「問得好，虧你想得這般周到，可惜，這等苗疆特產的毒蜘蛛，不但絕毒無倫，而且生命力十分堅強，行動雖然遲緩一些，但如牠們結成了蛛網之後，那就又當別論了，小兄弟如是不信，何妨試牠一掌。」

蕭翎心中暗作忖思，道：雲陽子昔年曾對我有過救命之恩，看今日形勢，他似已陷入了十分險惡之境，我何不設法助他一臂之力，只怕今宵他已難安然離開這望花樓……

只聽沈木風說道：「我這位三弟少不更事，出手不知輕重，還是夫人自行試牠一掌吧！」

原來這沈木風的爲人，老奸巨猾，他雖瞧出蛛網大不同於一般蛛網，但想到蕭翎的內力何等深厚，如若一掌把那片蜘蛛網劈碎，傷了黑蜘蛛，說出去也不好聽，是故從中阻勸。

哪知金花夫人淡淡一笑，道：「那就請沈大莊主，試牠一掌吧！」

沈木風微微一怔，回顧了雲陽子一眼，笑道：「咱們彼此之間，都是結盟好友，如是一掌擊不破一片蛛網，只怕雲陽道長難以心服，在下之意，不如由雲陽道長試牠一掌，結果如何，也好叫他心服口服。」

此人陰險惡毒，不肯出掌相試，卻嫁禍於雲陽子。

金花夫人秋波一轉，笑道：「不錯，讓這牛鼻子老道試上一掌，也好讓他開一開眼界。」

雲陽子心念掌門師兄的安危，不得不忍氣吞聲，抬頭看了那蛛網一眼，緩緩舉起右掌，道：「既是如此，貧道是恭敬不如從命了。」右掌一揮，發出了四成內力。一股潛力，直湧過去。

別說雲陽子，就是室中所有之人無不認爲那區區一片蛛網，如何能擋得內家掌力，還不是應手而飛。哪知事情的變化，大出了幾人意料之外，雲陽子掌力擊中那蛛網之後，分佈在那蛛網的黑色蜘蛛突然四面分開，口吐毒絲，懸空一蕩，竟向發掌之處遊移了過來，撲向雲陽子。

那片蛛網，在掌力催動之下，一陣起伏，竟然是完好無恙。

這意外的變化，不但使雲陽子爲之大吃一驚，就是沈木風也有些臉色微變。

金花夫人咯咯嬌笑，道：「道長小心了，如是沾上毒絲，或是被蜘蛛咬上一口，那就比令師兄的傷勢嚴重多了！」

就這幾句話的工夫，那八隻黑蜘蛛已隨擴大的蛛網，向四壁和屋頂伸延開去。

這黑蜘蛛看上去行動雖然遲緩，但在那游絲上行動，卻是快捷異常，只見那毒絲愈蕩愈長，逐漸地接近了雲陽子。

雲陽子一翻右腕，刷的一聲，拔出背上長劍，道：「夫人如若再不制止這些毒物，只怕貧道要失手傷了牠們。」

金花夫人淡淡一笑，道：「道長如若自信能夠傷得了牠們，儘管出手就是。」

雲陽子道：「這般說來，貧道倒要試試了。」眼看一隻蜘蛛蕩了過來，立時一振右腕，長劍疾點而出，劈了過去。

十六　暗箭傷人

沈木風右手突然一拍，一縷潛力，激射而出，點向雲陽子長劍之上。

雲陽子手中長劍，將要點中那黑蜘蛛時，突覺長劍向下一沉，幾乎脫手，不禁心頭一震。耳際間傳來了沈木風冷冷的聲音，道：「道長到敝莊來，是為救令師兄的性命呢？還是來展露武功來了？」

雲陽子心中暗道：江湖上傳說這血影子沈木風武功驚人，看來果是不錯，單是這無聲無息擊來的暗勁，就非我能力所及。

口中卻冷冷說道：「沈大莊主這彈指震劍的功力，果然不凡。」

沈木風眼看那蛛絲愈擴愈大，由屋頂上蔓延而來，已然將近席筵之上，忍不住說道：「夫人快請設法制住這幾隻毒物，別讓牠們把整座房屋，都盤上毒網。」

金花夫人笑道：「這蜘蛛雖是絕毒之物，但牠究竟非人，只要那位道長向後退開兩步，那蜘蛛找不出施襲之人，自然停下，不再擴張毒網了。」

宇文寒濤哈哈一笑，道：「道長請退後兩步如何？生死大事，犯不著和幾個蜘蛛嘔氣。」

雲陽子想到師兄命在旦夕，此來旨在討藥，小不忍則亂大謀，雖受著宇文寒濤的譏刺，只好忍了下去，向後退了兩步。

這時，室中所有之人，都把目力集中那黑蜘蛛上，幾個蜘蛛蕩游在雲陽子停身之處，未找著施襲之人，就自動停了下來。

沈木風道：「夫人這毒蜘蛛，也使在下開了一次眼界，看來倒還是有些通靈，酒席之上，有這幾個毒物，太不雅觀，不如把牠們收起來吧。」

金花夫人笑道：「大莊主的眼光果是超人一等，這幾個蜘蛛，不但毒絕千古，而且已有些通靈，如是把牠毀去，那是太可惜了。」

沈木風心頭一震，暗道：毒網已然蔓延半個房子，樓門亦被毒網封死，如是不能收起，咱們都將被困在這層樓上，最毒婦人心，莫要她藉機，把我們也算計其中了。

他為人心機深沉，心中雖已動疑，但神色卻是絲毫不露痕跡，微微一笑，道：「怎麼？這毒蜘蛛無法收回了嗎？」

金花夫人道：「辦法倒有兩個，但不知哪種好？第一，是讓我的白線兒把牠們一齊吃掉，只是這一來，卻白耗了我十餘年的心血，而且這等異種毒蜘蛛，求之不易，實在太可惜了。」

蕭翎心中奇道：「什麼是白線兒？」

金花夫人嬌聲笑道：「小兄弟想見識一下嗎？」

探手從懷中取出一個尺餘長短、直徑不足半寸的玉盒，接道：「在這裏了。」

蕭翎去接，金花夫人卻一縮手，把玉盒收過去，笑道：「不是我小氣不讓你瞧，只是白線兒性情躁急，萬一傷著了你，如何是好！」

沈木風接道：「第二個辦法呢？」

金花夫人道：「解鈴還需繫鈴人，既是這位道長惹惱了牠們，還是請這位道長施捨點東西，餵餵牠們。」

沈木風道：「什麼東西？」

金花夫人笑道：「最好是一條手臂，如是這位道長捨不得的話，那就請斬下三根手指……」

雲陽子冷哼一聲，道：「貧道如若不答應呢？」

金花夫人笑道：「那就只好用你的心肝餵牠們了。」

她言詞銳利、毒辣，這等殘酷之言，由她口中說出，卻始終面帶笑容，若無其事一般。

沈木風回顧了雲陽子一眼，笑道：「雲陽道兄遠來是客，我沈木風乃一莊之主，豈可這般對待佳賓，在下自有道理。」舉起雙掌，互擊一響。

一個綠衣美婢，應聲走了過來。

沈木風神情冷肅地說道：「你叫什麼名字？」

綠衣美婢道：「小婢荷花。」

沈木風道：「本莊主想向你借點東西，不知你肯不肯答應？」

荷花道：「莊主之命，奴婢怎敢推辭。」
沈木風道：「很好，很好，把你的左臂斬下來吧！」
荷花呆了一呆，道：「奴婢自奉命調到望花樓來，從沒有半點錯誤……」
蕭翎只瞧得熱血上騰，激動地說道：「大哥，無緣無故，如何要她自殘肢體……」
雲陽子突然接道：「貧道惹出的事情，豈肯讓一個無緣無故的女子擔當，要貧道自斷一臂，亦非難事，但先請莊主交出解藥。」
金花夫人笑道：「解藥雖有，但卻不在沈大莊主那裏。」
雲陽子道：「那是在夫人你那裏了？看起來，我掌門師兄也是被你施放毒物算計的了？」
金花夫人道：「你如一定想知道，那就不妨告訴你了，不錯，毒物是我所有，但卻是借宇文兄的手中放出的。」
雲陽子臉上神情片刻間連現數種變化，道：「夫人如肯相贈解藥，貧道願自斷一臂。」
金花夫人道：「此一事，彼一事，兩件事豈可混為一談。」
只聽嚓的一聲，紅光迸冒，濺飛一片血珠，荷花一條左臂，已然齊肘而落。
原來雲陽子和金花夫人談話間，荷花突然抽出匕首，自己斬了一條左臂。
蕭翎兩目中冷芒如電，凝注著金花夫人，道：「我還未聽說過蜘蛛能吃人手臂。」右手疾伸而出，點了荷花左臂穴道，替她止了流血。
沈木風提起斷臂，遞給金花夫人，道：「這隻手臂，不知是否可用？」

金花夫人接入手中，道：「自然是可以用了……」

目光一轉望著蕭翎，道：「小兄弟不是想見識一下麼，留心了。」

右手一揮，半截斷臂直向蛛網中投了過去。

斷臂沾在那蛛絲之上，前後一陣閃蕩後，停了下來。

八隻黑蜘蛛疾快地回奔過去，齊齊奔向那隻斷臂，動作之快，目不暇接，一刹那間，八隻黑色的蜘蛛，竟然一齊叮在那斷臂之上。

眼看著那渾圓雪白的小臂，緩緩地枯了下去，斷臂中的存血，似已被八隻黑蜘蛛吸完。

蕭翎心中既是驚駭，又對金花夫人生出了無比的厭惡，暗暗忖道：這女人的心腸當真是毒過蜂針蛇蠍……

沈木風素來是喜怒不形於色，但目睹這一幕蜘蛛吸血的奇事，亦不禁臉色微變，輕輕歎息一聲，言道：「兄弟久聞金花夫人爲苗疆第一位役施百毒的高手，今日算是有幸一睹了！」

金花夫人伸出雪白的玉手，理了理頭上的長髮，笑道：「好說，好說，沈大莊主誇獎了，妾身雖然僻居邊陲，但卻常和中原武林人物往來，久聞沈大莊主身負絕世武功，不知可否現露一、二，讓妾身也一廣見聞？」

沈木風暗暗忖道：她逼我現露武功，不知是何用心，這女人嬌媚迷人，全身帶滿了無數奇奇怪怪的毒物，雖然還不知她真正的武功如何，但心機的深沉，已然可見端倪，倒是不得不防她一著。

心念警惕暗生，口中卻是微笑說道：「兄弟一點微末之技，只怕有污夫人的雙目，好在來日方長，總有讓夫人看到之時，此刻此情，高賓遠來，兄弟如不藏拙，恐難脫炫露之嫌。」

金花夫人淡淡一笑，道：「沈大莊主說得不錯，咱們談論正事要緊。」

那荷花雖被蕭翎點了穴道，止了流血，但斷臂之疼，豈能易受，只疼得臉色慘白，冷汗直流，但她深知百花山莊的規矩，一向森嚴，故仍強自咬牙忍受，靜立不動，一聲不出。

沈木風回顧了荷花一眼，道：「你可以退下去休息一下了。」

荷花躬身說道：「多謝大莊主恩典。」回過身子，緩步而去。

雲陽子望著她踉蹌的步履，不禁心頭黯然。

八隻奇毒的蜘蛛，吸完荷花臂上存血，立時靜止不動。

沈木風回顧雲陽子一眼，笑道：「道長在武當一門，身分僅次於掌門無爲道長，無爲道長派道兄大駕親臨敝莊，想是定能全權作主了？」

雲陽子道：「貧道奉敝掌門的令諭而來，只限於談論易換解藥之事，不及其他。」

沈木風道：「如是令師兄不幸逝去，武當一派掌門之位，自是非道兄莫屬了？」

雲陽子道：「各門各派，都有他們的規矩，掌門之位如何傳接，似和別人無涉。」

沈木風淡淡一笑，道：「如是在下相助道兄一臂，接掌武當門戶，榮任掌門之位，不知道兄意下如何？」

雲陽子嚴肅地說道：「本門中人才鼎盛，敝掌門縱然是當真的毒發而死，也輪不到貧道接掌門戶，此事不勞費心了。」

沈木風看名位利祿都難誘使雲陽子投靠百花山莊，不禁臉色一變，道：「好！那咱們就談談令師兄的生死之事。」

望了金花夫人一眼，道：「這位道兄性格高傲，不屑和咱們論事，夫人，你和他談談解藥的事吧！」

金花夫人笑道：「但憑沈大莊主裁決，妾身是無不遵命。」

沈木風道：「夫人言重了……」

目光又轉到雲陽子身上，道：「不知道長要以何物，易換解救令師兄的解藥？」

雲陽子道：「如是普通之物，想來莊主也不會答應，一本《三奇真訣》價值如何？」

沈木風呆了一呆，道：「《三奇真訣》在你們武當門中？」

雲陽子肅然說道：「此物雖在武當門中，但據敝師兄說，上面記載的武功，和本門法統不合，奇則奇矣，但太過偏激，失之於殘，故而本門中人，沒有一個學過。」

沈木風道：「無爲道兄一向固執成性，又深信貴派武學，師法正宗，故不願旁支混雜其中，想來定是不錯……」

雲陽子道：「貧道只問其價値如何？」

沈木風道：「《三奇真訣》雖然可列武林之寶，但如和貴掌門性命相較，仍顯得有些份量不夠。」

雲陽子沉吟了良久，道：「再加上一幅玉仙子的畫像如何？」

沈木風雙目一瞪，道：「你說什麼？」

他耳目何等靈敏，雲陽子說話的聲音很大，滿室中人，個個聞聽得十分清楚，那沈木風豈有聽不清楚之理，但他仍是忍不住失聲一問。

雲陽子道：「玉仙子的畫像。」

沈木風緩緩移動一下身子，道：「但不知是否真跡？」

雲陽子道：「那玉仙子的畫像，天下只有一幅，那自然是不會錯了！」

金花夫人突然插口問道：「玉仙子是何等人物，區區一幅畫像，有什麼稀奇之處？」

沈木風道：「夫人不知，那玉仙子的畫像，乃中原武林中盛傳的一件奇物，據說那畫像出於百年前畫聖時天道之手，彩筆傳神，栩栩如生，那時天道生具怪癖，不願把絕世畫筆傳留人間，逝世之前，把他所有的畫，全用火焚去，只有一幅半畫，留在人間……」

蕭翎聽得大爲神往，忍不住問道：「何謂一幅半畫？」

沈木風笑道：「因那時天道焚畫之時，只留下玉仙子一幅畫像未毀，這是留傳於世唯一完整的一幅畫筆；至於半幅畫，據傳是在焚畫之時，一幅畫燒了一半，另一半被隱伏一側，準備搶他手繪圖畫的武林高人，暗發劈空掌力，震飛室外，那時天道不但畫筆精絕一時，而且武功之高，亦爲當時極少數高人之一，在那個時代中，能和他頡頏的武林人物，很難找出三、五個來，時天道眼看未燒完的半幅畫，被人震得飛出室外，心中大爲震怒！」

沈木風頓了一頓，接道：「他提聚了畢生功力，一舉之間，擊斃了那隨伏在一側的武林同道……」

蕭翎歎息一聲，道：「這人也真奇怪得很，爲什麼不肯把他的絕世畫筆，留傳於世呢？」

沈木風微微一笑，道：「宇文兄隱居琁璣書廬，讀盡萬卷書，跋涉名山勝水，行過萬里路，見識自然是強過兄弟，但不知那時天道留下的半幅畫，是畫的什麼？」

宇文寒濤笑道：「據兄弟所知，那是一幅眾星捧月圖，可惜的是，那最耗時天道心血的半輪明月，已然爲火焚去，餘下的只有一十二顆星星了。」

蕭翎問道：「時天道既出手擊斃那暗發掌力的人，何以不肯追回那半幅飛出室外的畫？」

沈木風道：「那時天道其時已是大病奄奄，行將絕氣，又在震怒下拚盡餘力一擊，病勢發作更快，那半幅眾星捧月圖被震出室外之後，又被一陣大風吹走，他縱有追回之意，但追至室外，已然力盡而死，兩隻腳還留在室門口。」

蕭翎道：「他焚盡了一生心血結晶的畫筆，何以單單留下這一幅玉仙子，不肯焚去？」

宇文寒濤道：「據兄弟所知，那幅玉仙子的畫像還包括一個情愛故事，傳說那幅畫像確有其人，此事倒十分可信，不論那時天道天賦多高，手筆多妙，也無法憑藉想像之力，畫出那玉仙子的輪廓……」

雲陽子心懸掌門師兄的安危，忍了又忍，還是忍耐不住，接道：「兩位的宏論，貧道雖然神往，但敝師兄命懸旦夕，無心多聽，兩件價值連城的珍物，換取解藥一事，還得請沈大莊主早做決定，也好讓貧道安心。」

沈木風抬頭望著金花夫人，道：「在下之見，《三奇真訣》和一幅玉仙子的畫像，已然重過那無為道長的生命，但不知夫人意下如何？」

金花夫人凝目尋思片刻，道：「妾身有一個不情之請，但不知莊主是否賜允？」

沈木風道：「夫人儘管請說，在下力所能及，無不答應。」

金花夫人笑道：「妾身原來無所需求，是否給他們解藥，全由兩位作主，但聞兩位把一幅玉仙子的畫像，講得天下少有，世間無雙，使妾身亦動了好奇之心……」

素來喜怒不形於色的沈木風，此刻也不禁臉色一變，道：「夫人可是想得那幅玉仙子的畫像？」

金花夫人道：「正是如此，不知莊主是否賜允？」

室中突然沉寂下來，靜得可聽到彼此心跳的聲音。

金花夫人突然咯咯嬌笑起來，望著蕭翎說道：「小兄弟，你可要見識見識我這白線兒的威力嗎？」

蕭翎心中雖然對她厭惡，但卻按不下好奇之心，忍不住說道：「什麼是白線兒？」

金花夫人再次取出懷裏的玉盒，笑道：「小兄弟，看清楚了。」

玉手突地一揮，一道白芒，由那玉盒中激射而出，盤空打了個急旋，落在席筵之上。

蕭翎仔細一看，竟然是一條白色的小蛇，下半身盤成一個小盤，抬起蛇頭，口中紅信伸縮，四下張望，在群豪目光注視之下，竟然毫無所懼，大有一副唯吾獨尊之概。

金花夫人又從懷中摸出一只淡青瓷盒，打開盒蓋，投向蛛網之上，口中發出一種低沉的怪嘯。

八隻叮在那已然乾枯手臂上的蜘蛛，聞得那怪異的嘯聲之後，突然向那瓷盒中游去，魚貫而入。

尚有最後一隻未入瓷盒，金花夫人口中的低嘯，忽然一變。

只見白光一閃，那盤踞在宴席上的白線兒，突然躍飛而起，撲向那蛛網之中。

小白蛇紅信一伸，點在那蜘蛛身上，捲入口中吞下。

這一幕蛇、蛛自相殘殺之事，只看得群豪個個神色爲之一變。

金花夫人突然離開座位，緩步走了過去，合上那淡青瓷的盒蓋，把餘下的七隻蜘蛛，藏入懷中。

那小白蛇吞下一隻黑蜘蛛，突然發起威來，咕咕兩聲大叫，全身的白鱗倒立起來。

金花夫人突然舉手一揮，小白蛇應手而起，又落在筵席之上，目光四下轉動，紅信伸縮，似欲擇人而噬。

蕭翎只看得暗暗驚心，忖道：這條小白蛇縱躍如此迅速，實是叫人難防。

沈木風目光一掠金花夫人，道：「在下答應夫人。」

金花夫人咯咯一笑，道：「大莊主果然是慷慨得很，妾身定當有以相報。」舉起玉盒，口中又發一種怪異的嘯聲，那條小白蛇緩緩地游入盒中。

沈木風陰沉的臉色上，泛現一片笑意，道：「雲陽道兄，咱們就這樣一言爲定，但不知那玉仙子的畫像和《三奇真訣》現在何處？」

雲陽子道：「此物眼下並不在貧道身上。」

沈木風淡淡一笑，道：「這個早在我沈某預料之中，道長請說出一個交換之法，咱們做一場公平的交易。」

金花夫人接口說道：「如是在一十二個時辰之內，不讓令師兄服下解藥，異種金虻奇毒，攻入他的心臟之中，縱然取回解藥，也難再救他的性命了！」

雲陽子目光緩掃了室中群豪一眼，道：「此刻什麼時辰了？」

沈木風道：「四更過後，五更不到，寅末卯初。」

雲陽子道：「今日巳午之間，貧道乘小舟一艘，恭候於三柳灣江面之上，雙方不許多帶人手，各乘小舟一艘，在江心之中會晤，彼此交換。」

沈木風笑道：「很好，很好，但不知雙方準備許幾人參與？」

雲陽子道：「各以四人爲限，不得超過。」

沈木風道：「就依道長之意。」

雲陽子冷冷望了宇文寒濤一眼，道：「敝師兄對宇文先生，優禮有加，卻不料中了宇文先生的暗算。」

宇文寒濤乾笑一聲，道：「江湖上鬥智鬥力，各憑才能，令師兄雖然對我很敬重，那也是他別有用心，講不上情義二字。」

雲陽子目光轉到沈木風的臉上，道：「貧道就此告別。」

沈木風目光一轉，望著周兆龍道：「有勞二弟，代我送送雲陽道長。」

周兆龍應聲而起，抱拳應道：「道長請。」

雲陽子也不謙辭，轉身向前行去。

金花夫人突然起身喝道：「慢著，那蛛絲之上，奇毒甚烈，兩位如是被蛛絲碰著，只怕將先那無為道長而死。」

沈木風道：「那就有勞夫人，送他們下此樓門了。」

原來，那樓梯門口之外，仍然是蛛絲盤繞，封住了出路。

金花夫人笑道：「既是如此，妾身恭敬不如從命，代莊主除去這片蛛絲就是。」蓮步款移，行了過去。

但見金花夫人探手入懷，摸出一支長不逾尺的金色短劍，舉手一揮，立時閃起一片藍焰，所有封門蛛網，頓然化作烏有。

金花夫人似是不願讓廳中群豪，看清楚手中兵刃，極快地把金劍藏入懷中，回頭笑道：「兩位可以走了。」

周兆龍搶先一步，道：「在下替道長帶路。」

雲陽子緊隨在周兆龍的身後，大步下樓而去。

金花夫人緩緩地坐回原位，笑道：「大莊主可是當真準備把金蚿的解藥給他交換嗎？」

沈木風道：「不錯，江湖之上，雖然講究險詐，但這信諾之言，卻是必得遵守，如若那雲陽子當真以《三奇真訣》和玉仙子的畫像交換解藥，咱們不能失信於人。」

金花夫人道：「如若我另易藥物給他呢？」

沈木風微微一笑，道：「那武當派能夠屹立江湖數百年，盛譽不衰，豈是很好對付的麼，夫人適才聽雲陽子的安排，各以小舟一艘，在江湖之上交換，當知他們是如何的細心了。」

金花夫人笑道：「若我隨便拿出一種藥物，說可解金蚿之毒，只怕大莊主也難瞧得出。」

沈木風先是一怔，繼而淡淡一笑，道：「夫人太小覷中原武林人物，也低估了武當派中的人才！」

宇文寒濤生恐兩人言語衝突起來，趕忙接口說道：「沈兄十年前已然領袖中原綠林，夫人也坐鎮苗疆，雄視一方，兩位都是號令一方的霸主……」語聲微微一頓，笑道：「但此刻形勢不同，攜手合作，貴在相互忍讓，何況目前已然騎上虎背，欲罷不能……」

輕輕歎息一聲，回望著金花夫人，接道：「夫人已在那雲陽子的面前，承認了咱們暗算無為道長的事，那無疑與武當為敵，武當派聲勢浩大，而且和少林、峨嵋、青城等互通聲息，守望相助，事情鬧開之後，少林、峨嵋等定然會拔刀相助，夫人和沈大莊主，如再不能和衷共濟、誠心合作，正好授人以可乘之機。」

沈木風點頭說道：「宇文兄的高論不錯，兄弟是由衷的佩服。」

金花夫人沉吟了一陣，笑道：「你言未盡意，怎的忽然不說了？」

宇文寒濤輕輕咳了一聲，道：「夫人當真是有著過人之才。兄弟的意思，是想由夫人和沈兄兩人之中，推舉出一位主盟大局之人，也好收事令統一之效。」

沈木風道：「夫人千里跋涉而來，應爲盟首。」

金花夫人凝目尋思了片刻，道：「大莊主不用客氣，強賓不壓主，還是由大莊主主盟的好。」

宇文寒濤笑道：「如論兩位的才智武功，都足以主盟大局，不過兄弟之見，還是沈兄主盟的好，夫人雖然身負絕技，但因久居苗疆，對中原形勢，不甚瞭然，不如沈兄調度得宜。」

金花夫人道：「妾身也是這般看法，沈大莊主也不用再推辭了。」

沈木風道：「兩位這般說法，兄弟是恭敬不如從命，但兄弟有一件心願，必得先予說明，能得兩位允准，兄弟才敢答允。」

金花夫人回顧了宇文寒濤一眼，默不作聲。

宇文寒濤道：「沈兄有何高見，儘管請說。」

沈木風道：「運籌帷幄，決勝千里，貴在事令統一，兄弟才學平庸，勢難獨當大任，因此每一件重大決定，還得兩位參與其中，共商良策。」

金花夫人道：「應該如此。」

沈木風淡淡一笑，道：「事情如經決定那就義無反顧，兩位還得率先遵行，以重盟規，因此兄弟主張設制一面盟旗，令旗所至，任何人不得有違。」

宇文寒濤道：「沈兄言之有理，那盟旗當由兄弟負責設計。」

沈木風道：「好！兄弟已派出快馬，邀請昔年故友、舊屬，和幾位盛譽卓著的高人，舉行一場群英大會，兄弟想藉機邀請他們入盟。」

金花夫人接口說道：「群英大會，尚有一段時間，咱們盡可從長相商，眼下有一樁事，還得沈莊主早做決定。」

沈木風道：「可是雲陽子那正午之約？」

金花夫人道：「是啊！那牛鼻子只限定四人與會，莊主可曾想過哪四個人去嗎？」

沈木風道：「有勞夫人一行，宇文兄隨伴夫人同行。」

宇文寒濤頗感意外地說道：「沈兄不去嗎？」

沈木風笑道：「兄弟不去了，由我二弟、三弟代我就是。」

金花夫人笑道：「百花山莊的隱秘已露，莊中隨時可能會有強敵來襲，由大莊主坐鎮莊中，自是上策。」

沈木風笑道：「夫人才慧過人，此行定然是馬到成功，在下先為夫人浮一大白。」舉起面前酒杯，一飲而盡。

金花夫人也舉起面前酒杯，一口喝乾，笑道：「但願不負莊主厚望。」

沈木風目光一轉，掃掠了周兆龍和蕭翎一眼，道：「二弟、三弟，下樓去休息一會兒，聽我之令，隨從夫人趕赴正午之約。」

蕭翎欠身而起，當即下樓而去。

望花樓半宵時光，使他大開了一次眼界，也使他感覺自己，跌入了一個布好的陷阱之中。

他滿懷著激憤憂鬱，直奔入蘭花精舍。

金蘭、玉蘭，早已盛裝含笑，迎候在蘭花精舍之外，但見蕭翎滿臉慍意，不禁笑容一斂，悄然隨蕭翎身後而入。

蕭翎歎息一聲，說道：「你們退下去吧，我要靜靜的坐一會兒。」

二婢知他脾氣，不敢停留，悄然掩門而退。

蕭翎熄去燭火，和衣而臥，只覺思緒如潮，湧上心來，哪裏能夠睡得安穩。

突然間，傳來了一個沙啞的聲音，道：「三弟睡了嗎？」

這聲音異常熟悉，蕭翎一聞之下，立即辨出是沈木風，一躍而起，道：「大哥嗎？」

但聞門聲呀然，火光一閃，金蘭舉著火摺子當先走了進來，燃起燭火。

沈木風緩步踱入室中，笑道：「今午之約，金花夫人爲主，兄弟要聽她之命行事。」

蕭翎欠身應道：「這個小弟知道。」

沈木風道：「那玉仙子的畫像，乃一代畫聖時天道的絕筆，珍貴無比，如說價值，實在高過那《三奇真訣》，如是落入那金花夫人之手，未免是太可惜了！」

蕭翎望著沈木風，茫然說道：「大哥不是已答應，那玉仙子的畫像歸於金花夫人所有？」

沈木風點頭笑道：「不錯，爲兄的雖然是答應了，但兄弟沒有答應啊！」

蕭翎道：「可是要小弟搶回畫像嗎？」

沈木風道：「眼下咱們正在需人之際，那金花夫人武功高強，尤其是那滿身毒物，舉世間，不作第二人想，對咱們乃是大大的一個幫手。」

蕭翎一皺眉頭，道：「大哥既想得回那玉仙子的畫像，但又不讓小弟由金花夫人手中搶來，這就使小弟難以區處了。」

沈木風微微一笑，道：「咱們不能失去那玉仙子的畫像，也不能由金花夫人手中去搶，難道兄弟不可以由那金花夫人手中騙過來嗎？」

蕭翎呆了一呆，道：「騙過來……」

沈木風笑道：「天生一物，必有剋制，那金花夫人善役百毒，智慧絕人，除了兄弟之外，放眼當世之人，只怕難再有第二人能夠使她服貼……」

蕭翎接道：「大哥不用取笑，小弟才智閱歷件件不如金花夫人，如何能騙到她的畫像？」

沈木風道：「正因兄弟毫無江湖閱歷，不帶風塵氣息，才使她無法防備……」

語聲微微一頓，接道：「歷來武林之中，確曾出過不少絕世才女，貌美如花，心毒手辣，武功、才智，都不在男人之下，但試看今日武林，有幾個女英雄，創出了百年不朽大業，在武林獨樹一派門戶？她們本身最大的一個缺點，那就是由來才女最多情，不論她們把多少男人們玩弄於股掌之上，但終歸爲情所困，抱恨而終……」

他臉色突然間轉變成一片肅穆，接道：「苗女多情，尤勝漢人，兄弟如能動之以情，不難取回那玉仙子的畫像。」

蕭翎道：「這個小弟不屑……」

沈木風輕輕咳了一聲，打斷了蕭翎未完之言，接道：「三弟可記得你立下的誓言嗎？」

蕭翎道：「小弟記得。」

沈木風道：「那很好，長兄之命，萬死不辭，何況那金花夫人並非良善之輩，爲兄的告辭了。」

蕭翎一抱拳，道：「小弟送大哥……」

沈木風舉手在蕭翎肩上，輕輕拍了一掌，笑道：「爲兄對你寄望甚深，日後能繼我大業者，非你莫屬。」緩緩轉過身子，慢步而去。

蕭翎望著沈木風遠去的背影，心中更加深一重煩惱。

太陽爬過了樹梢，秀致的蘭花精舍，沐浴在一片金黃的陽光中。

蕭翎滿懷著鬱悶、煩惱，徘徊在花叢中。

金蘭、玉蘭悄然站在數丈之外，望著那繞花蹀步的蕭翎，暗暗爲他擔憂。

金蘭輕輕歎息一聲，道：「三爺好像有著很沉重的心事？」

玉蘭正待接口，忽見周兆龍一身華衣，急奔而來，高聲叫道：「三弟起來了？」

蕭翎回身一抱拳，道：「起來了。」

周兆龍道：「金花夫人和宇文先生已在廳中相候咱們，三弟收拾一下，咱們也該去了。」

蕭翎道：「不用收拾了，咱們走吧！」

兩人行入大廳，那金花夫人和宇文寒濤，果然已早在相候，宇文寒濤一拱手，道：「有勞二莊主和三莊主了。」

周兆龍道：「彼此乃是一家人，宇文兄太客氣了。」

金花夫人換了一身輕裝，白衫白褲，白絹包頭，前胸上仍然繡著兩朵金花。她雖已是四旬以上之人，但內功精湛，駐顏有術，望去不過二十許人，只見她，秀眉淡掃，脂粉薄施，瑤鼻櫻口，秋波勾魂，縱然是中原之地，也難得找出這般秀致人物。

蕭翎心中雖然不願敷衍於她，以騙取她那玉仙子的畫像，但沈木風臨去那幾句相囑之言，一直在他心中盤旋不去，不自覺舉拳對金花夫人一禮。

金花夫人秋波轉動，以苗禮還了蕭翎一禮，嬌聲笑道：「小兄弟太多禮了，這叫我做姊姊的如何敢當。」

周兆龍微微一笑，道：「廳外馬已備齊，請夫人和宇文兄上馬趕路。」

四人魚貫出廳，四個勁裝大漢，早已牽馬相候多時，周兆龍當先躍上馬背，說道：「在下為夫人和宇文兄等帶路。」

縱騎出莊，直奔三柳灣。

金花夫人微笑一帶韁，健馬緊依蕭翎，並騎而馳，一雙圓圓的大眼睛，卻不停在蕭翎身上打量，日光耀射下，只見他劍眉星目，臉兒嫩紅，蜂腰猿臂，瀟灑中微帶幾分羞意，英挺秀偉，撩人春情，不禁暗暗一歎，忖道：這等人物，放眼天下，只怕也難找得出幾個。

四騎馬放轡疾馳，一口氣奔出去數十里路，只見江濤洶湧，已然到了長江岸畔。

周兆龍一勒馬韁，停了下來，遙指著下游一叢隱現樹影，笑道：「那就是三柳灣了，咱們由此地登舟，順流而下，不出一頓飯時光，就可到了。」

金花夫人飄身落馬，目光轉處，只見江岸畔早已泊好了一艘小舟，兩個身披簑衣漁人裝著的大漢，迎了上來，抱拳對周兆龍一禮，道：「小舟早已備好，二莊主還有什麼吩咐？」

周兆龍一揮手，道：「你們去吧！用不著在此等候了。」

金花夫人淡淡一笑，舉步一跨，嬌軀突然離地而起，飛上小舟。

周兆龍只瞧得暗暗驚心，忖道：這女魔頭，當真是一位難纏人物，不但能使百毒，武功亦有著驚人的造詣，就憑適才她那舉步一跨，行若無事地飛落小舟，已足見其驚人輕功了。

蕭翎暗暗一提真氣，身子突然一轉，凌空旋飛，落到了小舟上。

金花夫人嬌聲笑道：「小兄弟好俊的輕功。」

蕭翎道：「班門弄斧，還得夫人多多指教。」

說話之間，宇文寒濤和周兆龍也雙雙登上小舟。

周兆龍目光一掠蕭翎，說道：「三弟掌舵，我來搖櫓。」

蕭翎應了一聲，走向船尾。

金花夫人目光一直在蕭翎的身上移動，看他雙手抓櫓的姿態，不禁莞爾一笑，道：「小兄弟，你掌過舵嗎？」

蕭翎搖頭道：「沒有。」

金花夫人雙肩微微一晃，嬌軀帶著一陣香風，飛落到蕭翎的身旁，笑道：「我這做姊姊的來助你一臂之力如何？」

蕭翎心中雖然對她厭惡，但沈木風那相囑之言，卻在心中生出了很大的力量，言不由衷地說道：「如此多謝夫人了。」

金花夫人伸出纖白的玉手，把住舵把，道：「小兄弟不用客氣，日後咱們合作之處甚多，只要小兄弟不嫌棄我這做姊姊的愚魯，我當把苗疆絕藝，一股腦傳授給你。」

蕭翎暗暗罵道：不知恥，誰要你那些玩蛇的鬼玩藝了。口中卻微笑答道：「只怕在下才拙質愚，有負夫人雅意。」

金花夫人道：「大姊姊從不走眼，只要你肯用心學，不足三年，姊姊就沒東西教你了。」

周兆龍兩手搖櫓，小舟疾馳離岸。

金花夫人一轉舵，小舟轉頭順流而下。

蕭翎望著那滔滔江流，想到五年前落江之事，不禁感慨萬千。

日升中天，已到過午時分。

周兆龍緩緩搖櫓，小舟迴盪在三柳灣的水面上。

金花夫人已然等待不耐，忍不住說道：「這牛鼻子竟然延誤了相約時刻，要咱們在這江中等了這久的時光，等一會兒非得給他們一點苦頭吃吃不可。」

說話之間，遙見一點舟影，分浪裂波而來。

那小舟來勢奇快，片刻工夫，已然馳近，船頭之上，站著一個羽衣椎髻的中年道長，背插長劍，衣袂飄風，正是那雲陽子。

金花夫人一轉舵盤，冷然說道：「快迎上去。」

周兆龍應了一聲，雙手加勁搖櫓，小舟快如流矢，迎了上去。

十七　各逞其能

兩艘快舟，一來一迎間，疾快地接觸一起，金花夫人微轉舵盤，兩艘小舟擦身而過，各自打了一個旋身，慢了下來。

雲陽子仰臉望望天色，道：「有勞幾位久候了。」他見天色不過正午時分，那自是不用爲晚來致歉。

這時，雙方小舟，相距不過兩、三尺的距離，舟上全無隱蔽，一目可見全舟景物。

蕭翎轉眼望去，只見對方小舟之上，也是四人，除了雲陽子站在船頭上，還有個二十七、八歲的勁裝少年，面目英俊，氣宇軒昂，腰中橫束著一條白色的英雄帶，排插著七柄小劍，背上插著一柄長劍，紅色劍穗，隨風飄拂，蕭翎凝目想了一刻，忽然憶起此人正是五年前在無爲道長丹室之中見到的展葉青。

除了這兩人之外，船後舵盤旁側，一前一後的坐著兩個人。

較前一人，短鬚繞頰，根根如戟，環目方臉，相貌十分威猛，穿著一身深灰色的勁裝。

較後一人，胸垂花白長髯，儒巾藍衫，白淨面皮，看去十分斯文。

這場盛會。」

宇文寒濤微微一皺眉頭，繼而哈哈大笑，道：「幸會，幸會，終南二俠竟然也趕來參與了這場盛會。」

此人心地陰毒，惟恐金花夫人和周兆龍不認識終南二俠，先行出言叫出終南二俠之名，好讓金花夫人和周兆龍知道來了勁敵，早作準備。

那儒巾藍衫，一派斯文的老者，輕拂胸前長髯，淡淡一笑，道：「兄弟和無爲道長數十年交往，情誼深重，自不能坐視不管。」

那短鬚繞頰的大漢，卻冷笑一聲，道：「宇文寒濤，無爲道長對待你十分仁厚，你卻人面獸心，暗中施放毒物，傷害於他！」

宇文寒濤臉上泛起一片愧色，垂下頭去。

金花夫人冷冷接道：「今午之約，諸位是交換藥物呢？還是想借這機會動手拚搏一陣？」

雲陽子說道：「今午之約，自然是以交換夫人的藥物爲主。」

金花夫人已放開舵盤，緩步走到船頭之上，道：「道長那本《三奇真訣》，和玉仙子的畫像，可曾帶來了嗎？」

雲陽子道：「《三奇真訣》和玉仙子的畫像，都在貧道身上，夫人的藥物呢？」

金花夫人道：「藥物自然是隨身所帶，但必得道長先行交出《三奇真訣》和那玉仙子的畫像，讓我瞧瞧是真是假，然後再交付藥物。」

雲陽子微微一沉吟，道：「夫人不覺著此舉有欠公平嗎？」

金花夫人冷笑一聲，道：「你如若是不想易換，那就算了，咱們用不著多費唇舌……」

回頭一揮玉手，道：「咱們走！」

展葉青正待反唇相譏，卻被雲陽子搖手喝止，道：「夫人如是想先看那玉仙子的畫像和《三奇真訣》，倒也非難事。」

伸手入懷，摸出一幅白絹，抖將開來，高高舉起，道：「夫人先請觀賞玉仙子的畫像。」

陽光照耀之下，凝目望去，只見一個絕世無倫的美女，依附在白絹之上，羅衣輕飄，面帶微笑，直似要乘風而去。

這哪裏是一幅畫像，簡直是一活生生的玉人。

金花夫人素以美貌自負，但和那彩筆傳神的畫像一比，卻自覺一無是處。

宇文寒濤、周兆龍已看得目瞪口呆，兩眼發直，連蕭翎也看得油然而生傾慕，暗暗叫幾聲神仙姐姐。

展葉青別過臉去，目光不敢落在畫像之上。

高舉著畫像的雲陽子，一臉虔誠之色。

那坐在舵盤下的老者，重重地咳了一聲，道：「夠了，收起來吧！」

雲陽子迅快地收起畫像，藏入懷中，道：「諸位看清楚了？」

宇文寒濤道：「畫聖時天道之名，果非虛傳，這玉仙子的畫像，實算得天下第一奇寶。」

雲陽子又從懷中摸出一本絹冊，道：「這本《三奇真訣》，想來也不致使四位失望。」揭開黃色的絹皮，高高舉起。

金花夫人等的目光，是何等敏銳，那絹冊上字雖不大，但在幾人的目光中，卻是清晰可見。

這幾人都有著精博的武功，看得數行，已瞧出上面所記，果然是極深奧、絕世的武學。

金花夫人秀眉聳動，似想躍過小舟搶奪，但卻被宇文寒濤施展「傳音入密」之術阻止，說道：「夫人不可造次，那終南雙俠，在武林久負盛名，是兩個極難纏的人物，力搏起來，咱們縱然不致落敗，只怕也難以搶得《三奇真訣》，和那玉仙子的畫像，何不以假藥換回二物再說。」

只見雲陽子雙手一合，收了絹冊，道：「諸位已然過目了《三奇真訣》和玉仙子的畫像，當知貧道所言不虛。」

金花夫人探手入懷，摸出一個玉瓶遞了過去，道：「這瓶中有三粒丹丸，專解金虻之毒，每隔兩個時辰，服用一粒，三粒服完，毒傷可癒。你把那玉仙子的畫像，和《三奇真訣》一齊遞來，咱們一手交藥，一手交貨。」

雲陽子淡淡一笑，道：「《三奇真訣》和玉仙子的畫像，夫人已然看過，那是貨真價實，毫無虛假的了，但夫人瓶中的藥物，如何能讓貧道相信不是僞藥？」

金花夫人道：「要如何你才能夠相信？」

雲陽子道：「敝師兄現在五里外一座茅舍之中，勞駕夫人同往一行，只要藥物確能救活貧道師兄，貧道立刻奉書獻畫……」

宇文寒濤哈哈一笑，接道：「道兄之話，未免是有欠思考，咱們相約在江心之中，以真訣和玉仙子畫像，易藥換物，而且規定雙方只許四人參與，不得多帶一人，這規定是道兄所訂，此刻，不但要我等到江岸上去，而且還要等令師兄醒來之後，才能算數，此等之言，從道兄口中說出，前後不足半日，但是卻自相矛盾，不知道兄如何自圓其說？」

雲陽子道：「宇文先生能夠想出一個辦法，證明金花夫人手中玉瓶內的藥物，確是專解金蚱劇毒的丹丸，貧道就立刻奉過書畫。」

宇文寒濤呆了一呆，道：「這個，這個……」

雲陽子似已瞧出，這四人之中，以金花夫人爲首，合掌欠身說道：「貧道既出示玉仙子的畫像和《三奇真訣》，確係誠心以二物換藥，貧道以武當派數百年來的信譽擔保，絕不會有詭計，引誘夫人等入伏。」

蕭翎突然接口說道：「道長之言，甚是公平，我們應該如此。」

金花夫人柳眉揚了一揚，嬌聲道：「小兄弟的意思，是咱們該真的救活那無爲道長了？」

蕭翎道：「那是當然，一諾千金，豈可使詐。」

金花夫人咯咯一笑，道：「好吧！就依小兄弟之見。」

玉手一揮，接道：「道長帶路。」

雲陽子望了蕭翎一眼，掉轉小舟，直向江畔馳去。

周兆龍划動小舟，緊追雲陽子小舟而行。

兩艘快舟，疾馳在滾滾的江流中，不大工夫，已靠江岸。

雲陽子一躍登岸，回首肅客，合掌說道：「有勞夫人跋涉。」

金花夫人笑道：「就算那無爲道長在龍潭虎穴中養息，我也是一樣的敢去。」

這是處荒涼的江岸，極目不見漁舟人家。

雲陽子當先帶路，提氣疾走，穿越過一片雜林，到了一座破落的茅舍前面。

雲陽子停下腳步，道：「敝師兄就在茅舍中養息，夫人請進。」閃身讓到一側。

金花夫人也不客氣，一低頭，當先進入屋內。

雲陽子橫跨一步，擋住了宇文寒濤，緊隨金花夫人入屋。

這是一座荒涼的茅屋，屋外生滿了亂草，但室內卻已掃得十分乾淨，一張竹床之上，鋪著厚厚的褥子，臥著一個長髯黑袍的道長，緊閉著雙目，似是已睡熟過去。

兩個佩劍的道童，分立榻旁，神情間一片沉痛。

蕭翎眼看到奄奄一息的無爲道長，陡然間想起了五年前的往事，那時，如非無爲道長全力相護，只怕自己早已爲宇文寒濤、江南四公子等擒去，大丈夫受人點滴之恩，當該湧泉以報，我蕭翎豈能眼看著無爲道長死去，不予救治……

一念動心，主意暗定，準備傾盡所能，暗中相救無爲道長。

他出道雖僅短短月餘，卻遇到了武林中最厲害的凶人，眼看到他們的陰沉、狡詐，不覺間大長見識。

雲陽子擋在竹榻之前，說道：「這就是貧道掌門師兄，已然暈過去兩日未醒，全要仗夫人靈丹相救了！」

金花夫人緩緩從懷中摸出玉瓶，倒出一粒白色的丹丸，道：「你讓他先服下這粒丹丸。」

雲陽子留心觀察，果然發現玉瓶的顏色不同，暗暗提高警覺，忖道：這金花夫人如此陰沉狡詐，這只玉瓶的藥物，也不知是真是假？

緩緩伸手接過丹丸，道：「夫人，這藥物沒有錯嗎？」

金花夫人冷漠地說道：「你如不相信我，那就別讓他吃了！」

雲陽子淡淡一笑，道：「貧道實有幾句話，如鯁在喉，不吐不快……」

金花夫人接道：「你說吧！」

雲陽子道：「夫人適才在江中小舟之上，也曾取出一個玉瓶，和此刻玉瓶的顏色不同，怎能使貧道不生懷疑之心？」

金花夫人又緩緩從懷中摸出兩個玉瓶，一齊放在竹榻旁側的一條木凳上，說道：「我能夠役使百毒傷人，但解毒之藥，就這三種，這三種之內，自然是有一種可解那金虯之毒，你如不信任我，那就自己選一瓶用吧。」

雲陽子望了三個玉瓶一眼，微微一笑，道：「如若貧道也備有假的《三奇真訣》和玉仙子的畫像，讓夫人憑運氣，自行選它一幅，不知夫人意下如何？」

金花夫人暗道：這牛鼻子老道胡吹大氣，我且逼他拿出兩幅出來瞧瞧，當下道：「如若當真有此準備，妾身倒是想見識一下。」

雲陽子望了宇文寒濤一眼，道：「陰謀暗算只能使用一次，貧道當不致再蹈覆轍。」探手入懷，果然摸出了兩本黃絹封皮，大小一般，厚薄相等的絹冊，和兩卷羊皮封包的圖畫，接道：「夫人可要從這一真一假的書冊、畫絹中，憑運氣選上一件嗎？」

金花夫人一時間啞口無言。

蕭翎突然一側身，大步行了過來，拿起三只玉瓶，道：「請問夫人，這三個玉瓶中，哪一瓶中的丹丸，可解金虻之毒？」

金花大人道：「白色玉瓶中的白色丹丸，但他們卻不肯相信，那也是無可奈何的事！」

蕭翎伸手抓起那白色玉瓶，托在手中，道：「夫人，這藥物不會錯吧？」

金花夫人臉色微微一變，道：「小兄弟，你要幹什麼？」

蕭翎道：「咱們此來，旨在取那《三奇真訣》和玉仙子的畫像，如若這般各逞心機，相鬥下去，只怕誰也討不了好去，因此，在下想請求夫人，先以治療金虻劇毒的藥物相贈。」

金花夫人笑道：「好啊！小兄弟，我這做姊姊的成全你的英名就是，你換過左面那翠色的瓶子。」

蕭翎暗忖道：這女人果然陰毒得很，當下換過左面玉瓶，遞向雲陽子，道：「道兄請倒出瓶中的藥物，讓貴掌門試服一粒。」

雲陽子打開瓶塞，倒出一粒丹藥，親手服侍無爲道長服下。

周兆龍雖覺蕭翎多管閒事，但在眾目睽睽之下，也不好斥責於他，只好悶在心中。

展葉青、終南二俠和雲陽子，八道眼神一齊投注在無爲道長的身上，瞧他服過藥物後的反應。

破爛的茅屋中一片沉寂，但沉寂中卻潛伏著無比的緊張，終南二俠、雲陽子、展葉青，以及宇文寒濤、周兆龍等，都暗暗運集了功力戒備，如若無爲道長服下藥物的反應不對，立時將展開一場凶險的惡戰。

大約過了一盞茶工夫，忽見無爲道長伸動一下雙臂，長長地吁一口氣。

蕭翎暗暗放下一塊石頭，忖道：看來這藥物不似假的了。

忽聞柔音傳入耳際，道：「小兄弟，讓那牛鼻子老道傾盡玉瓶中的兩粒丹丸，一齊給無爲道長服下，半個時辰之內，他就可以清醒過來了。」

蕭翎目光轉動，回顧茅屋中人，都無所覺，心知是金花夫人施展「傳音入密」之術，說給自己一個人聽，一時間也無暇細作思量，急急說道：「快把瓶中餘下兩粒丹藥，給他一齊服下。」

說過之後，心中才霍然警覺，暗道：金花夫人之言，也不知是真是假？但話既出口，已難收回。

雲陽子回目望了蕭翎一眼，倒出瓶中藥物，投入無爲道長的口中。

展葉青劍眉微微一蹙，似是對雲陽子信任蕭翎一事，大不滿意，但他卻隱忍未發。

突然間，蹄聲得得，傳了過來，由遠而近，似是直向這茅屋而來。

終南雙俠緊靠屋門而立，聽得蹄聲之後，回手掩上了兩扇柴扉。

但聞蹄聲愈近，健馬似是已到了茅屋外面。

這是片荒涼的郊野，這茅屋更是一座久無人居的荒舍，一不近官道，二不通要隘，陡然間有快馬奔來，自非尋常。

但茅屋中的群豪，卻是一個個凝立不動，除了終南二俠隨手掩上柴扉之外，對那已奔近茅屋的快馬，渾如不覺。

只聽一個清冷的聲音說道：「劍童，你進這座茅屋中瞧瞧去。」

蕭翎聽得心中一動，暗道：原來是假冒我名字的藍玉棠到了，只怕此番免不了真假蕭翎要對面相見了。」

但見展葉青口齒啓動，那儒巾長衫、胸垂花白長髯的終南大俠，不住微微點頭，但卻不聞聲息，顯是兩人正用「傳音入密」之術交談。

只聽砰的一聲，柴扉被人踢開，一個十四、五歲，手橫寶劍的青衣童子，大步而入。

他似是未曾料到這茅屋之中，竟然有這樣多人，不禁微微一呆。

室中群豪仍然凝神肅立，竟無一人理他。

那劍童頗有識人之能，目光一轉，已瞧出茅屋中無一弱手，個個都是內外兼修的高人。只聽那清冷、宏亮的聲音，由室外傳了進來，道：「劍童，室中有人嗎？」

劍童後退一步，長劍護住胸前，急道：「稟告相公，這茅屋中都是人，站滿了人……」他急切之間，難以修詞，慌慌張張，詞不達意。

語聲未落，一個穿著藍衫，背插寶劍的英俊少年，大步走了進來。

茅屋中的終南二俠、宇文寒濤等人，似是都不願首先和來人衝突，竟是無人擋阻於他。

蕭翎目光一轉，看那藍衫少年，果然是假冒自己之名的藍玉棠。

藍玉棠似是也未料到，一座荒涼的茅屋中，竟然有這麼多人，也不禁為之一呆。

他目光流轉，發覺室中之人，竟都是目光炯炯、英華內蘊的武功高手，心中更是震驚。

金花夫人舉手理一下鬢邊散髮，回顧了藍玉棠一眼，不禁芳心一動，暗道：中原武林道上，竟有這許多俊俏人物。

當下嬌聲說道：「看樣子你們是無意闖到此地了？」

藍玉棠心情逐漸平復下來，冷冷答道：「就算是有心到此，又怎麼樣？」

宇文寒濤暗道：好橫的小子，如非大敵當前，就對這句話，也該出手教訓他一頓。

金花夫人咯咯一笑，道：「口氣很大，想是大有來頭的人物了，你叫什麼名字？」

藍玉棠俊目中寒光一射，掃射了群豪一眼，道：「蕭翎……」

室中群豪，全然為之一怔，十幾道目光，一齊投注在那藍衫少年的身上。

金花夫人咯咯大笑，道：「蕭翎?不知這中原武林道上，一共有幾個蕭翎?」
藍玉棠怒道：「有什麼好笑的?」
身子一側，直向金花夫人衝了過去。
宇文寒濤右掌一揮，拍出一招「天外來雲」，口中冷冷喝道：「小小年紀，怎的這等放肆?」
但聞砰的一聲，藍玉棠竟然硬接了宇文寒濤一掌。
一掌交接，全室中群豪震動。
原來宇文寒濤一掌雖然把藍玉棠的去勢擋住，但宇文寒濤卻腳下移位，橫裏退了兩步。
那藍玉棠出手快速，內勁的強猛，不但使宇文寒濤心頭震動，就是旁觀諸人，也暗自吃驚不已。
藍玉棠接下一掌，身子微一停頓，左腳一抬，又跨了進去。
這茅屋中本就狹小，藍玉棠舉步一跨，衝向了蕭翎停身之處。
如若蕭翎不肯閃身讓避，兩人非得撞上不可，如是閃身避開，讓出去路，藍玉棠落足之處，正好是木凳旁側，伸手可取木凳上放的《三奇真訣》，和玉仙子的畫像。
就在那短短的一瞬間，蕭翎連轉了兩、三個念頭，決定封擋住這藍玉棠的來路，不讓他驚擾到無為道長，當下暗運功力，身子一橫，反向藍玉棠身上撞去。
藍玉棠冷笑一聲，抬起的腳步，懸空下落，右手疾快拍出，點向蕭翎的左肩。

蕭翎早已有備，身子一側，避開了一擊，正待反襲一掌，瞥見金花夫人纖手橫裏掃來，五指尖尖，掃向了藍玉棠的脈門。

行家一伸手，便知有沒有，這幾人雖只是簡簡單單地放對幾招，掌不帶風聲，招不見詭異，只看那出手的速度，都已知遇上了勁敵。

藍玉棠抬起的右腳，突然向後踢出，攻向了周兆龍。

這一著突然至極，他本待向前衝進的右腳，忽的前後易勢，攻向後面，周兆龍驟不及防，竟然被迫得橫移一步。

原來，在那一瞬間，藍玉棠已發現了蕭翎防守之勢，嚴密之極，無懈可擊，而且在那防守之勢的後面，還隱伏著凌厲絕倫的反擊之能，金花夫人拂出一掌之後，也有著連綿攻出的後招，正是武功中極上乘，寓守於攻，攻中含變的手法，自己一腳懸空，兩側受敵，形勢大爲不利。

只有先穩住身子，立於可攻可守之地，才能從容對付這兩個生平未遇過的大敵，才陡然間易勢變向，攻向周兆龍了。

周兆龍橫移一步，藍玉棠右腳踏落實地，右手斜裏推出，一招「巧扣連環」，封擋住了金花夫人的攻勢，頭未轉顧，左手同時向後拍出，一招「雲封霧鎖」，封住了身後的門戶。

果然，周兆龍不甘受欺，身子移位的同時，右掌疾快地拍出了一招「浪撞礁巖」。

但聞砰的一聲輕響，如擊敗革，雙掌接實，周兆龍被震得又向後退了兩步。

藍玉棠晃了兩晃，才把身子穩住。

顯然，這一掌硬拚之中，雙方都用出了六、七成功力。

金花夫人咯咯一笑，道：「嗯！果然是身手不凡。」柳腰一探，左手斜斜掃來。

藍玉棠劍眉一聳，雙手忽然合掌當胸。

金花夫人攻出掌勢，疾快收了回來，臉上笑容斂失，泛現出凝重之色。

那藍玉棠連試數招之後，心中暗生凜駭，已知這室中之人，無一弱手，默察形勢，雙方似敵非友，倒不如暫坐以觀變，是以，金花夫人縮手不攻之後，竟也不再出手。

室中，暫時恢復了沉寂，但加上個藍玉棠出手一攪，原本緊張的局勢中，又滲入了一層微妙的混亂。

金花夫人暗施傳音之術，對蕭翎說道：「小兄弟，來人武功很高，只要他不再亂闖，暫時不要惹他。」

蕭翎淡淡一笑，代表了答覆。

但聞一聲輕微的歎息聲，那仰臥在竹榻上的無爲道長，忽然睜開雙目。

展葉青情緒激動，忍不住低聲喊道：「大師兄……」

雲陽子以目示意，阻止展葉青再說下去。

無爲道長渙散的目光，環掃了室中一周，重又緩緩閉上。

金花夫人道：「令師兄已經醒來了，我們不用再等了。」右手一伸，去取木凳上的《三奇真訣》和玉仙子的畫像。

展葉青一式「手揮五弦」掃了出去，說道：「你急什麼？等上一會兒工夫，再拿不遲。」

金花夫人伸出的右手原式不變，五指卻突然一曲，疾快彈出。

這一曲一彈之間，反守爲攻，數縷指風，襲向展葉青的脈門。

展葉青右腕一沉，指風掠掌而過，掃出的右手，竟是也不收回，化作「迎雲捧日」，反扣金花夫人的手腕。

兩人掌未易勢，但沉浮曲指間，連變數招，各搶先機。

金花夫人掌勢一翻，五指半曲，向下拍去。

這一次，雙方都已無法再變招式，勢非接實不可。

忽然間寒芒一閃，劍氣森森，雲陽子長劍遞出，就在兩人掌勢欲接未觸之際，掃了過去，硬把兩人將要接觸的掌勢分開，說道：「夫人暫請忍耐片刻，貧道出口之言，焉有反悔之理，那玉仙子畫像、《三奇真訣》，已是夫人之物，又何必這般的迫不及待呢？」

金花夫人柳眉間殺機湧現，冷笑一聲，默然不語。

她顯然已動了怒火，但又似顧慮甚多，強自忍了下去。

藍玉棠啊一聲，自言自語地說道：「玉仙子的畫像？」雙目中暴射出冷電般的寒光，投注到那木凳上的書冊和畫卷之上。

金花夫人、雲陽子等齊齊望了藍玉棠一眼，誰也沒有理他。

忽聽木榻邊，一陣輕微的響聲，仰臥在竹榻上的無爲道長，竟一挺而起，緩緩下了木榻。

沉著穩健的雲陽子，也有些按捺不下心頭的激動，沉聲問道：「師兄的傷勢……」

無爲道長說道：「好多了。」

兩道目光投注在宇文寒濤身上，接道：「宇文兄別來無恙。」

宇文寒濤淡淡一笑，道：「兄弟如若不死，隨時候教。」

雲陽子雙手緩緩從懷中摸出一本絹冊，和一幅畫卷，遞向金花夫人，道：「木凳上的兩份，全是僞品，夫人剛才縱然搶到了手中，也是白費一番手腳，真品在此，敬請收過。」

金花夫人接過絹冊、畫卷，道：「道長老謀深算，好生令人佩服。」

回顧了宇文寒濤一眼，打開畫卷，略一過目，立時合上，又翻了兩頁真訣，發覺果是真品，才緩緩收藏懷中。

那假冒蕭翎之名的藍玉棠，目光一直隨著金花夫人手中畫卷、絹冊移動，直待她收入懷中之後，才冷笑一聲，道：「喂！你那玉仙子的畫像，可肯賣嗎？」

金花夫人收過《三奇真訣》和玉仙子畫像，心中已較爲寬暢，淡淡一笑，道：「你買得起嗎？」

藍玉棠道：「哼！你如果不肯賣，可別怪在下要搶。」

金花夫人道：「那就搶一下試試？」

藍玉棠道：「有何不可，咱們走著瞧吧！」說著轉身向室外行去。

金花夫人擔心如和這人衝突起來，只怕授給武當派以可乘之機，他既不願此刻動手，那是最好不過，也不出言攔阻，回顧了宇文寒濤和蕭翎一眼，道：「咱們走吧！」當先舉步向外行去。

蕭翎緩緩掃掠了雲陽子和無為道長一眼，欲言又止，轉身緊隨在周兆龍、宇文寒濤身後而行。

四人才剛行至茅屋竹籬外，金花夫人突然停下腳步。

抬頭看去，只見適才闖入茅屋中那藍衫少年，背插寶劍，卓立在道中，兩眼望天，一派傲氣。在他兩側，各站一個十四、五歲的青衣童子，左面的仗劍，右面的捧琴。

宇文寒濤道：「此人就是年來突起武林，名噪一時的蕭翎，夫人不可大意。」

金花夫人回顧了蕭翎一眼，道：「小兄弟，你不也是蕭翎嗎？怎麼憑空的又多出一個蕭翎來呢？」

蕭翎道：「天下同名同姓之人很多，這也沒什麼稀奇之處。」

那藍衫少年似是突然被針扎了一下，望著天空的目光，突然移注到蕭翎的臉上，道：「怎麼？你也叫蕭翎嗎？」

蕭翎道：「不錯啊！兄弟可是貨真價實的蕭翎。」

藍衫少年冷笑一聲，道：「哪一個還是假冒的不成？」

蕭翎心中暗笑，忖道：那夜你跪在江邊拜我靈位，要我陰魂顯靈，助你好事，此刻你面對真人，卻又是這般的理直氣壯。

他想到可笑之處，不覺由臉上流露了出來。

藍衫人怒道：「你笑什麼？」

蕭翎道：「笑一笑也不行嗎？」

藍衫人冷冷地說道：「不行，如若你真的叫蕭翎，今日咱們兩人中，必應有一個死亡。」

蕭翎揚了揚劍眉，冷笑一聲，道：「眼下鹿死誰手，還難預料，不用口氣太大。」邊說邊向前行去。

周兆龍突然一飄身，擋住了蕭翎，低聲說道：「三弟且請忍耐片刻。」

回頭又對那藍衫人一拱手，道：「兄弟周兆龍……」

藍衫少年冷笑道：「我知道，你是百花山莊中的二莊主，貴莊中有幾個管事的兄弟，是傷在兄弟的劍下，你如想替他們報仇，那就不妨和蕭翎一齊出手。」

周兆龍一皺眉頭，暗道：江湖上傳他是個冷面辣手，看來是傳言不虛。

他爲人心機陰沉，不願這真假難辨的兩個蕭翎，在這時動手相搏，強忍心中怒火，笑道：「蕭大俠言重了……」

忽見一騎快馬，閃電飄風般直衝過來。

馬上人手中高舉著一面金花令旗，大聲叫道：「大莊主傳下了金花令諭，要諸位快些回莊中去！」

百花山莊中的弟子，一向狂傲慣了，雖見路上有人，也不肯勒韁轉馬，竟直向那藍衫人衝了過去。

周兆龍正待出言喝止，已然不及，但見那藍衫人身子一轉，右手抬動，寒光一閃，耳際間一聲人叫馬嘶。

那騎馬大漢，已然連人帶馬被劈做兩半，橫屍路旁，流了一地鮮血。

再看那藍衫人拔劍出手快速，手法乾淨俐落，不但使周兆龍心中大爲震駭，就是金花夫人、宇文寒濤和蕭翎，也都是看得驚奇不已。

但聞那藍衫人冷冷說道：「蕭翎，出來啊！可是害怕了嗎？」

蕭翎道：「二哥閃開！」身子一閃，呼的打個轉，從周兆龍的身側翻了過去。

周兆龍伸手一把，竟然沒有抓住，不禁吃了一驚，忖道：這是什麼身法？迅如電轉，詭奇莫測。

金花夫人一皺眉頭，低聲對宇文寒濤道：「這蕭翎的武功很高，周兆龍只怕是望塵莫及，單看那閃身一轉的身法，似已得上乘武功神髓。」

宇文寒濤啓齒一笑，道：「這蕭翎似是甚得那沈木風的寵愛，如果傷在那個蕭翎的劍下，沈木風絕然不肯罷休。」

金花夫人急道：「不錯啊！」

忽一挫柳腰，一式「海燕掠波」，呼的一聲，由周兆龍頭上飛了過去，落在蕭翎的身後

四、五尺處，說道：「小兄弟！放心動手，做姊姊的替你掠陣。」

蕭翎已看到那藍衫人的身手，凝神對敵，心無旁騖，右手拔出背上的長劍，蓄勢待攻，雖然聽到了金花夫人之言，卻不願分神答話。

那藍衫人腳下不丁不八，但兩道眼神，卻暴射出森寒的冷光，凝注蕭翎，眉宇間，籠罩著一片殺機。雙方對立相持良久，那藍衫人仍不拔劍。

蕭翎忍耐不住，說道：「閣下爲何不拔劍進擊？」

藍衫人不理蕭翎的問話，只是圓睜著雙目，不停地上下打量。

蕭翎暗提真氣，已然如滿月之弦，但那藍衫人仍不肯拔劍出手，臉上煞氣卻是愈來愈濃。

金花夫人似是已看出，雙方都已把功力提到十成以上，正在找尋對方的破綻，出手一擊，定然是石破天驚，必有一傷，細看形勢，竟然找不出自己有下手之處，不禁心神微震，暗道：原來這兩個蕭翎，都是身負絕技的高手。

蕭翎究竟對敵經驗不足，面對強敵不知蓄力自保，卻把真氣遍行百骸，已成了欲罷不能之勢，雙方如再相持下去，自己只有冒險一擊了，否則那提聚的真氣難以宣洩，勢將凝成內傷。

那藍衫人仍是那樣不丁不八地站著，似是毫無準備，但如仔細看去，立可發覺那竟是一種極深奧的起手之式，不論從哪一個方向進招，他都可凌厲絕倫地反擊過來。

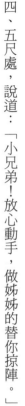

時間在沉默中悄然過去，但沉默中卻充滿著殺機，緊張得使人窒息。

雙方又相持了大約一盞熱茶工夫，蕭翎全身突然微微地顫抖起來，臉紅如霞，衣袂無風自動。那藍衫人的神色，也是愈來愈見凝重。
琴、劍二童已看出形勢不對，緩緩地向後退去。
蕭翎雖然仍無法找出那藍衫人防守之勢中的破綻，但已然無法再忍耐，突然一振長劍，劍花一閃，幻起了一片寒芒，連人帶劍直衝過去。
但見那藍衫人手臂一招，迅快絕倫地拔出了背上長劍。寒光交錯，劍氣漫空，人影閃動中，響起了一聲金鐵大震，兩條相接的人影，突然又分散開來。
兩人這交手一擊，快速無比，快得連周兆龍和宇文寒濤都無法看得清楚。
定神望去，只見兩人仍是相對而立，但中間已然相隔了七、八尺遠。
蕭翎臉上的紅霞已然褪去，臉色顯得有些蒼白，手中握著一柄斷劍。
再看那藍衫人手中的長劍，也成半截，眉宇間殺機已消，代之而起的是隱隱的睏倦之容。
原來兩人電光石火的交手幾招，劍法各極其妙，功力上半斤八兩，手中長劍，一齊震斷。
那藍衫人望了蕭翎一眼，突然投去手中的斷劍，冷冷地道：「閣下的劍道，果然不凡，一年之內，在下當造訪百花山莊領教。」
回顧了琴、劍二童一眼，道：「咱們走！」當先轉身，疾奔而去。
琴、劍二童緊隨身後相護。
周兆龍眼見藍衫少年和琴，劍二童漸漸遠去的身形，一皺眉頭，伸手在地上撿起那金花令旗，說道：「敝莊主既傳出了金花令諭，想必有緊要之事，咱們得早些回去了。」當先帶路，急奔而去。

四人急急趕路，一口氣奔回百花山莊，直入大廳。

寬敞的大廳中，坐了不少的人，血影子沈木風高踞桌首而坐，眼看四人歸來，起身相迎，拱手對金花夫人一禮，道：「夫人和宇文兄辛苦了。」

金花夫人道：「不用客氣。」

沈木風道：「諸位辛苦歸來，本該休息一陣，但有一樁要事，必得請諸位參與才好。」同時間欠身肅客，讓金花夫人和宇文寒濤坐上上賓之位，自己才緩緩就坐。

沈木風目光一轉，掃掠了廳中之人一眼，笑道：「他們遠道來此，又不能停留，在下既和夫人攜手合作，自是當開誠佈公，以示誠意，是以，才傳了金花令諭，催請幾位早些歸來。」

金花夫人和宇文寒濤，瞧了那排列而坐的群豪一眼，只見他們個個黑巾包面，只露出兩隻眼睛。

金花夫人道：「這都是些什麼人？」

沈木風哈哈一笑，道：「你們各自報出身分來吧！」

這些人都穿著一身勁裝，滿臉風塵之色，一望之下，即知是經過了長途跋涉來此。

但見左首第一人站了起來，欠身一禮，道：「小僧現在少林羅漢堂……」

緊接著第二個站了起來，道：「貧道在武當門下。」

第三人站起說道：「小僧在峨嵋門下。」

第四位站起說道：「貧道托身在青城門下。」右手一揚，舉起了一支形如柳葉的小劍。

第五個緊接站起，右手一圈一吐，左掌隨勢推出，道：「在下托身在崑崙門下。」

第六個起身說道：「在下混跡丐幫之中。」右手托出一枚金錢，高高舉起。

第七個身子奇矮，站起來還不足四尺身材，聲音冷漠地說道：「現在神風幫中。」

沈木風突然一擺手，不讓餘下之人再接下去，起身說道：「夫人，夠了吧！」

金花夫人點點頭，說道：「沈大莊主之能，妾身佩服之極，餘下之人，想也是混在各大門派中的伏樁了。」

沈木風道：「不錯，知己知彼，百戰百勝，天下各門各派，都有我沈某伏樁，不論武林中形勢如何變化，各大門派的情形，我都能瞭如指掌。」

語聲微頓，揮手說道：「眼下武林中風雲緊急，你們不宜多留此地，各自起程去吧。」

廳中群豪站起，魚貫出廳，分頭而去，片刻間走得一個不剩。

寬敞的大廳上，只剩下了沈木風、周兆龍、金花夫人、蕭翎、宇文寒濤等五個人。

沈木風目注金花夫人，說道：「兄弟在各大門派中，埋下暗樁一事，除我之外，世間本無第二個人知道，今日兄弟藉他們五年一度聚會之期，公諸在夫人和宇文兄的眼前，以示推心置腹，合作之誠。」

金花夫人道：「沈大莊主數十年前，已然處心積慮，派人到各大門派中臥底，這等深謀遠處，實叫妾身敬服，如今他們都身居要位，對沈大莊主，自是更有大用了……」

沈木風道：「對夫人又何嘗不是呢？」

他輕輕咳了一聲，道：「夫人換回之物，可曾查看過嗎？那雲陽子狡獪難纏，不能以等閒視之。」

金花夫人笑道：「都已查過，想是不會錯了。」

一面取出《三奇真訣》和玉仙子的畫像，接道：「這本《三奇真訣》，請沈大莊主收下，這幅玉仙子的畫像……」

沈木風急急接道：「那玉仙子的畫像，已歸夫人所有，還提它作甚……」右手一揚，說道：「三弟好好的保管此書。」揮腕向蕭翎投了過去。

蕭翎一直微閉雙目，裝作調息，其實在那沈木風指令埋伏在各大門派中的暗樁，自報身分時，他已凝神靜聽，心中震駭不已。直待聽到沈木風呼叫之聲，才霍然睜開雙目，伸手接過《三奇真訣》，正待出言推辭，沈木風已搶先接道：「這本《三奇真訣》，乃是咱們百花山莊和金花夫人及宇文兄共有之物，必得妥爲收藏起來，如有遺失，唯你是問了。」

蕭翎只好應了一聲，收起書冊。

沈木風接道：「在下還未聽得你們的詳細經過，那武當派中，應約的人，除了雲陽子外，還有何人？」

宇文寒濤笑道：「還有終南二俠，及武當一位俗家弟子。」

沈木風道：「終南二俠，也參與了這場是非中嗎？」
金花夫人道：「怎麼？那終南二俠，很棘手嗎？」
宇文寒濤道：「終南二俠，威震江湖三十年，盛名不衰，那位一看上去斯斯文文的葛天儀，一把鐵骨風火扇，不但招術精絕，變化萬端，而且暗藏水火暗器，歹毒絕倫，獨步武林三十年未逢過敵手，這兩人如若全力相助武當派，倒是兩個勁敵。」
金花夫人冷笑一聲，道：「這麼說將起來，我倒要得鬥鬥他們了……」
語聲一頓，目光緩緩由宇文寒濤臉上掃過，道：「相煩宇文兄一事如何？」
宇文寒濤暗暗一皺眉頭，道：「在下能力所及，無不全力以赴。」
金花夫人道：「趁他們還未行遠，勞請代我邀約終南二俠，明晨日出時分，在這百花山莊外面一會。」
宇文寒濤道：「夫人爲何要邀終南二俠？」
金花夫人道：「我要會會那葛天儀的風火扇。」
沈木風笑道：「咱們準備尚未成熟，邀約的人手，尚未到齊，夫人最好先忍耐一、二。」
金花夫人道：「妾身之見，和沈大莊主不同，那無爲道長身體尚未復元，武當派領導無人，明晨妾身約鬥那終南二俠，得手之後，便一鼓作氣，生擒那無爲道長，然後迫使武當門下歸附百花山莊。」
蕭翎只聽得心神震動，暗道：這女人當真是又毒又辣！

沈木風沉吟了一陣，道：「夫人既然智珠在握，有把握勝得那終南二俠，就依夫人之見，但送信之人，卻用不著勞動宇文兄的大駕了。」

舉手一招，立時有一個青衣美婢走了過來，躬身說道：「大莊主有何吩咐？」

沈木風道：「傳我令諭下去，著令各處暗樁，注意那無爲道長的行蹤。」

那美婢應了一聲，急急而去。

片刻間又回大廳，欠身說道：「已派遣出一十八匹快馬，傳出了大莊主的令諭。」

沈木風微一點頭，道：「好！要當值夫子寫一封邀鬥終南二俠的書信送來。」

那美婢應聲而去，片刻間攜信而至。

沈木風看了一遍，送給金花夫人，道：「夫人請過目一下，如無修改之處，落下名頭，我立刻派人送出。」

金花夫人略一過目，取過毛筆，寫了姓名。

沈木風隨手把書信交給那青衣美婢，道：「交給當值的管家，傳我令諭，今夜子時以前，如若交不到終南二俠手中，要他提頭來見。」

那美婢應了一聲，接過書信，匆匆而去。

沈木風目睹那美婢出了大廳，緩緩站起身子，道：「夫人和宇文兄，也該休息一下，在下不再打擾。」當先起身，離了大廳。

十八　龍爭虎鬥

且說蕭翎回到蘭花精舍，那金蘭、玉蘭早已迎候室外，捧送茶水，侍候的無微不至。

蕭翎伸手從懷中取出《三奇真訣》，和衣倒在床上，心中暗暗忖道：聽那金花夫人口氣，似是早已成竹在胸，無為道長對我有保護之情，雲陽子對我有救命之恩，我豈能坐視不管嗎？怎生得想個法子，通知他們一聲，也好要他們早作準備……

玉蘭捧著一個瓷碗走了進來，一碗桂花白木耳百合湯，仍在冒著熱氣，她向蕭翎恭聲道：「三爺，請您吃碗桂花木耳百合湯。」

蕭翎心緒紊亂，本待拒絕，但見玉蘭捧碗而立，神情間無限關懷，不忍再拒絕，取過銀匙舀了一口吃下。

蕭翎突然想起了唐三姑來，一日夜未見過她了，忍不住問道：「那位唐姑娘可來找過我嗎？」

玉蘭呆了一呆，手中瓷碗，幾乎跌在地上，眼睛一眨，滾下來成行淚水，望著金蘭，默然不語。

金蘭輕輕歎一口氣，低聲說道：「玉蘭妹妹不敢言，那位唐姑娘，已經被大莊主下令，關入石牢中了。」

蕭翎吃了一驚，叫道：「爲什麼？她不是二莊主特地請來的客人嗎……」

金蘭駭得嬌軀一顫，急急說道：「三爺，小聲點好麼！」

蕭翎鎮定了一下心神，道：「這究竟是怎麼回事？」

玉蘭道：「爺和金蘭姊姊談吧！我去把風。」放下瓷碗，一閃而出，身法乾淨俐落，輕功竟是不弱。

金蘭道：「詳細的情形，小婢亦不知道，好像和爺有關！」

蕭翎臉色一變，道：「和我有關，這非得問問不可了。」霍然站起，舉步欲行。

金蘭大急，橫身攔住了蕭翎，道：「三爺，大莊主既然下令把她關入石牢，自然也不會答應再放她出來，問明白也沒有用。」

蕭翎道：「不成，這件事我非得管管不可，無緣無故，函邀別人而來，爲什麼卻又要把人家關入石牢？」

金蘭道：「三爺，你可知道，咱們這百花山莊中，從無一人敢違抗大莊主的令諭……」她突然壓低了聲音，接道：「你雖得大莊主垂青，但也不可忤犯於他。」

蕭翎微微一皺眉頭，道：「我知道啦，多謝你的指點，但此事情理有虧，我必得問個明白。」

金蘭輕輕歎息一聲，道：「明槍易躲，暗箭難防，爺要小心了。」

蕭翎沉吟一陣，道：「我一步走錯，陷入泥淖……」

突然人影一閃，玉蘭疾躍而入，道：「金花夫人來了。」

蕭翎急急收起《三奇真訣》，剛剛藏好，室外已傳進來金花夫人嬌脆的笑聲，道：「小兄弟在家嗎？」

蕭翎正待答話，那金花夫人已一陣風般衝了進來，目光四顧，打量了金蘭、玉蘭一眼，道：「這兩位姑娘不錯吧！小兄弟艷福不淺。」

二婢齊齊躬身一禮，道：「夫人說笑了，奴婢等如何擔當得起。」

二婢知她是百花山莊中的貴賓，哪裏敢和她頂嘴，奉上一杯香茗後，悄然退出。

蕭翎起身說道：「男女有別，這臥室中談話不便，咱們到外面廳裏坐吧！」

金花夫人笑道：「男女有別？那兩個丫頭就可以在你的臥室中停留嗎？我瞧這地方不錯，就在這裏談談吧。」

蕭翎無可奈何地說道：「夫人蒞臨，有何見教？」

金花夫人道：「你對我這做姊姊的這般客氣，不覺著有些見外嗎？」

蕭翎一時之間，想不出如何回答，只好沉吟不語。

金花夫人微微一笑，道：「兄弟，姊姊明日約鬥終南二俠，你是知道的了。」

蕭翎點點頭，道：「可是要我明晨爲你助陣嗎？」

金花夫人咯咯一笑，道：「用不著了，姊姊自信還能對付得了終南二俠……」語聲微微一頓，又道：「但戰陣之間，難免有失手傷亡之慮，聽你那大哥和宇文寒濤之言，終南二俠個個身負絕技，尤其老大葛天儀一柄風火扇，更是暗藏絕毒暗器，變化神鬼莫測，姊姊也不得不準備一下。」

蕭翎道：「不知有什麼需在下效勞之處？」

金花夫人道：「效勞倒不用，只是委託你代我收存玉仙子的畫像，明日一戰，我如不幸戰死，這畫像就送給你了。」

蕭翎暗道：她爲什麼不把畫像交給那沈木風保管，卻要交我代她收存？

只聽金花夫人接道：「不瞞你說，我瞧來瞧去，只有你可靠一點！因此，縱然你日後不肯還我，也不要緊……」

探手入懷，摸出玉仙子畫像，道：「小兄弟，那你就好好的把畫像收存起來吧！明晨惡戰過後，我如不死，再來取回。」

蕭翎道：「既是如此，在下恭敬不如從命了。」

金花夫人四下打量一眼，突然低聲說道：「那個小婢，可是沈木風給你的嗎？」

蕭翎道：「她們都是百花山莊中人，一向在這蘭花精舍之中待客。」

金花夫人嗯了一聲，打斷了蕭翎之言，接道：「可是你卻加盟這百花山莊不久。」

蕭翎吃了一驚，問道：「此事何以見得？」

金花夫人道：「我從兩件事情上推斷出來。」

蕭翎心中大奇，道：「哪兩件事？」

金花夫人道：「第一件事，是你的武功路數，我雖然未見過沈木風的武功，但已從那周兆龍和貴莊中的屬下瞧出，武功路數似出一源，但你卻大不相同……」

蕭翎道：「我們兄弟並非同出一師，武功上自是大有差別的了。」

金花夫人笑道：「還有一件事，你就無法狡辯了。」

蕭翎道：「什麼事？」

金花夫人道：「物以類聚，以那沈木風的陰沉，周兆龍的狡詐，但你和他們卻全然不同，如你是久在百花山莊，本性難移，沈木風縱然不殺你，亦必早在你身上做下手腳，以便控制於你。」

蕭翎只聽得心頭一寒，默然不言。

金花夫人突然咯咯一笑，道：「但請放心，此刻正值用人之際，沈木風縱然已動了殺你之心，暫時也不會下手……」

她突然壓低了聲音，道：「但你要留心那兩個小婢……」

蕭翎道：「他爲什麼要殺我？」

金花夫人道：「今日在那茅舍之中，你明裏爲百花山莊，暗中相助那雲陽子，救了無爲道長性命，這件事我能瞧得出來，宇文寒濤和周兆龍豈有瞧不出來之理，自然這做姊姊的也替你擔了大部責任，把那真的解藥給了無爲道長。」

蕭翎心頭大震，但表面上卻極力地保持著鎮定從容，說道：「夫人要我留心二婢，頗使在下不解，難道二婢還敢謀算於我不成？」

金花夫人笑道：「你一片天真，對人對事，毫無戒備，在江湖之上走動，未免是太可怕了。二婢固然是不敢害你，但令兄沈木風難道也不敢害你嗎？」

突然停口，側耳聽了一陣，疾快地一個翻身，躍出室外，又緩步走了回來，接道：「如若我的推斷不錯，這兩個丫頭，必然極盡溫柔體貼，撒嬌賣乖，以博取你的信任寵愛，使你對她們絲毫不生懷疑之心……」

蕭翎暗暗忖道：這話倒是不錯，這兩個丫頭確實如此。

但聞金花夫人繼續說道：「沈木風把兩個深得你寵信的內奸，放在你的身側，如是想動手謀算於你，你自是防不勝防，如若有一天，沈木風發覺你桀驁難馴，或是發覺你爲人太過端正，難以和他們同流合污，隨時可以命二婢在你的茶、飯之中下上緩性毒藥，解藥由他控制，迫你就範，聽他之命，爲他所用……」

蕭翎想到沈木風喝令那侍女荷花自斷手臂的殘酷，心中油生寒意，暗道：這話倒也不錯，如若那沈木風覺著我不和他們合流時，以他爲人，極可能不顧結義之情，在我身上下毒。

只聽金花夫人接著道：「那時，你悔之已遲，姊姊言出由衷，小兄弟你可要三思，最好能夠和二婢疏遠……」

突然伸手，由頭上拔下一支玉簪，接道：「小兄弟，這支玉簪，乃天山特產的寒玉，帶在身上，不但可避瘴氣，且可試出百毒，吃飯用茶，先用這簪試試，如若茶、飯之中有毒，這玉簪立時變成紫黑之色……」

蕭翎道：「這等珍貴之物，在下如何能……」

金花夫人笑道：「此事關係你的生命安危，我這做姊姊的豈能不關心，快些收起來吧！」

蕭翎緩緩伸手接過玉簪，道：「卻之不恭，受之有愧，夫人的寵賜，使在下心中不安。」

金花夫人道：「你只要知道姊姊對你一片愛護之心，那就夠了。」

緩緩站了起來，接道：「姊姊不打擾了，這就告辭。」轉身走了出去。

蕭翎只覺一片悵然，想叫住金花夫人說幾句感激之言，又覺甚難啓齒，只好忍了下去。

在這充滿著心機、狡詐的環境之中，使蕭翎有著無所適從的感覺，他初入江湖，即捲入了一場勢關武林劫運的漩渦之中，而且他已隱隱覺著，自己正是製造這場劫運的要角之一。

突聽一聲輕咳，傳入耳際。

抬頭看去，只見沈木風背著雙手，依門而立，不禁心頭一震，抱拳一個長揖，道：「不知大哥駕到，小弟未曾遠迎……」

沈木風微微一笑，道：「你心有所思，耳目失去了靈敏。」

緩緩行前兩步，坐了下去，接道：「那金花夫人來過了？」

蕭翎道：「剛去不久，大哥如早來片刻，就可見到她。」

但聞沈木風長長歎息一聲，道：「三弟，你可聽過苗疆養蠱的事嗎？」

蕭翎道：「這個小弟聽人說過。」他在三聖谷中之時，已從莊山貝口中聽得了江湖上各地奇事，苗人養蠱之事，早已由莊山貝詳細講解。

沈木風緩緩接道：「你可知道那金花夫人，乃當今唯一養蠱的名手嗎？」

蕭翎吃了一驚，道：「這個小弟就不知道了！」

沈木風道：「一般人下毒，大都是在茶飯之中，但那金花夫人卻能借肌膚相觸間，傳下蠱毒，唉！為兄的一時忽略，忘記早些告訴你了。」

蕭翎只覺前胸被人重重擊了一拳般，心神震盪不已，良久才鎮靜下來，道：「那金花夫人既要和大哥推心置腹，共圖大事，難道還會在小弟身上下毒不成？」

沈木風道：「為兄在這一方面，可是全然不精，更無法看出端倪，好在三、五日內，為兄有一位精通醫道的好友，即可趕來，不論何等藥毒，他無所不精，為了學解蠱毒，他曾在苗疆住了十年之久，待他趕到之後，就可看出你是否中有蠱毒了！」

語聲微微一頓，接著道：「在那位神醫未到之前，兄弟要多多小心一些，為兄的告辭了。」說罷轉身而去。

蕭翎急急說道：「大哥止步！」

沈木風回身笑道：「三弟還有事嗎？」

蕭翎道：「那金花夫人適才來到小弟之處，曾把玉仙子的畫像交由小弟代她保管。」

沈木風神色間掠過一抹森冷的笑意，但一閃而逝，緩緩說道：「她為什麼交你代她保管呢？」

蕭翎道：「她說明晨要和終南二俠決戰，生死難卜，故而把玉仙子的畫像，暫時交由小弟保管，如若明晨勝得終南二俠，再來取回畫像，如是不幸傷亡在終南二俠手中，那幅玉仙子的畫像就算送給小弟。」

沈木風道：「那你就好好的代她收存著吧！待她赴過明晨之約，再還給她就是。」

他欲擒故縱，以退為進，每一句話都在激動著蕭翎的感情，使初出茅廬，識見不多的蕭翎，步步自蹈入他的陷阱之中。

果然蕭翎中了沈木風欲擒故縱之計，忍不住說道：「此圖現在小弟之處，大哥可要過目？」

沈木風道：「畫聖時天道遺留在人間的，只有這一幅是完整之作，小兄雖然見過那『眾星捧月』殘圖，卻未見過這玉仙子的畫像，如若方便，那就不妨取來瞧瞧。」

蕭翎伸手將玉仙子的畫像，遞了過去，道：「大哥請看。」

沈木風接過畫像，道：「為兄原想要你騙取那金花夫人這畫像，但想到她會下蠱毒一事，心中甚是不安，特地趕來告訴你小心一些，卻不料她卻先我而來，如今暫把這畫像交你保管，咱們勢難不還，待為兄鑒賞之後，明晨之前，定當派人送回，免得你到時作難。」

蕭翎呆了一呆，道：「大哥要帶回望花樓去嗎？」

沈木風笑道：「風聞這玉仙子的畫像，巧奪天工，爲兄如在此處鑒賞，萬一金花夫人撞來，反有甚多不便。」緩步出門而去。

蕭翎心中靈機一動，道：「大哥攜走畫像，萬一那金花夫人再來問起，小弟甚難回答於她，不如小弟出莊避她一避。」

沈木風略一沉吟，道：「目下咱們百花山莊之外風雲緊急，不如就在莊中避起來吧！」

蕭翎道：「這個小弟自會小心，不勞大哥掛懷。」

他是異常聰明之人，交出玉仙子的畫像之後，已知道入了圈套，圖既到了沈木風的手中，勢難立刻討回，想到結盟兄弟之間，還是這般的爾虞我詐，心中大是不安，但此情此景，自己又想不出對付之策，只有設法和中州二賈，會上一面，研商一個方法出來。

只見沈木風點頭說道：「你如避出莊外，可得小心一些，早去早回，免我掛念。」

蕭翎道：「小弟記下了。」

送沈木風離開了蘭花精舍，返回室中，收起《三奇真訣》，立時離開了百花山莊，直奔正北而行。

蕭翎出了百花山莊，撇開了大道，專走田野，施展開輕身提縱之術，疾奔而行。

他隱隱還記得那夜和中州雙賈比武訂交的破廟所在，認定方向一陣急趕，夕陽返照下，果然看到了一座破落的大廟。

蕭翎隱身在一株大樹後，向後探視良久，不見有人追蹤，才一提真氣，施展開「八步趕蟾」的上乘輕功，一連幾個飛躍，人已躍過圍牆，進入了廟中，穿過二門，直入大殿後院。

仔細一看，景物依舊，亂草之間，空出三、四丈見方的一片黃土地。

蕭翎看景物和記憶相合，辨認一下方向，直向正東廂房行去。

廂房中木門已朽，滿地積塵，但卻一左一右的放著兩口棺材。

他迅快打量了一下室中景物，走向南面一口棺材，暗運內力，輕輕一推棺蓋。

但聞呀然輕響，棺蓋應手而開。

低頭一看，不禁為之一驚，只見那棺木之中，鋪著錦被，錦被上仰臥一人，全身都被一副白布單掩起，無法看得出面貌、衣著，但見身體嬌小，如不是女子，亦必是一個十幾歲的童子。

破落的古廟，陰森的廂房，存棺中竟有一具屍體，蕭翎縱然膽大，也不禁心頭一陣怦然跳動，良久之後，才恢復了鎮靜。

低頭嗅了一下，竟是毫無腐屍氣味，暗道：這人如不是血肉早化，定然是剛剛存入的新屍，正待伸手去揭開那覆身的白單瞧瞧，忽然心中一動，又停下手來，暗道：如若這是具女子屍體，我豈不是太過唐突了嗎？此來旨在尋找那中州二賈的留書，如是不見書信，也不用驚動這棺中停屍。

目光轉動，忽見一角紙箋，露出在那白單之外，心中一陣驚喜，伸手探入棺中，手指還未及箋角，突然一個冰冷的聲音，傳入了耳際，道：「不要動他！」

這一聲輕喝，聲音雖然不大，但卻字字充滿森寒的味道，只聽得蕭翎毛骨驚然，頭皮發麻，不自禁地向後退了兩步。

抬頭看去，只見一個全身黑衣的枯瘦大漢，當門而立，睜著一雙圓大的眼睛，逼視著蕭翎。

此人來得無聲無息，以蕭翎的耳目，竟然不知他何時到了門口。

蕭翎略定驚魂，暗中提聚了真氣戒備，才緩緩問道：「這棺木中的屍體是你的什麼人？」

那黑衣枯瘦大漢，突然向前欺進了一步，道：「你管不著。」聲音一片冷漠。

蕭翎看他舉步一跨，竟然有七、八尺遠，人已到了那棺尾之處。

蕭翎暗道：不能問死人，活人該可以問了。

一抱拳，道：「兄台上姓大名？」

那黑衣人突然又向前跨了一步，人已到棺頭，隨手一拂，已把打開的棺蓋合上。

這時，蕭翎驚魂大定，膽子也壯了起來，目注那黑衣人，道：「閣下如再逼進一步，休怪在下無禮。」

那黑衣人忽然縱聲大笑，道：「可惜你已失去制服我的機會……」

蕭翎茫然道：「咱們尚未動手，勝負根本無法預料，在下失了什麼機會？」

黑衣人道：「你如不離這具棺材，我縱有一掌擊斃你之能，也是不敢下手。」

蕭翎暗暗忖道：那具棺木，有何重要，而重要的，想必是那棺木中的人了，難道那是一位活生生的人不成？

疑念叢生，卻又理不出一個頭緒。

那黑衣人冷漠地說道：「你是自己動手呢？還是要我動手？」

蕭翎忍下怒火，淡然一笑，道：「我如不願自己動手，也不想讓你動手，那該如何？」

黑衣人道：「看你的神態，似是有著很好的武功……」

蕭翎道：「武功麼，略知一、二。」

黑衣人道：「內功愈深的人，效果也愈大……」

蕭翎聽得茫然不解，大聲喝道：「你在胡說什麼，叫人聽不明白。」

那黑衣人道：「我每日爲你預備下最好吃的東西，只要你肯合作，我絕不傷你性命。」

蕭翎道：「你在說些什麼？」

那黑衣人忽然變得很有耐性，笑道：「我走了很多地方，一直就未瞧到過有你這般的人物，只要你肯幫忙，小女定然是有救了。」

蕭翎笑道：「如若是救人的事，在下倒是願盡心力，你說出來聽聽吧，要我如何幫忙？」

那黑衣人道：「小女患染了一種絕症，就是躺在那棺木中之人，你剛才已經瞧到了。」

蕭翎道：「她還活著嗎？」

黑衣人點點頭，道：「她病勢發作之後，就和死人無疑，我必得點她幾處穴道，以保住她最後一口元氣不散，護住心脈，然後再設法替她療治，每次她都能幸得生還……」

蕭翎道：「有這等事，那你的醫道不錯啊！」

黑衣人道：「這倒不是老夫自誇，當世之間，恐難再有超過老夫醫道之人。」

蕭翎仔細瞧去，只見他臉上的肌肉僵硬，除雙目可以轉動，嘴巴可以說話之外，怎麼看也不像一個活人面孔，暗道：這麼樣一位形容古怪的人，還要自誇醫道絕世，如若他說的是實話、當真是人不可貌相了。

只聽那黑衣人接著說道：「老夫到此，本想訪一位摯友，但小女的病勢，卻突然發作，老夫不得不暫棲身這古廟之中，先設法救了小女之命，再去拜訪那位故友。」

蕭翎道：「你說了半天，還未說出救人之法！」

黑衣人道：「那倒不勞費心，只要你答應救助小女就行了。」

蕭翎道：「好吧，我答應。」

那黑衣人喜道：「好極了。」

突然伸手摸出了一個玉杯，和一把細微鋒利的鐵管，遞了過去，道：「你先放出一杯血來，讓我瞧瞧你的血色如何?可否能用?」

蕭翎呆了一呆，道：「要放出一杯血來?」

黑衣人道：「怎麼?你自己答應的，現在又後悔了不成?」

蕭翎心中暗道：不錯，我確實答應過他。拿起那鋒利的細小鐵管一瞧，不似塗有毒藥，當下說道：「如果令嬡當真能被在下身上一杯血救活，蕭某有何吝惜。」

舉起鐵管，刺入了左臂之上，果然鮮血由那鐵管中流了出來，片刻間已流半杯。

但聞那黑衣人高聲說道：「可以了，不用放啦。」

那黑衣人接過玉杯，高高舉起，仔細地瞧了一陣，然後用舌尖伸入杯中沾了一下，品嚐了一陣，突然笑道：「好血，好血！」

蕭翎心中一凜，道：「人身血液，其味如一，難道我身上之血，和別人不同嗎？」

那黑衣人眉宇間，洋溢著一片歡愉，說道：「不同，不同，這裏面學問大了，我走遍天涯，嚐過無數人的血液，但卻以你身上的血最好！」

蕭翎道：「老前輩既是位岐黃妙手，爲什麼不把令嬡的病勢一次治好？」

黑衣人道：「良藥苦難求！十幾年來，我足跡遍及了大江南北，但終於被我尋到了療治小女病勢的良藥！」

蕭翎道：「不知那藥在何處？」

黑衣人道：「就在這座荒涼無人的古廟之中。」

微微一笑，道：「小女雖然身罹重病，但她的容貌，卻依然是嬌若春花，你答允賜血給她，那是她的救命恩人，請過來瞧瞧小女的容色如何。」

蕭翎搖頭笑道：「在下適才不知，多有冒犯令嬡，此刻既已知道，豈可再有冒犯，男女不便，不用瞧了。」

那黑衣人左手揭開棺蓋，說道：「有老夫在此，瞧瞧何妨！」

蕭翎暗道：這人枯瘦如柴，卻偏把女兒說得嬌艷如花，倒不妨瞧瞧，看他女兒究竟是何等模樣。

舉步走了過去，正待探頭瞧向棺中，突然腰間「京門」穴上一麻，不禁心神大震，左手正待回拍出去，左臂「天井」、「曲池」二穴，又已被人點中，緊接著「五樞」、「維道」二穴，又是一麻。

他全身之上，五處要穴均已被點，就是莊山貝、南逸公等也是禁受不起，身子搖了兩搖，一跤跌倒地上。

那黑衣人拍拍雙手，笑道：「年輕輕的，竟有如此功力，唉！可惜呀！可惜！」

蕭翎雖被點了五處穴道，但無一處啞穴，全身的勁力雖已失去，但口還能言，怒聲喝道：「在下早該存具戒心才對，但卻被你巧言所騙，遭你暗算，大丈夫死而何懼，誰要你假慈悲了！」

那黑衣人微微一笑，道：「小女沉痾，世無良藥可醫，兄台乃是她救命之人，老夫這裏先謝過。」

蕭翎道：「要我救你女兒之命，應該好好的商量才對，為什麼還要暗算於我？」

黑衣人笑道：「此等事不是商量能成，此刻你為老夫所制，縱然是告訴你，也不妨事。」

他輕咳了一聲，接道：「老夫要把你身上之血放入我女兒的體內，小女固然是沉痾可起，但你卻失血枯死，此等事情，豈是可以商量的嗎？如若老夫和你商量，你是否能夠答應呢？」

他哈哈一陣，接道：「你還有四個時辰好活，老夫要盡四個時辰之功打通小女全身經脈，然後換去她身中之血，你雖然死了，但小女的身上，卻有著你的血液，那是雖死猶生了！」

蕭翎暗暗想道：我從恩師學過運氣衝穴之法，只要他一個時辰之內，不再動我，我或可自行解開穴道，他要用上四個時辰打通他女兒的經脈，這時間是足夠用了。

他從必死的境遇中，找出一分生機，心中寬慰不少，冷哼一聲，閉上雙目，不再理會那黑衣人。

但聞那黑衣人繼續說道：「適才老夫點你穴道時，發覺你已練成了護身罡氣，如若留下你的性命，定然是一大禍害，爲小女借箸代籌，必得置你死地，以絕後患。」

蕭翎道：「以我之血，救你女兒之命，那也罷了，卻又要把我置於死地，你這位大夫，可稱得心狠手辣！」

黑衣人笑道：「武林之中，人人稱老夫爲毒手藥王，這名字豈是讓人白叫的嗎？」

蕭翎冷笑一聲，不再言語，暗中調息真氣，準備衝開被點的穴道。

那黑衣人突然從懷中摸出一支銀針，高高舉起，道：「老夫雖然不知你的師承，但你既然練成了護身罡氣，想必會運氣衝穴之法……」

蕭翎心神大震，突然睜開了雙目。

只見那黑衣人臉上泛現出一抹冷峻的笑意，道：「我毒手藥王豈是受人蒙騙的人嗎？」

突的銀針疾起，刺入蕭翎的，「天突」穴中，哈哈一笑，接道：「這『天突』穴，屬於任脈，刺入這支銀針之後，你即將失去運氣之能，聽候老夫的擺佈了。」

蕭翎心中泛起的一線生機，至此全絕，暗暗歎息一聲，忖道：想不到我蕭翎不死在對敵相搏之中，卻被人放出全身的血液而死。

只見那黑衣人探手伸入棺中，抱起女兒，大步走了出去。

片刻之後，重又回來，抱走蕭翎，進入另一座廂房。

這座廂房，和那停棺的廂房，不過是一牆之隔，但此屋門窗俱全，都甚完好。

那黑衣人早已把地上打掃乾淨，鋪上褥子，把女兒平放在褥子上，卻把蕭翎放在地上，然後關好木門。

蕭翎心念電轉不息，謀思求生之法，唯一的希望，就是在四個時辰之內，中州雙賈能夠趕來此地，但事先既未約定，這希望是渺茫的。

十九　毒手藥王

夜幕低垂，室中更加黑暗，蕭翎憑藉著窗外透入的一點星光，只見那毒手藥王緩緩從懷中取出一個小巧的藥箱，打開箱蓋，取出了兩支細小鋒利的鐵管，兩個鐵管之間連有一道皮管。

毒手藥王回過頭來，望著蕭翎微微一笑，道：「你如是想死得舒服一些，那就乖乖的聽從老夫的吩咐，如果妄動掙扎之念，那就是自討苦吃了。」

蕭翎心中激動異常，恨不得躍起一掌，活活把那毒手藥王劈死，但穴道被點，已是心餘力絀，只有睜著眼，等待死亡的降臨。

毒手藥王雙手開始在他女兒的身上推拿起來，但見他手臂伸縮，口中不時發出深長的呼吸之聲，顯得十分吃力。

蕭翎盡量側過目光，看那躺在褥子上的少女，穿著一件深色的衣服，毒手藥王的手指，不時帶起她身上的衣服，露出來雪白的肌膚。

時間在沉寂中過去，但蕭翎心中卻是思緒如潮，歷歷往事紛至沓來。

他想到慈愛的雙親，重傷死去的雲姨，和一直縈繞於心頭的岳小釵，不禁英雄氣短，黯然一歎。

突然間，響起一陣細微的嬌喘之聲，緊接是幾聲長長呼吸。

但聞那嬌喘之聲，愈來愈高，那女子似已清醒了過來。

又過片刻，響起了一個嬌弱輕柔的聲音，道：「爹爹呀！這是什麼地方？」

毒手藥王道：「這是咱們借宿人家的好地方，快些運氣和爹爹的內力接合起來，等你行血全開，爹爹就要給你治病了……」突然住口不言，凝神靜聽。

蕭翎心中一動，暗道：莫非是有人來了嗎？凝神聽去，果然隱隱聽到了說話之聲傳來，心中一喜，暗道：不管來的什麼人，只要走近此地，我就大聲呼叫……

心念初動，突然啞穴一麻。

原來毒手藥王早已想到蕭翎可能叫喊，先點了他的啞穴。

但聞步履聲，愈來愈近，竟然是直到門外。

一個冷漠的聲音傳了過來，道：「這數日來，咱們奔走不停，也未和龍頭大哥通個消息。」

另一個聲音長長歎息一聲，道：「那沈木風陰險毒辣，什麼事都做得出來，一旦和他有厲害衝突，便絕不會顧惜結拜之情、金蘭之義。」

蕭翎聽出這聲音正是那金算盤商八，和冷面鐵筆杜九二人。

蕭翎心情一陣激動，心想：以金算盤商八為人的精細，必會進室中查看一番……

可惜的是，他只能用心去想，口不能言，手腳也不能動一下。

這時，他唯一的希望，就是那剛由昏迷中醒過來的少女，沉重的呼吸，或弄出些什麼音響，驚動中州二賈。

傾耳聽去，除了微微可聞的微聲呼吸，那姑娘似是也被毒手藥王點了穴道。

蕭翎唯一的希望消失了，因爲這微弱的呼吸之聲，絕無法傳到門窗緊閉的室外。

只聽冷面鐵筆杜九說道：「你是說那沈木風會殺了咱們蕭大哥？」

商八道：「那沈木風詭計多端、手段毒辣，就算不殺他，也會想出別的辦法控制於他。」

冷面鐵筆杜九接道：「那咱們總得想個法子，打聽一下蕭大哥的下落才是。」

蕭翎暗暗想道：這杜九終日裏寒著面孔，言語冷漠，想不到他卻是個古道熱腸、情義深重的人。

商八道：「不錯，咱們要設法探聽龍頭大哥的下落，看來只有冒險一探百花山莊了！」

蕭翎心中急道：百花山莊中，布設險惡無比，如何可以去得，只要打開眼前的木門，就可以看到我了。

一股強烈的求生意識，自蕭翎心中湧了上來，暗提真氣，猛衝被點穴道。

毒手藥王似已感覺到蕭翎在運氣衝穴，突的伸出右手，按在蕭翎「玄機」穴上，暗施傳音之術，說道：「你要再妄生掙動之念，我就一掌震斷你的心脈。」

蕭翎只覺他掌心之中，有一股熱力攻了過來，把他提聚在丹田裏的真氣，化解開去，心中吃了一驚，忖道：這毒手藥王的內功不弱。

但聞冷面鐵筆杜九道：「這封書信，仍然留在那棺木之中吧，萬一龍頭大哥到來，也好讓他知道我們的行蹤。」

聽腳步聲逐漸遠去，消失不聞。

毒手藥王緩緩站起來，低聲說道：「你如再動妄念，可別怪老夫心狠手辣了。」轉身過去，打開後窗，躍出室外。

這時，蕭翎身上有六、七處穴道被點，那毒手藥王雖然已去，他也無能掙動。

片刻之後，毒手藥王仍由後窗躍回室中，自言自語地說道：「這中州二賈一向是我行我素，自由自在，倨傲自負，哪裏會多出一個龍頭大哥來了……」

蕭翎心中道：中州雙賈那龍頭大哥，就是區區在下。

只聽毒手藥王長長吁一口氣，道：「但願今夜再無人來打擾。」

緩緩蹲下身子，取過中間連有皮管的鐵管，刺入蕭翎的左脈之上，另一面刺入那少女的右臂血脈之中。

蕭翎只覺身上的存血，順著那鐵管流了出去，不禁暗暗一歎，忖道：他要放完我身上存血，讓我枯竭而死，這法子當真殘忍得很。

他雖有視死如歸的豪氣，但面對著這等慘事，也不禁凜然顫慄，畏懼驚怖。

毒手藥王突然伸出右掌，按在蕭翎的前胸之上，說道：「你穴道被點，難以自行運氣催動行血，老夫助你一臂之力吧！」

掌心熱流滾滾，攻入蕭翎內腑之中。

蕭翎心神悚然，隱隱覺出身上之血，正湧泉一般流了出來，因數處穴道受制，全身真氣難以提聚，無法運氣防止。

過了片刻，毒手藥王突然收回按在蕭翎前胸的手掌，右手食、中二指，按在那少女右腕脈門之上，一面伏下頭去，在那少女胸上聽了一陣，自言自語地說道：「乖女兒，十六年來，你一直是在死亡邊緣上活著，你固是受了無數的折磨苦難，也讓為父的耽盡了心事……

「孩子，現在好了，這人身上之血，正合了你的需要，今夜之後，你就可以和常人無異，隨伴為父，自由自在的生活在這美好世界上了。」

只見毒手藥王又掏出一個鐵管來，刺入那少女左臂之中，說道：「孩子，為父現在要吸出你身上的壞血，換上那人的好血，你就可以好好的活下去了。」

張口含住鐵管，片刻工夫，鬆開鐵管，吐出了一大口血來，然後又含在口上，吸取那少女身上壞血。

蕭翎只覺那毒手藥王每吸那少女身上一口血，自己身上血的流動，就加快了一些，暗道：也不知道我身上有多少存血，能夠禁得上他吸幾口？

突聞砰的一聲大震，傳了過來，似是一件笨重的東西，被人摔在地上。

緊接傳過來一個嬌脆的聲音，道：「你這丫頭，如若再不說實話，我就要一刀一刀的碎剮了你！」

蕭翎聽那聲音，正是金花夫人，不禁心中一喜。

只聽另一個女子的聲音答道：「夫人不要冤枉小婢，小婢只是聽到埋伏的暗樁稟報，說三爺向這個方向而來，但他行跡何處，小婢實不知情。」

這時，毒手藥王已停止吸血動作，拔出那少女和蕭翎臂上鐵管，放在一旁，悄悄站起身子，站在門後，左手拔出一把匕首，握在手中，蓄勢待敵。

他存心十分明顯，只要有人推門進來，立時將以迅雷不及掩耳之勢，突施襲擊，以毒手藥王的武功，暗中下手施襲，縱然是第一流的高手，也是難以防守得住，不死亦將身受重傷。

但聞金花夫人說道：「這座破落的古廟，除了那兩具空棺之外，鬼影子也不見一個，他跑到此地作甚，我瞧還是到別處找吧！」聲音愈來愈遠，逐漸消失。

顯然，那金花夫人和玉蘭遠離而去。

毒手藥王長長吁了一口氣，緩步走了回來，目注蕭翎，冷冷說道：「那兩個女人，可是前來找你的嗎？」

但他還未待蕭翎的答覆，突然抓起鐵管，迅快地刺入蕭翎的血管中，想是他已想起蕭翎穴道被點，有口難言。

室外又傳來了雜亂的步履之聲，至少有兩個人行了過來。

蕭翎希望那是中州二賈去而復返，但那兩人竟然一語不發，只是步履聲越來越近。

毒手藥王略一猶豫，把另一端鐵管接在那少女身上，自己卻從後窗中躍了出去。

顯是，他已無法等待下去，準備引開或是搏殺兩人，以便盡快完成那換血的工作。

蕭翎感覺身上的存血，又緩緩向外流出，一縷死亡的恐怖，湧上了心頭，暗暗忖道：只怕我身上的血，快流完了，就要死啦。

他想到年邁的父母，從此將人鬼殊途，難再相見，想到五年來未見面的岳小釵，不知是否還完好無恙……今生今世，是永遠見她不著了……

恍忽中，忽聽到一聲輕輕歎息，那躺在地上的少女，突然坐了起來。

蕭翎恍忽的心神突然一震，陡的清醒過來。

他用盡了氣力，想轉過頭去清晰地看她一眼，但竟是難以如願。

那少女似乎已發覺了蕭翎，柔聲問道：「你是誰？我爹爹又哪裏去了？」

蕭翎心中聽得明白，但卻苦於無法答覆。

只覺插在左臂的鐵管，忽的爲人拔去，耳際響起一個淒婉柔弱的歎息，接道：「爹爹又在害人了，唉！你縱然真能救活了我，但卻害了別人的性命，一命換一命，這又何苦呢？」

蕭翎看到一張白臉，由夜暗中伸了過來，一隻柔若無骨的手掌，輕輕地按在自己頂門上，一縷婉轉清脆的聲音，傳了過來，道：「當真是對不起你，我爹爹自覺醫術高明，整日想找一個根骨奇佳的人，換去我身上的壞血，我雖然不贊成他這做法，但我又無能阻止於他，因爲，我常常暈過去，數日夜不會醒來……」

她微微一頓，又道：「你怎麼不說話呢？唉！我知道了，定然是我爹爹點了你的穴道。」

蕭翎心中暗道：是啊！你既然知道了，爲什麼還不替我解開？

但聞那少女接道：「很抱歉，我無能解開你的穴道，只好等我爹爹回來時，再替你解吧！我只能先替你包紮一下傷口了。」

蕭翎覺著左臂上，似已被纏上一物，但力道微弱，若有似無。

忖道：這女子當真是手無縛雞之力，想不到那般冷酷凶殘的爹爹，卻有著這麼一個善良溫柔的女兒，上天何以加諸她如斯不幸，罹得了壞血絕症……

忽然間心念一轉，想到了自己生具三陰絕脈之症，群醫束手勢將必死，如今不但絕脈已通，而且成就了一身武功，此女能拖數年不死，足見其病非絕，世間或將有療好她奇病的醫藥。忖思之間，忽見人影一閃，那毒手藥王已躍入室中。

他閃動著兩道森寒的目光，掃掠了蕭翎和那少女一眼，頓足一聲長歎，道：「孩子，你是幾時醒來的？」

那少女婉然說道：「我醒來很久了，已經替他包紮了傷口，爹爹快把他穴道解開吧！」

毒手藥王輕輕歎息一聲，道：「人算不如天算，孩子，你當真是命中注定，要受這絕症折磨的苦難嗎？」揮手一掌，拍活了蕭翎的啞穴。

蕭翎長長吁一口氣，一舒胸中悶氣，說道：「令嫒的病勢能拖延了數年不死，足見並非無藥可醫之症。」

毒手藥王道：「如若是老夫無能救治之病，只怕天下再也無能醫之人。」

只聽那少女接道：「爹爹呀！他還有幾處穴道未解，你爲什麼不把他解開再談？」

毒手藥王道：「孩子，你可知他的武……」

突然住口不言，掌勢連揮，解開了蕭翎五處穴道。

那少女接道：「他怎麼樣？」

待她問話出口，蕭翎已挺身坐了起來。

毒手藥王忽然一躍而起，道：「小女柔弱善良，不關她事，咱們出去較量，不要傷著她了。」

蕭翎暗中一提真氣，竟是血脈暢通，淡淡一笑，道：「急什麼呢！在下是不是要和你打上一架，眼下還未作決定。」

那少女突然轉過臉來，說道：「兩虎相鬥，必有一傷，我爹爹雖然傷害了你，但他全是爲我，你如恨我爹爹，那就先報復在我身上吧！

蕭翎突然伸手拔出「天突」穴上的銀針，緩緩站了起來，向毒手藥王說道：「像你這般殘忍冷酷的人，卻有著這樣一個善良的女兒，唉！父女之間，一惡一善，竟有如天壤之別……」

毒手藥王怒道：「你敢教訓老夫！」右手一揮，一指點來。

蕭翎一閃避開，退後兩步。

毒手藥王駭然躍退，高聲說道：「走！咱們到室外較量，你如能……」

突然改口說道：「不能傷我女兒，她從未做過一件壞事。」

原來蕭翎退了兩步之後，剛好站在那少女身側，只要一抬腳，就可踏在那少女前胸之上。

毒手藥王急怒出手，忘了愛女和強敵，只不過兩步之隔，攻出一招，立時警覺，駭然退開，出言相激蕭翎，要他到室外比試，但蕭翎竟是不吃激將之法，反而蹲下身去，這一來，毒手藥王只嚇得三魂出竅，七魄飛天，本是正在出言相激蕭翎，卻變成了改口相求。

蕭翎緩緩抬起頭來，冷冷說道：「我如要傷她之命，只不過是舉手之勞……」

毒手藥王急道：「別碰我女兒，咱們好好商量，只要是老夫能力所及，我都會答應你。」

蕭翎低頭看去，只見那少女早已緊閉雙目，鼻息聲微，似已睡熟過去，不禁一呆，暗道：怎的這等快法，剛剛還在對我說話，眨眼竟已是睡熟過去……

忽見火光一閃，毒手藥王晃燃起一個火摺子，高舉手中，緩緩走了過來。

只見那毒手藥王低頭望了那少女一陣，道：「你沒有傷著她？」

蕭翎道：「傷一個毫無反抗之力的女子，在下還不屑爲之，何況，她對我還有著救命之恩……」

毒手藥王接道：「不錯，不錯，如不是小女勸告，哪裏還有你的命在。」

他看到女兒無傷，激動的心情逐漸平復下來，長長歎息一聲，接道：「可憐小女，她救了你的性命，卻害她自己又陷入病苦的折磨中。」

蕭翎突然站了起來，道：「走！咱們到室外草地上去。」

毒手藥王道：「幹什麼？」

蕭翎道：「我要好好的教訓你一頓。」

毒手藥王一躍而起，正想發作，忽然又忍了下去，緩緩說道：「你武功雖然不弱，但絕不是老夫之敵。」

他原想怒叱蕭翎幾句，但見蕭翎仍然站在女兒身側，舉手之間，即可傷到女兒，乃強把怒火按了下去。

蕭翎大步向前行了幾步，道：「我不離開令嬡遠些，你也不敢對我發作，現在你不必擔心我傷害她了。」

毒手藥王望了蕭翎一眼，點頭說道：「你小小年紀，倒有英雄氣概，老夫也不和你一般見識了，你可以走啦！」

蕭翎沉吟了一陣，道：「你要放完我身上之血，置我於死地，但你的女兒，卻救了我的性命，恩怨相抵，也該算了。」拉開大門，大步而去。

毒手藥王沒有出手阻擋，望著蕭翎的背影，消失在門外夜色中。

蕭翎長長吁一口氣，繞回那存放棺木的廂房中，但見兩個棺材蓋子，都已打開，棺中空空洞洞一無所有，心中忖道：中州二賈已在這棺木中放下書信，自該蓋好棺蓋，此刻棺蓋大開，那留書必已被人取去，適才金花夫人和那玉蘭來過，留書極可能落在兩人的手中……

一想到棺中留書，陡然心中一震，暗道：那中州二賈探聽我的消息，涉險偷探百花山莊，想那莊中防守嚴密，中州二賈縱然是武功高強，只怕也難以平安地退出百花山莊……

一念動心，立時躍出廂房，施展開輕功，疾向百花山莊奔去。

直待到了百花山莊，才突然想到自己已是百花山莊中的三莊主，那中州二賈，縱然有著什麼凶險，也是不便出手相救，怎生想個法子掩去真正面目……

忖思之間，瞥見周兆龍緩步走了出來，道：「三弟到哪裏去了？」

蕭翎鎮定了一下紛亂的思緒，道：「一言難盡，小弟幾乎被人放完身上存血而死……」

周兆龍原本冷肅的臉上，泛起了驚訝之情，道：「有這等事，什麼人這般大膽？」

蕭翎暗想：經過之情，絕不能照實說出，看來只有編造一番謊言了。

他本不善機詐，但自聽金花夫人一番話後，心中已然提高了警惕，沈木風輕描淡寫的幾句話，半騙半強地取走了玉仙子的畫像，更是使他警覺到了自己的處境，表面上受盡了寵愛，骨子裏卻是風急浪湧、險惡異常，再在那古廟中聽得中州雙賈的對答之言，幾下裏印證所得，已感覺到，自己正陷入泥沼之中。

沈木風未歸隱之前，在武林中凶名極著，似是和武林中正大門派都有著很深的仇恨，後來受了重傷，隱居在百花山莊之中，此際正在計劃著重出江湖，雖然還未正式出山，但早已著手部署，不但各大門派中，都有他的內應，而且還聯絡了幾位歸隱的魔頭，正進行著一件震動武林的陰謀……

只聽周兆龍說道：「三弟遇上何等人物，他爲什麼要放完你身上的存血呢？」

蕭翎霍然一驚，急急說道：「那人叫什麼毒手藥王，兄弟一時不慎，被他點了穴道，至於放我身上之血，是爲救他女兒性命。」

他謊言還未想好，周兆龍已節節逼問過來，一時情急，只好照實說了出來。

周兆龍接道：「毒手藥王，此人乃武林中有名的奇醫，小兄似是聽大哥說過，和他交情甚深，可是他知你身分之後，自行放了你嗎？」

蕭翎道：「不是，是他女兒救了我。」

周兆龍先是微微一笑，繼而面色一整，皺眉問道：「那人現在何處？」

蕭翎心知已難欺瞞，只好說道：「正北方一座殘破的大廟之中。」

周兆龍道：「這就是了，大哥掛慮你的安危，已派出了十二批人手，追查你的行蹤，此刻尙在那望花樓上等待消息，咱們去見見他吧。」

蕭翎道：「小弟理該登樓領罪。」

周兆龍道：「大哥神威懾人，一向嚴肅，咱們莊中的人，無不敬畏於他，但對你卻似垂顧極深，破例優容，不是我這做兄長的說你，以後你該好好檢點一些才對。」

如是蕭翎未知這百花山莊內情，不知自己處境危惡，定然抗言聲辯，但此刻卻是淡淡一笑，道：「見著大莊主時，小弟自當領責請罪。」

周兆龍輕輕咳了一聲，道：「江湖上風波險惡，有時候武功會全然無用，你涉世未深，閱歷不豐，很難應付那險詐人心，此後最好不要單獨在外面走動。」

蕭翎突覺一股怒火，由胸中沖了起來，道：「二莊主責備得是，但小弟別師下山，旨在回籍探親，不想無意間得遇周兄，得承折節下交，又代爲引見大莊主結做異姓兄弟，但錦衣玉食，卻無法擋住小弟思親之情，小弟想明日告別二位兄長，動身回籍。」

周兆龍呆了一呆，道：「大哥對你寄望很高，只怕不會答應讓你離開……」

蕭翎接道：「人生在世，孝道爲先，如若二位兄長把我當做兄弟看待，理將大加讚賞兄弟這番孝心才是。」

周兆龍輕歎一聲，道：「見著大哥之時，你自己對他說吧！」放開大步，向前行去。

片刻工夫，二人已到望花樓，但見全樓燈火通明，耀如白晝。

蕭翎一路留心查看，不見動靜，也不知那中州雙賈，是否已經來過。

周兆龍帶蕭翎直登十三層樓，只見沈木風正憑窗而坐，觀賞夜景，瞥見兩人走了上來，側身一笑，道：「二弟、三弟請坐。」

蕭翎隨在周兆龍身後，看他畢恭畢敬地抱拳謝座，也只好跟著行了一禮。

沈木風緩緩從衣袖中取出一幅畫卷，笑道：「這玉仙子的畫像，爲兄已然瞧過，雖然是彩筆傳神、活色生香，但也未如傳言中動人，你好好的收存著吧！不要遺失了，而致無法對那金花夫人交代。」

蕭翎接過畫像，道：「小弟領罪來了。」

沈木風笑道：「你做了什麼錯事？口氣這般的嚴重。」

蕭翎怔了一怔，半晌答不出話，回顧了周兆龍一眼，道：「小弟私離了百花山莊……」

沈木風笑接道：「你身爲三莊主，自該是行動自如，何況我早已知曉同意，此事何罪之有，未免把大哥看得太古板了。」

蕭翎接道：「有勞大哥派遣一十二批人手，尋我下落，豈能無錯……」

沈木風搖搖手不讓蕭翎再接下去，道：「只要你平安無事，我已放心，現已時光不早了，你們也該休息了……」

蕭翎急道：「小弟還有下情奉告。」

沈木風又緩緩坐了下來，道：「什麼事？只要爲兄力所能及，無不答允。」

蕭翎道：「小弟學藝師門，久別高堂，思念親情甚切，意欲回籍一行，探望雙親。」

沈木風笑道：「爲人子者，正當如此，不知兄弟想幾時動身？」

蕭翎暗中查看沈木風的神情，一片和顏悅色，毫無不悅之情，當下接道：「小弟忽動思親之情，歸心似箭，恨不得插翅飛回，想明天就動身上路。」

沈木風點頭笑道：「明日中午時分，爲兄的設筵爲你送行。」

蕭翎道：「怎敢勞動大哥？」

沈木風道：「爲兄本該隨你同行，拜望伯父母，但莊中正值多事之秋，不便遠離，半日時間，已夠小兄準備一份禮物了，下去休息去吧。」
蕭翎心中十分感動，暗道：似這般明事理、重情義的人，豈是大奸大惡？
周兆龍當先起身，抱拳告別，蕭翎也抱拳一禮，兩人聯袂下樓。
剛剛出了望花樓，那滿樓燈火，突然熄去。
周兆龍低聲說道：「大哥對三弟可謂是仁盡義至，愛護情切，三弟回籍見過雙親，最好能早些趕回，免得大哥懷念才是。」
蕭翎道：「這個待小弟見過雙親之後，才能作得主意……」
語聲微微一頓，又道：「今夜咱們這百花山莊中，可有人來探窺過嗎？」
周兆龍道：「沒有，三弟何以有此一問？」
蕭翎靈機一動，道：「想那金花夫人約鬥終南二俠，全由武當派而起，那武當派豈能坐視不管，或將派人來一探虛實。」
周兆龍道：「言之有理……」略一停頓，又道：「爲兄的不送你了。」
蕭翎道：「不敢有勞。」
長揖而別，直回蘭花精舍。
只見玉蘭、金蘭相對坐在廳中等候，一見蕭翎歸來，齊齊起身迎了上去。
玉蘭長長吁一口氣，道：「三爺終於回來了，找得我們好苦。」

蕭翎心惦中州雙賈，答非所問地接道：「今夜中，可有人來窺探咱們這百花山莊嗎？」

玉蘭道：「奴婢隨伴金花夫人，去找三爺，回來未曾聞得。」

金蘭接道：「奴婢一直守在廳中，未聞任何警訊。」

蕭翎心中奇道：這就怪了，以這百花山莊布設的嚴密，那中州雙賈只要進入莊中，必被發現，何以莊中全無警訊傳出，難道這兩人口是心非，沒有來此，或是行至半途知難而退。忖思之間，隨手掀開垂簾，步入臥室。

玉蘭晃燃火摺子，點起木台上的紅燭，道：「三爺可要吃些東西？」

蕭翎揮手說道：「不用了，我要好好休息一下，你們也該去睡了。」

金蘭、玉蘭相互望了一眼，欲言又止，緩緩退了出去。

二婢去後，蕭翎立時盤膝而坐，運氣調息。

他心中一直擔憂著身上的存血，被人放出了很多，不知是否會影響到功力，運氣一試，但覺血氣暢通，直達四肢百骸，竟是毫無阻礙之感。

但覺真氣升騰，直上十二重樓，漸漸地進入了物我兩忘之境。

待他從禪定中清醒過來，已是日光滿窗，心中突然想起金花夫人和終南二俠比武之約，急忙一躍下榻，顧不得洗梳，大步向外奔去。

只見玉蘭、金蘭勁裝佩劍，早已站在廳外等候。

蕭翎急急問道：「金花夫人來過嗎？」

玉蘭道：「沒有，二莊主倒是來過，請三爺去看比武，小婢見三爺入定未醒，沒有叫他進來。」

蕭翎道：「去了多久了？」

金蘭道：「不足一個時辰。」

蕭翎急急說道：「那已經能夠分出勝敗生死……」

舉步奔行兩步，忽然心中一動，回頭望著玉蘭，道：「你剛才說的什麼？」

玉蘭淒涼一笑，道：「妾婢沒有讓二莊主進去，唉！反正妾婢已經是將死之人了，二莊主生氣也不要緊。」

蕭翎呆了一呆，道：「我越聽越糊塗了，究竟是怎麼回事呢？」

玉蘭拭一下臉上的淚痕，笑道：「金花夫人和終南二俠比武想已開始，三爺還是請先去瞧瞧吧！反正妾婢已橫下了心，大不了一個死字，千般苦刑、折磨，妾婢也不放在心上了！」

蕭翎望了二婢一眼，但見兩人星目紅腫，定然是經過一場大哭，輕輕歎息一聲，道：「二莊主可是要強行闖進來嗎？」

金蘭道：「玉蘭妹妹橫劍攔阻，二莊主含憤帶怒而去，如若他在大莊主面前說了玉蘭妹妹的壞話，只怕……」

玉蘭搖搖頭，不讓金蘭再說下去，道：「別耽誤三爺去看比武，不要多說話啦。」

蕭翎道：「你們勁裝佩劍，可是也準備去瞧瞧熱鬧嗎？」

玉蘭道：「妾婢們是何等低下的身分，豈有這等眼福。」

金蘭接道：「我們姊姊二人是在等候人來拘拿，萬一三爺還未醒來，我和姊姊就準備抗拒那拘拿之人……」

玉蘭接道：「但此刻三爺已醒，咱們自是用不著再抗拒拘拿之命了。」

蕭翎星目眨動兩下，道：「走！你們和我一起去看熱鬧去。」

玉蘭道：「妾婢們不去啦，三爺多多保重。」

金蘭接道：「三爺看過比武歸來，也許妾婢們已不在蘭花精舍中侍候了，這些時日中，三爺的食用之物，均由我姊妹親自動手，如若我們姊妹不在了，三爺要留心食用之物。」

蕭翎目中精芒一閃，道：「玉蘭，你當真不怕死嗎？」

玉蘭道：「三爺君子之風，妾婢從未見過，今得有幸一見，死而何憾？」

蕭翎點點頭，轉眼望著金蘭說道：「你怕不怕死？」

金蘭道：「妾婢從小願死，也是有所不能，但得三爺無恙，妾婢死亦甘心了。」

蕭翎道：「你們連死都不怕了，還怕什麼？跟我去瞧瞧熱鬧吧！」

二婢齊流下淚來，跪了下去；道：「三爺的大仁大勇，妾婢姊妹感激不盡，但求三爺切不可正面抗拒大莊主令諭……」

蕭翎接道：「你們不用再多說了，我會自作主意，起來走吧！」伸手扶起二婢。

金蘭擦拭一下目中淚水，道：「妹妹，三爺既然堅持要我們去，咱們就答應了吧！橫豎是死，還怕什麼？」

蕭翎笑道：「你們擦乾眼淚，別要旁人誤認我欺侮了你們。」

二婢相視一笑，舉起衣袖，拭去臉上淚痕，隨在蕭翎身後，疾奔而去。

日昇三竿，陽光普照。

百花山莊三里外，一片草地上，正展開著一場凶猛絕倫的惡鬥。

蕭翎行至現場，立時心神一震。

只見那終南雙俠中的老二鄧一雷，仰身僵臥在一株柳樹下，似是受傷很重，雲陽子、展葉青，滿臉悲憤之色，分守在鄧一雷的身側，尤以那展葉青，一雙星目中直似要噴出火來一般，眼角已裂，鮮血汩汩而下。

周兆龍仍然穿著一身華衣，背負雙手，和宇文寒濤並肩而立，在兩人身後，站了四個佩劍的少年。

四個少年衣著很怪，兩個身穿耀眼刺目的大紅衣服，兩個卻穿著一般的白衫，穿白衣的臉色慘白，不見一點血色，穿紅衣的卻滿臉紅光，赤如朝霞。

玉蘭瞧了那四人一眼，臉色忽變，低聲對蕭翎說：「三爺，瞧到那四個人了麼？兩人身著白衣，兩個身著紅衫。」

蕭翎道：「瞧到了，怎麼樣？」

玉蘭道：「那就是大莊主的八大血影化身，竟然來了四個，這一戰武當派敗定了，縱然能勝得金花夫人，也是將全軍覆沒……」

忽見周兆龍回過頭來，趕忙住口不言。

周兆龍見二婢和蕭翎同來，似是大感意外，怔了一怔，才抬手對蕭翎道：「三弟快些過來。」

蕭翎加快腳步，走了過去，立時被場中的激烈搏鬥，吸引住了心神，無暇旁顧。

只見那葛天儀手中一柄鐵骨摺扇，上下翻飛，忽合忽張，變化多端，忽而紅光閃動，忽而又黑影飄飛，著著都指向金花夫人的要害大穴。

原來葛天儀風火摺扇，一面赤紅，一面墨黑，揮展之間，色影變幻不定。

金花夫人手中的兵刃，更是奇特至極，左手是一個搖鬚舞爪的大蜈蚣，右手是一條全身紅鱗閃閃的怪蛇，那紅蛇只不過有大指粗細，但卻有三四尺長，蛇身盤繞金花夫人的右臂，蛇頭隨著她拒敵攻守之勢，忽伸忽縮。

蕭翎只瞧得愣了一愣，道：「用蛇虫當兵刃和人動手，當真是匪夷所思！」

周兆龍道：「三弟晚來了一步，少看了一場熱鬧的惡戰。」

蕭翎道：「那鄧一雷可是傷在金花夫人毒蛇之下麼？」

宇文寒濤接口說道：「那鄧一雷自負拳掌無敵，第一陣未動兵刃，赤手相搏……」

蕭翎接道：「怎麼？那鄧一雷可是傷在金花夫人的掌下？」

宇文寒濤道：「不錯，鄧一雷自負拳掌上的功夫，天下無雙，卻不料栽倒在拳掌上，終南二俠的一世英名，恐怕盡都要毀在這一戰之上了。」

蕭翎細看那金花夫人的拳路，果然詭奇、毒辣，兼而有之，心中暗暗忖道：這女人不但善役百毒，武功竟也如此了得，如若能當真的和那沈木風推心置腹，開誠相見，聯手結盟，不難在中原武林道上，掀起一場滔天的風波……

只聽宇文寒濤說道：「三莊主武功高強，不難預見勝負，不知是否已看出這場比試的優劣之勢？」

蕭翎留心看去，但見兩人正打得難解難分，攻拒之間，更見凌厲，招術變化各極佳妙，一時之間，實叫人難以預窺勝負。當下說道：「目下之戰，兩人還是半斤八兩之局，二三十招內，還難分出勝敗，以在下的看法，勝負之分，至少還要在鬥過百招以後，才可預測，宇文兄如是別有高見，兄弟願洗耳恭聽。」

宇文寒濤道：「在下之見，這一戰當仍歸金花夫人取勝，而且不出百招。」

蕭翎道：「這個何以見得？」

宇文寒濤低聲道：「葛天儀復仇心急，一上手就全力搶攻，凌厲有餘，沉穩不足，犯了武家大忌，尤其對付金花夫人這等人物，更是自求速敗……」

蕭翎暗暗忖道：這話不無道理，口中卻說道：「葛天儀攻勢雖猛，但門戶閉守緊嚴，只怕事情未必如宇文兄的預料。」

宇文寒濤道：「金花夫人的武功、招術，全走的奇詭路子，手中兵刃，更是絕毒活動之物，伸縮之間，長短隨心，可補招數變化的不足，葛天儀若是全採守勢，或者可多支持一些時間。」

這幾句話的聲音甚高，全場中人人可聞。

這等不相上下的一流高手相搏，是最忌分心神，葛天儀聽人指出了自己的缺點，打法忽然一變，由淩厲的猛攻，改採守勢。

就在葛天儀變法一緩之際，金花夫人突然詭奇絕倫的攻出兩招，迫使葛天儀退後了兩步。

金花夫人一招佔得優勢，右手緊接著又疾攻了一招，手中的紅蛇，也隨手長身，暴出一尺，紅信伸縮，點向葛天儀的面頰。

葛天儀手中摺扇，已被金花夫人左手中的蜈蚣封住，一時間想收回封架，實非可能，匆忙之間，仰身向後倒臥，腳底用力，一個大翻身，躍退避開五尺。

蕭翎江湖閱歷雖然不豐，但他已兼得三位奇人之長，莊山貝胸中所知，更是包羅萬象，各門各家的武功，長短優劣，臨敵制機的正奇變化，都曾詳細的告訴過他，一見葛天儀失去先機，反受制於敵，頓時恍然大悟，這宇文寒濤有意的使葛天儀棄長用短，一時情急，忘其所以的高聲說道：「這倒也未必見得，如若那葛天儀強攻代守，至多是一個兩敗俱傷之局。」

葛天儀連失先機，敗象已呈，蕭翎幾句話，登時激起他豪壯之氣，摺扇「腕底翻雲」，呼的一聲，由下面直捲而上，左手施出嵩陽大九式擒拏手法的一招「分水搏龍」，不待身子站穩，兩招齊齊攻出。

金花夫人勝算在握，欺身而進，卻不料葛天儀竟然在間不容髮中，突然分擊。

但見兩條人影一合乍分，彼此都向後躍退五尺。

金花夫人左肩上鮮血透衣，點點滴下，葛天儀面色慘白，左手上無名指已粗腫了一倍。

顯然，在這電光石火的交接一擊中，雙方都負了傷。

金花夫人強忍左肩疼痛，冷笑一聲，道：「你被我赤練蛇咬了一口，不論你內功如何精深，也難排除劇毒，兩個時辰內必死無疑。」

葛天儀道：「我這風火扇中，藏有一十二枚毒針，本來早已棄之不用，但對你這等惡毒人物，用之也無損陰德，我摺扇掃中你左肩之時，十二枚毒針一齊發出，十二個時辰內，隨行血攻入心臟，縱是傾盡天下名醫，也難使你活過十二個時辰。」

宇文寒濤回頭望了蕭翎一眼，冷冷說道：「如非三莊主一句話，此刻那葛天儀恐怕早已傷在夫人的毒蛇口中，也不致造成這兩敗俱傷的慘局了！」

蕭翎心念一轉，冷冷答道：「不是你出言激我，咱們兩個人都不出口，他們現在仍然在動手相搏，勝負未分。」

宇文寒濤怒道：「三莊主是有意幫別人？」

蕭翎：「彼此開口，難免有意氣之爭！」

忽聽一聲長嘯，展葉青仗劍奔出，高聲說道：「宇文寒濤，這場慘局，追根究底，你應該是罪魁禍首，豈能置身事外，在下久聞璇璣書廬主人之名，才兼文武，願今日一會高人。」

他在極端的悲忿之中，仍是保持著泱泱大度，口無惡言。

宇文寒濤雖然老奸巨滑，但盛名所累，實難置之不理，只好說道：「展少俠武當門下傑出之才，兄弟得能拜領教益，何幸如之。」

提起描金箱子，大步而出。

蕭翎突然一聲喝道：「住手。」大踏步直入場中。

宇文寒濤只道他要代自己出手，心中大喜，暗道：這小子武功不弱，讓他和展葉青拚個同歸於盡，自是最好不過，當下說道：「三莊主如願一試武當劍術，兄弟只好相讓了！」

蕭翎不理宇文寒濤，目光凝注在展葉青臉上道：「閣下如想找人打架，請過片刻不遲。」

展葉青彈劍說道：「今日之局，不死不休，展葉青願先聆高見。」

他誤認蕭翎挑戰而來，自是不甘示弱。

蕭翎目光轉動，瞧了葛天儀和金花夫人一眼，道：「武學一道，淵博流長，各門各派，都有絕技，但誰也不能說世無敵手，今日之戰，在場之人，都是親目所見，葛天儀金花夫人兩敗俱傷，當可證在下之言，並非是信口開河，慘局既成，救人要緊，不知諸位以為如何？」

雲陽子道袍飄飄，急步而出，說道：「三莊主言之有理，但不知如何一個救治之法？」

蕭翎轉目望著金花夫人，道：「夫人那赤練蛇毒，想必早配有解救丹藥。」

金花夫人慘烈一笑，道：「小兄弟，你當真要救他性命麼？」

蕭翎道：「也要救你，如若你信得過我，那就請把解救赤練蛇毒的藥丸給我。」

金花夫人略一猶豫，探手入懷，取出了一粒墨色丹丸，遞了過去。

蕭翎接過藥丸，目光轉注到葛天儀的身上，道：「請問葛大俠那風火扇中藏的毒針，可有療救之策麼？」

葛天儀答非所問的接道：「終南二兄弟生死與共，在下的那位兄弟，傷勢奇重，生機渺茫，葛天儀身爲長兄，豈忍獨生。」

蕭翎一皺眉頭，道：「葛大俠之意，是決心要和金花夫人，同歸於盡了？」

葛天儀道：「寧爲玉碎，不作瓦全。」

蕭翎星目中神光一閃，道：「如若在下答應相救鄧二俠，那葛大俠是否願意爲金花夫人療治毒針之傷。」

葛天儀道：「果能如此，在下自無不允之理。」

蕭翎點頭說道：「只要他不是受的毒傷，在下自有療治之策。」伸手把金花夫人手中的藥丸，遞了過去，道：「你身上的蛇毒，發作較快，先請服下此丹。」

宇文寒濤回顧了周兆龍一眼，低聲說道：「周兄，令弟吃裏扒外，世間那有先替敵人療好毒傷，再設法救助自己的人，如若那葛天儀事後反悔，不肯爲金花夫人療治毒針之傷，那咱們豈不是吃虧太大了麼？周兄何以竟袖手不管……」

只見葛天儀身子一動，緩步向金花夫人走了過去，道：「我那扇中毒針，隨行血流動，如若時間稍久，即難有救治之策，你如想保得性命，先行閉著左肩四週的穴道，阻止那毒針流行。」

金花夫人依言施爲，運氣閉住了左肩四週的穴道。

葛天儀回顧了蕭翎一眼，取出一塊馬蹄形的磁鐵，道：「先要她把毒針吸取出來，然後再服我獨門解藥。」

蕭翎接過磁鐵，道：「葛大俠也請服下這粒丹丸，免得蛇毒加重。」

葛天儀接過丹丸，一口吞，蕭翎卻突然暗發指力，點了葛天儀的啞穴，伸出手去，扶住了葛天儀，笑道：「葛大俠請原地坐下，運氣調息，也好使身上蛇毒早日消去。」手指藉勢暗彈，連點葛天儀雙腿、雙臂上四處穴道。

表面之上瞧去，葛天儀閉目寂然而坐，似在運氣調息，但事實上，他身上數處要穴被點，已是口不能言，身不能動。

蕭翎放好了葛天儀，又緩步走近了金花夫人道：「夫人請用這磁鐵，吸出傷處毒針。」

金花夫人雖冷酷險惡，但面對著生死大事，已不復平日的冷傲，伸手接過磁鐵，撕開傷處衣服，果然吸出了五枚毒針。

宇文寒濤突然大步行了過來，道：「夫人身上是否當真的有毒針？」

蕭翎用手取回磁鐵，藉勢也點了金花夫人兩處要穴。

展葉青突然一彈真劍，疾奔了過來道：「宇文寒濤，你如想借用機會施展手腳，那可是打錯了主意。」

宇文寒濤先行一呆，人已到了金花夫人身邊，伸手一把疾向金花夫人推去。

蕭翎早已留神著他的舉動，右手突然一翻，一招「天外來雲」拍了過去。

宇文寒濤疾快的縮回右手，還未來得及還手，蕭翎第二掌又自攻到。

那南逸公連環閃電掌法，以發招快速揚名於世，蕭翎一掌佔了先機，宇文寒濤已全無還手之能，但見掌影重起，倏忽之間，已連發八掌，迫得宇文寒濤連退了三步。

宇文寒濤生平經過了無數的大風大浪，會過了無數的高人，但卻從未遇上過這等快速的掌勢，不禁心頭駭然，暗道：這小子不知從何處學得了這般快速的掌法，當真是有如長江大河一般，叫人有目不暇接之感，心中對蕭翎又多了一分畏懼。

蕭翎心中早有計較，迫退了宇文寒濤後，突然回手一掌，攻向了展葉青。

展葉青長劍一圈，橫截蕭翎的右腕，蕭翎一挫腕，收回掌勢，人卻反向展葉青欺進了一步，跟著第二掌又拍了過去。

那周兆龍眼看蕭翎忽向宇文寒濤發掌迫攻，心中又驚又急，正待出言喝問，蕭翎又忽然翻身向展葉青攻了過去。

蕭翎掌法的快速，有如驚電奔雷一般，展葉青還了兩劍，蕭翎已攻出了一十三掌，迫得展葉青退後了兩步。

這情形，不但使展葉青暗暗震驚，連雲陽子也有些愕然震動了。

短短片刻工夫敵我雙方之間，都已對蕭翎有了一番新的估價。

蕭翎在搶盡先機的快速迫攻中，突然收掌向後躍退了兩步，道：「咱們如若再打下去，或將耽誤了兩人性命，貴派如若能信得在下，閣下就退後去吧！」

展葉青暗道：「他本已勝算在握，但卻故意替我留了顏面，當下一收長劍，道：「看閣下也不像言而無信的人，在下拭目以觀。」緩步退了回去。

蕭翎左右回顧了一眼，道：「雙方都請退到一丈外。」

場中之人，都不知蕭翎在要的什麼把戲，但都依言向後退去。

蕭翎突然扶起了葛天儀，放在金花夫人身旁，自己也在中間坐下，放下磁鐵，左右雙手，同時伸出來，拍了兩人臂上穴道，低聲說道：「你們兩人的雙腿，和肋間的『京門』要穴，都已被我獨門手法所點中，誰也無法移動身子，站起來逃走，但你們功力並未失去，伸手之間，都可擊中對方要害，如是兩位當真想死，此刻互相出手一番，立時將同歸於盡。」

他停下手來，掃掠了兩人一眼，接道：「兩位既是不願出手，足見並無深仇大恨，非得你死我活不可，有道是冤家宜解不宜結，何況兩位素昧平生，毫無怨恨可言，江湖上是非險惡，都是私心太重，名心太盛，一兩句意氣之言，拔刀而起，拚個你死我活，如若都能平下心來，讓人一步，武林中豈不是風平浪靜……」

語聲微微一頓，嚴肅的接道：「葛大俠你已服下藥物，如果傷勢漸覺好轉，那就點一下頭，如是那藥丸無效，傷勢惡化，就請搖一下頭。」

葛天儀和金花夫人，都有著說不出的感慨，不知是恨是愧，但情勢所迫，反抗無能，只好聽憑擺佈了，葛天儀沉吟良久，緩緩點了下頭。

蕭翎道：「那藥物既是真的，那就請取出你自己的解藥來吧！」

葛天儀伸手入懷，取出一個玉瓶，放在地上，伸出三個指頭。

原來金花夫人和葛天儀，都被點了啞穴，無法開口說話。

蕭翎取出玉瓶，道：「可是要連服三粒丹藥麼？」

葛天儀又點了點頭。

蕭翎拔開瓶塞，倒出三粒丹丸，交到那金花夫人手中，道：「好！你服下去吧！你雖是可役百毒，但也未能盡解天下毒性。」

金花夫人想到生死大事，只好吃了下去。

蕭翎合上瓶塞，把玉瓶交還給葛天儀，回目望著金花夫人，道：「鄧二俠是否也中了毒？」

金花夫人搖了搖頭。

蕭翎又道：「那是掌力震傷的了。」

金花夫人又點了點頭。

蕭翎兩手齊出，拍活了兩人啞穴，道：「現在兩位都可以說話了。」

金花夫人目中暴射出兩道奇光，凝注在蕭翎的臉上，緩緩說道：「那周二莊主，就在身後，你今日所作所爲盡入他目，回莊之後，難免要告訴那沈木風了！」

蕭翎苦笑一下，道：「我初入江湖，毫無閱歷，一步失錯，悔恨已遲，我雖不恥大莊主的作爲，但他終是我結盟大哥……唉！……」長歎一聲，黯然住口。

葛天儀接口說：「沈木風十餘年前，在武林中亦曾掀起了一場驚天動地的殺劫，鬧得血腥遍地，觸犯了眾怒，由少林掌門人親率十八高僧，佈下了羅漢陣，把他困入陣中，但其人卻有著過人之能，雖然身受重傷，卻被他逃出陣去，想不到十年後，他竟又重出江湖了……」

蕭翎探手入懷，摸出一粒靈丹，接道：「這粒丹丸，乃在下一位恩師所贈，功效奇大，可以起死回生，只要令弟中的掌手無毒，不難使他恢復。」

把靈丹交入葛天儀手中，順勢拍活他雙腿上的穴道。

葛天儀道：「大恩不言謝，咱們終南兩兄弟，有生之年必然記著此事。」站起身子，舉步而去。

只見他和雲陽子展葉青低言數語，一齊轉身而去。

金花夫人道：「小兄弟，別人都走了你還不解開我的穴道？」

蕭翎伸手拍活了金花夫人穴道，說道：「承你垂青相顧，在下是感激不盡，但願夫人從今之後，稍減幾分惡行，多作些造福武林的善事……」

金花夫人站起身來，嫣然一笑，道：「以後的事，以後再說吧，今日虧你救了我的性命，但也受盡了你的擺佈，今後真不知該把你視作敵人？還是朋友？」

蕭翎道：「是敵是友，全憑夫人一念。」

金花夫人笑道：「你這一點年紀，卻是大有一代雄主的氣度，可惜卻不是沈木風一路中人，如若我推想的不錯，你們兄弟兩人，日後定將是一個彼此相殘之局！」

這時，周兆龍和宇文寒濤，齊齊奔了過來，蕭翎只好忍上欲待出口之言。

宇文寒濤道：「夫人傷勢好了麼？」

金花夫人道：「多勞掛懷。」轉身急步而去。

周兆龍回目望了蕭翎一眼，道：「你救了葛天儀？……」

蕭翎接道：「也救了金花夫人！」

周兆龍道：「大哥如若知道了，只怕……」

他似是覺出失言，趕忙住口不說。

蕭翎道：「不勞二哥費心，大哥如若怪下罪來，自有小弟擔待。」

周兆龍瞧了遠遠站著的金蘭、玉蘭一眼，道：「這兩個丫頭的膽子不小，竟然也敢跑來此地瞧熱鬧！」

蕭翎道：「此乃小弟逼迫她們而來，用不著怪她們了。」

周兆龍道：「三弟到此不久，莊中甚多規矩尚不熟悉，但這兩個丫頭，卻是明知故犯！」

蕭翎目光一轉，打量一下周兆龍身後的兩個穿著紅衣，和兩個穿著白衣的人，只見穿紅衣的臉上愈紅，穿白衣的臉上愈白，不禁提高了警覺之心，暗道：這四人面目之間，毫無表情，看上去有如木偶僵屍一般，口裏卻笑對周兆龍，道：「大哥既然把這兩人撥作小弟貼身之婢，她們自是不敢違背小弟之命，二哥如若怪罪，那就請責罵小弟一頓吧！」

周兆龍呆了一呆，道：「此事我也難作主意，等候大哥處理吧……」語聲微微一頓，又道：「既是三弟迫令她們而來，我想大哥或不致怪罪她們。」探手自懷中摸出一面紅色的小旗，舉手一揮，那四個並肩而立，僵屍一般的怪人，突然轉身而去。

四人的動作奇怪，一躍數丈，人影閃了幾閃，已走得蹤跡全無。

蕭翎眼看著四人急奔而去的身法，心中暗暗吃驚道：好佳妙的輕功，好快速的身法！

這時，武當派中的人，早已扶著終南二俠走去，宇文寒濤也緊隨著金花夫人走得人影不見，場中只餘下了周兆龍和蕭翎，以及遙站兩三丈外的玉蘭、金蘭。

周兆龍緩緩收起手中的紅色小旗，道：「咱們也該回去了。」舉步向前行去。

蕭翎快行兩步，緊追在周兆龍身後，道：「二哥，小弟心中有些不解之事，不知是當問不當問？」

周兆龍回目瞪了蕭翎一陣，笑道：「三弟心中的疑問，可是那剛走了的四個人麼？」

蕭翎道：「不錯，那四個人可是咱們百花山莊中弟子？」

周兆龍沉吟了一陣，道：「他們的身分實很特殊，也可以算是咱們莊中的弟子，但也不能算是莊中弟子。」

蕭翎道：「你這般一說，小弟聽得更糊塗了。」

周兆龍道：「明白點說吧！他們是大哥一手調理出來的人，但名份上和大哥並沒師徒之份。」

蕭翎搖搖頭，道：「我仍是聽不明白！」

周兆龍淡淡一笑，道：「其實爲兄的也不盡解內情，三弟如想詳知內幕，不妨問問大哥。」

蕭翎道：「我不過隨口問問罷了，二哥既是不知，也就算了，些許小事，用不著再去問大哥了。」

周兆龍道：「天色不早了，中午時分大莊主還要爲三弟餞行，我這作兄長的，也該替你準備一行禮物了。」

蕭翎道：「自己兄弟，用不著這般多費心了。」

周兆龍笑道：「禮不可缺。」突然放開腳步奔行。

金蘭、玉蘭，緊隨二人身後，進了百花山莊。

蕭翎想到動身在即，也該收整一下衣物，直奔向蘭花精舍。

他迅快的，收拾了簡單的衣服，又回首望去，只見二婢併肩站在臥室門外。

如在平日，二婢早已替他張羅面水、點心，但此刻卻一反常態，佩劍未解，勁裝未卸。

但見二婢齊齊跪了下去，道：「妾婢叩祝三爺一路順風。」拜罷起身，聯袂而去。

蕭翎望著二婢的背影，暗暗忖道：我去之後，這二婢必將受盡折磨，不如帶她們離開此地，再讓她們遠走高飛，心中定了主意，但卻未喚過二婢言明。

一陣微風吹過，送來了幽幽花香。

蕭翎取過三奇真訣，和玉仙子的畫像，準備在酒宴之上，把二物交還給沈木風，他已發覺了這百花山莊，充滿著陰謀殺機，如若再住下去，定亦將沾染上血腥之氣，是以才決心離此，借歸籍探親之名，不再返來。

忽然心中一動，暗道：「我此去之後，不再歸來，不知何年何月才有機會重見這玉仙子的畫像，何不趁此機會，瞧上一瞧，當下展開那玉仙子的畫像，攤在一張木桌之上。

凝目望去，只見一個姿容絕世的女人，手中拈了一束紅花，輕啓櫻唇，微露玉齒，明豔柔媚，撩人春情。

蕭翎瞧了一陣，忍不住暗暗讚道：「古人云色不迷人人自迷，看來是千真萬確的事了，如若這畫像是個活人，豈不是一代招禍的妖姬……

一陣急風，吹起了垂簾，一縷日光，由窗外透射入來，照在那紅花花心之上。

只覺那束紅花心之中，微微有點突出，只是那突出的部分，極是微小，如非那日光側射而來，剛巧的照那紅花心上，不論如何銳利的目光，也是難以看得出來。

蕭翎只道桌面之上不平，本能的伸出右手食指，輕輕一擦。

有道是有心栽花花不開，無心插柳柳成蔭，時天道留下這一幅玉仙子的畫像，傳誦人間，人人爲他那傳神彩筆陶醉，但卻有很多才智超絕的人，對這玉仙子的畫像，假設了很多可疑，時天道才氣縱橫，畫筆武功，超絕一時，他在自知天限將到之時，焚了生平的畫，只單單留下這一幅玉仙子的畫像，如若說他生平之中，只有這一幅畫畫得滿意，故讓它留傳於世，雖無不可，但如說別有用心，亦自是大有道理，因此，有許多臆想和傳說，流誦於武林之中。

一說那時天道幼年之際，愛上了一位美麗的姑娘，以後那位姑娘卻離他而去，嫁了別人，時天道懷舊情深，所以繪製了這幅玉仙子的畫像，以示對那位姑娘的懷念。

也有傳言說那位姑娘並未另嫁，而是染上了絕症死去，時天道哀傷逾恆，才閉門習畫，要畫下那位姑娘的容貌，他一生中所有的畫，除了一幅眾星捧月圖外，都是畫的這位姑娘，就是連那一幅「眾星捧月圖」，也是因這位姑娘而作，意思是說天下美女雖多，但如和他懷念的那位姑娘比將起來，不啻是皓月淡星……

第二種傳說，是時天道在那「玉仙子」的畫像中留下了自己的武功，他才情橫溢，把武功溶化於彩筆之中，只要是稍具才慧的人，日日對著那玉仙子的畫像瞧看，即可以逐漸領悟這畫中寓藏的武功。

這是兩個流傳武林中的傳說，震動無數人的心弦，近情者附會於第一種傳說，認爲那神來之筆，絕不是一個人的天資、聰慧，能夠畫得出來，在栩栩如生的畫像之中，定然隱藏一個絕代紅顏的真情，和一顆純潔無暇的少女心，如若是沒有那一段淒涼哀怨的動人情史，時天道決不能畫出那樣的美人，那幅畫題名玉仙子，自是寓有深意。

但近智者卻主張後一種傳說，認爲那時天道才情超絕，不願隨入俗流，不肯收教弟子，但進入暮年之後，又感歎一身武功，即將伴隨軀體，常埋泉下，心有不甘，才焚毀所有的畫，單單留下了一幅玉仙子的畫像，以引起世人的注意，在畫中卻暗寓了傳授武功之意。

儘管這傳說震盪著江湖，但卻很少人看到過玉仙子的畫像，也正因爲見過那玉仙子畫像的人不多，反使這傳說，沾染上了神秘的色彩。

於是，玉仙子畫像的名聲更大了。

但武林中，不少具有大智大慧的人，在兩種傳說之外，另有著一種構想懷疑。

他們認爲那玉仙子的畫像中，確含有一種隱密，但卻並非是在那畫像中寓藏的傳授武功的用心，這有些近乎虛渺，時天道武功博深，世所皆知，區區一張玉仙子的畫像，絕無法包羅他胸中所學，借圖像寓藏上乘武功，並非難事，但如若兼顧那畫像的美麗，就非人力所能及了。

但這構想，並未在武林中傳誦，因爲，凡是具有此等構想的人，大都是智勇兼具的武林高人，他們存著尋求那玉仙子畫像的野心，自不願把心中隱密洩露於人。

二十　心繫情牽

沈木風取去那玉仙子的畫像，整整花費了半夜時光，希望能從那畫像上發覺出可疑的秘密，但他卻大失所望。

但蕭翎這無意中屈指輕輕一彈，卻彈出了古怪來。

只見那束紅花花心，突然脫落，背面寫著目力勉可辨認的幾個小字：「撩開她左面裙角……」

蕭翎只瞧得呆了一呆，他絕沒料到，這一幅嬌豔的畫像中，竟是有著這等古怪的事，正待細查如何撩起畫像的裙邊，突聞步履聲傳了過來。

回目望去，只見沈木風佝僂著高大的身軀，緩步走了進來。

軟簾起處，一陣清風吹來，蕭翎手中捏住的花心，隨風飄落。

沈木風望著蕭翎，臉上一片平靜，無笑容也無慍意，任何人也無法從他神情中，測出他的喜怒。

蕭翎欠身抱拳，說道：「不知大哥駕到，有失遠迎，還望大哥恕罪！」

沈木風微一點頭，默然不言，背負著雙手，緩步直走過來，停在那放置畫像的木桌前面，仔細的在那玉仙子畫像上查視一遍，毫無表情的臉上，突然綻出了一抹淡淡的笑意，道：「三弟可是瞧出了這玉仙子畫像的隱秘麼？」

蕭翎心中一驚，暗道：糟糕，那朵紅花的花心被我彈落，只怕已被他瞧出來了……

心中在想，口中卻理直氣壯的答道：「小弟見識不多，瞧不出有什麼古怪之處。」

沈木風兩道眼神中，暴射出冷厲的寒芒，凝注蕭翎臉上，似是要從他神色中查出什麼。

蕭翎眨動了兩下圓大的星目，淡淡一笑，道：「大哥這般的瞧著小弟，不知是何用心？」

沈木風肩頭一聳，突然哈哈大笑，道：「你心中如若沒有愧疚、隱秘，讓大哥瞧一陣，又有何妨？」

蕭翎淡然一笑，並未接言。

沈木風就桌邊木椅上坐了下去，道：「五年之後，天下英雄，唯三弟才足爲大哥之敵。」

蕭翎心中吃了一驚，口中卻微笑答道：「大哥過獎小弟，小弟雖得良師垂愛，授予絕學，只可惜質愚才庸，未能真正學得恩師絕藝……」

沈木風淡淡一笑，接道：「縱然你武功強過此刻，那也未放在爲兄的眼中……」

蕭翎道：「大哥說得是……」

沈木風緩緩接道：「我說的是你應變的才智，三弟純金璞玉，略經歷練，必將是一位大智大慧的英雄人物，適才一睹應變之才，更堅信爲兄的預料不差……」

蕭翎雖是生具慧質，又得莊山貝講過江湖上百年來出眾的英雄人才，和那些絕智絕勇的武林往事，但他終是初出茅廬，歷練不足，沈木風一番獎中帶刺之言，一時間竟使他難再想出論辯之語。

只聽沈木風繼續說道：「小兄入室之初，見三弟神色有異，依情推論，你心中定有著什麼隱秘？」

蕭翎已對他生出了極深的戒心，正待出言反駁，忽然心中一動，暗道：言多必失，不如沉默不語，給他個莫測高深的好，當下微微一笑，不置可否。

果然，這一著又大出了沈木風的意料之外，等待良久，不見蕭翎答話，才一皺眉頭，接道：「但三弟竟能在片刻之間，恢復鎮定，這份冷靜的功夫，實叫為兄佩服，但為兄又自信觀察絕不會錯，不知三弟的高見如何？」口氣之中，逼使蕭翎開口。

蕭翎淡淡一笑，道：「大哥訓教，小弟洗耳恭聽！」

沈木風離坐而起，縱聲大笑，道：「好一個洗耳恭聽。」

蕭翎只覺那笑聲中充滿著一股森寒的殺氣，震人心弦。

笑聲延續了一刻工夫，仍不停止，滿室中回音激盪，盡都是震耳笑聲。

蕭翎暗運內力，和那刺耳的笑聲抗拒，臉上卻仍然保持著平靜之色。

但聞砰的一聲輕響，夾入了笑聲之中，沈木風笑聲頓注，回目望去。

只見玉蘭容光慘然，全身微微顫抖，手中的茶盤下垂，兩只細瓷白杯，早已落地粉碎。

沈木風陰森的臉色上，綻開一縷笑容，道：「三莊主已決定午後動身，回籍探親，你們可要跟隨他去嗎？」

玉蘭道：「奴婢們聽憑大莊主的吩咐！」

沈木風微微一笑，道：「這要看三莊主了，不知他肯不肯要你們追隨前去？」

蕭翎道：「小弟正要請求大哥，金蘭、玉蘭二婢，秀外慧中，獲得小弟歡心，此次小弟回籍，意欲讓二人隨侍同去，不知大哥是否賜允？」

沈木風道：「金蘭、玉蘭二婢，確爲咱們百花山莊中諸婢魁首，也無怪三弟喜愛，何況兩人的武功不弱，機智應變，都過得去，三弟肯帶她們同行，路上也好有個照應，爲兄的也可放心了！」

蕭翎忽然想起唐三姑，欠身一禮，說道：「多謝大哥，但小弟還有一樁事情請求大哥。」

沈木風道：「你說吧！但得爲兄的力所能及，無不答允！」

蕭翎道：「唐三姑犯了咱們莊中的規戒，被大哥關入石牢，不知可否放她出來？」

沈木風笑道：「你知道的事情不少。」

蕭翎道：「小弟既是三莊主的身分，對咱們百花山莊的事，自是該處處留心才是。」

沈木風道：「你可也要帶著她隨你回籍探親嗎？」

蕭翎道：「大哥答應放她了？」

沈木風道：「三弟所求，爲兄的幾時拒絕過你？」

蕭翎輕輕歎息一聲，道：「莊中正值多事之期，小弟實不該於此時離去，但思親情深……」

沈木風接道：「三弟不用爲此抱疚，只要早去早回，趕得上爲兄替你安排的那場大會群豪之期，也就是了。」

蕭翎暗道：我借探親之名離此，雖非托詞，但主要的，還是不願幫你爲惡，既然離此，焉肯再自行回來，口中卻答道：「小弟盡快的趕回來就是。」

沈木風望望天色，道：「爲兄已吩咐設下盛宴，爲三弟餞行，此刻時已近午，三弟也該準備一下，酒飯後，立時上路。」轉身緩步而去。

蕭翎望著沈木風背影消失之後，回頭對玉蘭說道：「你可是很怕那大莊主？」

玉蘭黯然歎息一聲，道：「三爺午宴時，請小心一些。」伏身撿起地上碎去的瓷杯破片，匆匆離去。

蕭翎心中想著：這玉蘭爲何這般囑咐於我，但她既然這般說了，倒是該小心一些……

收拾好簡單的行囊，漫步向大廳而去。

大廳中，果然高張盛宴，沈木風、周兆龍、金花夫人和宇文寒濤都已在座，最使蕭翎驚疑的，是那唐三姑也高坐在客位之上。

金花夫人咯咯一笑，拍拍身側的座位，道：「小兄弟，快些過來，這是你的位置。」

蕭翎行近座位，掏出玉仙子的畫像遞了過去，道：「夫人請收下畫像。」

金花夫人道：「這畫像本該送給小兄弟，但那玉仙子畫得太好看了，還是由我保存的好。」伸手接過來，藏入懷中。

蕭翎又取出《三奇真訣》，道：「在下大哥要我把《三奇真訣》也交給夫人保管。」

金花夫人伸手接過，道：「好吧，待我瞧過之後，再交給大莊主收存就是。」

沈木風舉起酒杯，道：「三弟早去早回。」

蕭翎舉杯，正待吃下，忽然想起了玉蘭之言，不禁猶豫起來。

沈木風卻似渾如不覺一般，自行乾了一杯。

周兆龍微微一笑，舉杯說道：「祝三弟一路順風。」

金花夫人接道：「小兄弟多珍重。」

宇文寒濤說道：「三莊主此行愉快。」

四人舉杯相祝，每人都喝乾了杯中之酒，但蕭翎的杯中卻仍是滿滿一杯，點滴未嘗入口，大大感到尷尬，暗道：這杯酒縱然是斷腸的毒藥，我也該喝下去了。

舉起酒杯，正待吞下，突聽一個細微的聲音傳入耳際：「你這杯酒吃不得。」

蕭翎心中一動，閉住氣，把一杯酒倒入口中，但卻不吞下腹去，緩緩就座。

在這一瞬之間，他已明白自己正處在一個充滿殺機的環境之中，必須冷靜應付這個局面。他表面之上，若無其事，暗中卻在留神查看那暗施傳音之術示警的人。

但這大廳之中，除了座中幾人之外，只有兩個青衣小婢，如若是座中人向他示警，只有唐三姑和那金花夫人可能，但兩人一直口未啓動，何況那聲音十分陌生，記憶中從未聽聞過。

沈木風眼看蕭翎吃下了杯中之酒，立時舉筷說道：「三弟歸心似箭，急於登程，咱們盡快吃吧！」

蕭翎緩緩舉筷，挾了一些菜餚，但卻不敢送入口中，原來他口中含酒未吞，不能吃菜。

只聽那陌生細微的聲音，又在耳際響起，道：「你如沒有聽我的話，吃了那杯毒酒，今生一世，都在沈木風控制之下，除非你能遇上了毒手藥王，而他又答應救你，始可擺脫，如若沒有吞下那毒酒，快些設法吐出來。」

蕭翎聽得他說出毒手藥王，憶起了那晚放血之事，心中信了八成，心念電轉，巧計忽出，暗裏摸出一枚制錢，運指力捏成一團，由桌下彈了出去。

他從柳仙子學得了舉世無雙的迴旋手法，那枚捏成一團的制錢，由桌下飛出，折轉由窗中飛入，掠著周兆龍耳際飛過，叭的一聲，擊在一盤菜餚中，登時油水飛濺，肉塊橫飛，瓷盤也片片碎裂。

這變故大出意外，滿桌雖坐著第一流的高手，也是未能及時接著那飛來暗器。

蕭翎一按桌面，疾飛而起，穿出窗外，腳尖一點地，一個鷂子翻身，人已躍上屋面，藉機吐出了口中含的毒酒。

但見人影閃動，周兆龍和金花夫人以及那宇文寒濤，分由門窗中飛躍出來，登上屋面。

金花夫人低聲說道：「小兄弟好快的身法，可曾看到敵蹤嗎？」

蕭翎搖搖頭，道：「沒有。」

周兆龍道：「什麼人竟能混進百花山莊？」

金花夫人笑道：「二莊主常說貴莊中門禁森嚴，不啻是銅牆鐵壁，今日卻被人家在青天白日下，混入莊中，而且逼近大廳。」

周兆龍目光轉動，四下望了一眼，但見一片平靜，毫無警兆，不禁一皺眉頭，道：「今日之事，實是有些奇怪……」

金花夫人細看四周形勢，只見相距這大廳最近的一片花叢，也在三丈開外，但卻方向不對，心下暗自震驚，口中卻仍是嬌聲笑道：「嗯！來人的腕力很強，竟然能在五丈開外地方，把暗器打入廳中。」

周兆龍臉上一熱，突然舉手互擊三掌，高聲說道：「當值的護院何在？」

但見四周花叢中，突然站起了十幾個佩帶兵刃的勁裝大漢，飛奔而來。

周兆龍當先跳下屋面，金花夫人等也隨著飛落地上。

幾人不過剛剛落著實地，那飛奔而來的勁裝大漢，也已奔到，一字排開。

但見那十幾個勁裝大漢齊齊抱拳一禮，道：「二莊主召喚我等，不知有何吩咐？」

周兆龍道：「你們可曾發現敵蹤混入莊中嗎？」

十幾個勁裝大漢全部聽得一怔，面面相覷，講不出話來。

良久之後，才有一人答道：「我等各盡職守，毫無懈怠，但卻未曾發現敵蹤！」

周兆龍被金花夫人連番譏笑，憋了一肚子怒火，厲聲說道：「既是沒有敵人混入，難道那暗器長了翅膀，自己飛入了廳中不成？」

十幾個勁裝大漢，一聽到有暗器打入廳中，個個臉色大變，莊中規戒森嚴，發生此等事情，勢將要受到重罰不可……

但聞沈木風的聲音，遙遙飄送過來，道：「二弟，不用責怪他們了，這事與他們無干，放了他們去吧！」

聲音不大，但卻傳播很廣，場中之人，個個都聽得十分清晰。

周兆龍素來不敢稍逆那沈木風令諭，舉手一揮，道：「你們去吧！」轉身向廳中行去。

十幾個勁裝大漢抱拳一禮，回身飛奔而去，眨眼間，隱入了花叢之中不見。

蕭翎緊隨周兆龍身後而行，心中七上八下，暗自打鼓，忖道：那沈木風智謀絕人，武功奇高，莫要是已經瞧出是我在搞鬼了！

忖思之間，人已進了大廳。

只見那沈木風端然而坐，神色平靜，毫無怒意，頷首一笑，道：「驚擾諸位了。」

金花夫人咯咯嬌笑，道：「大莊主聲色不動，想必是早已胸有成竹了？」

沈木風道：「蕭三弟回籍探親，歸心似箭，急欲登程，不要因此事延誤了他的時間。」

蕭翎心中暗叫了一聲慚愧，口中應道：「莊中混入了敵人，是何等重大之事，豈可不查……」

沈木風接道：「不用查了，那人發出了示警暗器，想必早已退去，追亦不及……」

微微一頓，又道：「快請入座，不要攪了咱們的酒興。」

桌上的碎盤，早已收去，群豪齊齊入座，蕭翎擔心那酒中有毒，不敢飲用，跟著沈木風落筷的菜餚食用，心中暗道：如若你在這菜餚中也下了毒，連你在內，誰也別想逃脫。

一餐餞行宴，匆匆用完。

沈木風挽住了蕭翎一隻手同出大廳，穿過花叢，直向莊外走去。

只見一輛華麗的馬車，早已套上了四匹健馬，一個青衣童子，高坐車門外，右手裏拿著一條長鞭，左手中控韁待發。

沈木風指著那馬車笑道：「爲兄和你二哥，都備有一份薄禮，奉送雙親，三弟的行李，我已叫人搬入車中，四匹健馬，也都是千中選一的好馬，足可當長途跋涉之任，三弟思親情切，就此上道吧！」

蕭翎仔細看去，只見那控馬的青衣童子，正是金蘭扮裝，當下躬身一揖，道：「大哥設想周到，相待情深，小弟就此拜別。」

沈木風回顧了身後的唐三姑一眼，笑道：「三弟請扶唐姑娘上車。」

蕭翎抬頭看去，只見那唐三姑的神情木呆，不言不笑，和初見她時那等巧笑倩兮、妙語解頤的情形相較，已是大不相同，心中好生奇怪，但又不便追問，當下一抱拳，道：「唐姑娘如願和在下同行，請來上車。」

唐三姑目光緩緩由沈木風臉上掠過，慢步而來，登上馬車。

蕭翎飛身一躍，登上馬車。

金花夫人避過沈木風的目光，向蕭翎笑著走來，突然一枚小小紙團飛到蕭翎身前，蕭翎趕忙接過。

金蘭左手韁繩一抖，馬車陡然向前飛馳而去。

遙聞金花夫人嬌脆的聲音，傳了過來，道：「小兄弟，你如想要那幅玉仙子的畫像，最好是早些回來。」

蕭翎站在車頭上，揮手致意，但卻未答金花夫人之言。

轔轔的輪聲，蕩起了一片沙塵，沈木風和金花夫人的身影，也逐漸消失不見。

蕭翎藏好了手中的紙團，掀開垂簾，進入車廂，只見玉蘭也改穿了一身男裝，倚欄而坐，目光望著車篷，似是正在想一件沉重的心事。

車廂後面，放著兩個大箱子，唐三姑斜斜地靠在箱子上，閉著雙目，似是已經熟睡了。

寶馬華車，麗人相伴，這該是何等的賞心樂事，但蕭翎卻有著一種茫然無措之感，他覺出這車廂中，充滿著一種幽傷和詭異的氣氛，每個人都似是有著重重的心事。

他輕輕地咳了一聲，道：「玉蘭，你在想什麼心事？」

玉蘭如夢初醒一般，緩緩把投注在車篷上的目光，移注到蕭翎臉上，黯然地叫了一聲「三爺」，又住口不言。

蕭翎心中大奇，說道：「你怎麼啦，此刻咱們已離開百花山莊，有什麼話，儘管說吧！」

玉蘭搖搖頭，微微一笑，道：「妾婢很好，沒有什麼。」

她雖然想使笑容自然些，但蕭翎卻看得出，她笑得很勉強、很淒涼。

蕭翎心頭氣悶，暗道：好吧！你既然不願說，那便算了，我也不來問你。當下閉目運氣調息起來，不知不覺間，竟入禪定，物我兩忘。

待他由禪定中清醒過來，夕陽早下，已然是暮色蒼茫的時分。

馬車早已停下，唐三姑和玉蘭已然不見，只有金蘭一人當門而立。

只聽金蘭低聲說道：「三爺醒了嗎？」

蕭翎點點頭，道：「她們呢？」

金蘭道：「進去休息了，包莊主已在車外等候很久了。」

只聽車簾外響起一個宏亮的笑聲，道：「在下接得了大莊主金花令諭，特地趕來迎駕，廳中盛宴已張，敬候三莊主上座了！」

蕭翎皺皺眉頭，掀起垂簾，出了車廂。

只見一個五旬左右的老者，穿了一件天藍色胡綢長衫，面帶微笑，站在車旁，神態極是恭謹，看蕭翎掀簾而出，立時長揖拜見。

蕭翎還了一禮，道：「怎敢勞駕。」

那老者笑道：「大莊主在金花令諭中吩咐，要在下小心迎駕，不得有違，但得三莊主不肯怪罪，老朽就歡喜萬分了。」

蕭翎暗忖道：百花山莊的力量，確是不可輕視，竟是處處都有分舵。

抬頭看去，只見一座高大的宅院，屹立在暮色中，看紅門綠瓦，該是個豪富之家，不知內情，誰也難以猜出，這高宅大院，竟然是百花山莊的分舵。

那老者抱拳當胸，躬身說道：「三莊主請。」

兩扇黑漆大門，早已大開，一個二十左右的青衣人，高舉著一盞氣死風燈，肅然而立，燈籠用絹製成，四面各寫了一個包字。

蕭翎緩步登上七層石級，直向大廳行去。

那老者緊隨在蕭翎身後，居中而行，金蘭走在最後。

三人行不過丈餘，身後那黑漆大門，已砰的關上。

穿過了兩個院子，才到大廳，廳中燭火輝煌，早已張宴相候。

蕭翎目光一轉，只見敞闊的大廳中，除了兩個綠衣婢女之外，別無賓客。

那老者一側身，走在蕭翎前面，欠身說道：「三莊主請上坐首位。」

蕭翎心知謙遜推辭，徒費口舌，索性大步行去，坐了首位。

那老者待蕭翎坐好，突然一撩長袍，屈下一膝，說道：「包子威見過三莊主。」

蕭翎暗忖道：看來此情此刻中，倒是不得不端點架子，舉手一揮，道：「不用多禮。」

包子威欠身而起，道：「三莊主旅途辛勞，請隨便進些酒菜。」垂手站在一側。

滿桌佳餚，只有蕭翎一個人高居首位而坐，那包子威站立相陪，不敢落座。

蕭翎淡淡一笑，道：「包兄請坐。」

包子威道：「屬下謝座。」就主位坐了下來。

兩個綠衣婢女款移蓮步行了過來，伸出皓腕，挽起酒壺，替兩人斟滿了酒杯，退到旁側。

蕭翎目光轉動，早已不見金蘭，心中自是納悶，正待開口詢問，那包子威似已瞧出了蕭翎心中所思之事，搶先說道：「三位姑娘都已由內人接入內廳款宴。」

這一席晚宴，就在包子威恭謹中匆匆用過，蕭翎雖然是受盡了尊嚴禮遇，但卻有著枯燥無味之感。

晚宴過後，包子威親自送蕭翎到安歇之處。

這是座擺滿鮮花的精緻跨院，錦帳繡被，布設的極盡豪華。

包子威待蕭翎落座之後，恭恭敬敬地說道：「三莊主幾時上路？」

蕭翎道：「明晨一早就走。」

包子威欠身說道：「三莊主是乘坐原車，還是換坐快舟？請吩咐一聲，也好讓屬下準備。」

蕭翎暗暗想道：由此歸家，自是該坐船的好，但船上必有他們派遣的水手，我的行動，一直在他們監視中，倒不如坐原車的好。

當下說道：「我仍乘原車而行，不勞費心了。」

包子威應了一聲，躬身退去。

蕭翎打量了一下室中布設和院中形勢，熄去燭火，盤膝坐在榻上，運氣調息。

但他腦際思潮起伏，竟然難以靜下心來，他想到玉蘭、金蘭的反常情態，在兩人的心底處，似是隱藏了一樁很大的隱秘；還有那唐三姑也變得癡癡呆呆，其間定有隱情，明天上路之後，必得設法追問個明白不可。

他打定了主意，心情也逐漸地靜了下來，真氣逐漸由丹田升起，衝上了十二重樓。

需知他內功正值精進之期，每次調息，必入渾然忘我之境，也正是修習上乘內功最危險的時期，如若在他靜坐之時，有人暗中施襲，縱非必死，亦得重傷。

不知過去了多少時間，突被一陣兵刃接觸的金鐵交鳴聲驚醒過來。

睜眼看去，窗外月光如水，有兩條人影，正自迴旋交錯在月光下。

蕭翎暗道一聲慚愧，起身離榻，輕步行至窗口。

凝神望去，只見包子威舞著一柄金刀，和一個全身夜行勁裝，施用文昌筆的大漢，正在打的難解難分，那大漢筆法十分辛辣，攻勢凌厲，著著都指向包子威的要害。

包子威武功亦是不弱，手中一柄金刀，環身飛繞起一片光幕，任那施筆大漢攻勢凌厲，一時間也無法取勝。

蕭翎只瞧得心中暗暗奇怪：這座廣大的宅院，如若是百花山莊中的分舵，絕不至只有包子威一人，何以不見有人助戰？

他心中疑團未解，場中形勢已變，但見包子威金刀疾變，展開了反擊，一時間刀光大盛，反把那施筆大漢圈入一片刀光之中。

蕭翎暗中觀戰，長了不少見識，原來包子威在初動手時，隱藏寶刀，採取守勢，先讓那施筆大漢放手搶攻，直待瞧出他筆法中的漏洞，智珠在握，才展開了反擊之勢，招數變化，盡找施筆大漢的缺陷，那大漢果然被迫得手忙腳亂起來，幾度要振作反擊，但一直是力難從心。

搏鬥中突然一聲悶哼，刀光筆影，突然收斂，那施筆大漢身子搖動了一陣，一跤跌倒在地上，包子威左手疾出，點了那人穴道，還刀入鞘，對著蕭翎臥房抱拳一禮，道：「屬下無能，致令敵人侵入了三莊主息駕的跨院中，驚擾好夢，心中不安得很。」

蕭翎吃了一驚，暗道：原來他早已知道我醒了過來，暗中觀戰的事……

心中念頭電轉，口中卻緩緩應道：「不妨事。」

包子威道：「多謝三莊主的大量。」伸手提起那施筆大漢，回身退出跨院。

蕭翎心中納悶，幾次想叫那包子威進來問問，那施筆大漢是何等人物，夤夜來此爲何？但他終是忍了下去。

次晨起床，包子威早已在室外相候。

蕭翎步入室外小廳，兩個綠衣婢女，立時奉上漱洗用具，待蕭翎梳洗完畢，包子威才緩步而入，長揖請安，但卻絕口不提昨夜中事。

蕭翎看那包子威神色平靜，似已忘了昨夜之事，也只好裝出一副若無其事的神情，說道：「她們起來了嗎？」

包子威道：「姑娘都已經準備好了行裝，坐待三莊主的動身令諭。」

蕭翎道：「好！你要她們即時登車，我們立刻上路。」

包子威道：「廳中已爲三莊主擺下早點，屬下斗膽，請三莊主食用過後再走。」

蕭翎本待推辭，但又覺堅決拒絕，使那包子威太過難看，只好隨往廳中，匆匆吃畢，上車趕路。

金蘭、玉蘭仍然是青衣小帽的書僮裝扮，唐三姑也是像昨日一般，登車之後，就靠在車欄上，似是大病未癒，一言不發。

蕭翎登上馬車，金蘭立時揚起手中長鞭，叭的一聲，馬車起動如飛而去。

只聽包子威高聲說道：「屬下恭祝三莊主一路平安。」

蕭翎心中憋了一肚子疑團，車行三里左右，立時掀簾而出，四外打量了一眼，伸手帶動馬韁，馬車向一條荒涼的山道上轉去。

他已暗定主意，今天非得逼出二婢和那唐三姑心中的隱秘不可。

廿一　隱秘殺機

這條荒涼的山道，連人跡也極少見，車行約二、三里，已難再行，觸目荒草，一片蕭索。

蕭翎一帶韁繩，馬車停下，冷冷說道：「金蘭、玉蘭，你們下去。」

二婢應聲下來，並肩而立。

蕭翎緩緩說道：「此地距那百花山莊不遠，你們如是想回百花山莊，那就請便了。」

金蘭歎息一聲，道：「妾婢們如若有錯，三爺儘管責罵就是，為什麼要迫妾婢們重入虎……」虎字說了一半，突然住口不言。

蕭翎道：「我瞧你們在百花山莊中還快活一些，還是回去的好。」

金蘭流下淚來，黯然說道：「三爺可是氣惱玉蘭妹妹嗎？」

蕭翎道：「我瞧你們都是一般模樣，似是都有著很沉重的心事。眼下只有兩條路，由你們自己任選一條：第一條路，你們立即返回百花山莊，不管你們有什麼心事，我也懶得多問了，第二條路，你們不妨把心中的事，坦坦誠誠的告訴我，不許藏一句，我絕不責怪追究你們。」

金蘭長長吁一口氣，道：「三爺一定要問，妾婢們只好從實講出來了……」

她頓了一頓，淒涼一笑，幽幽說道：「就是三爺不問，過了今天，妾婢們也要對三爺講了，你不能責怪玉蘭妹妹，她已經被迫服下了化骨毒丹，那是一種慘絕人寰的慢性毒藥，服下之後，七日內不會發作，但人卻已變得癡癡呆呆，終日裏昏昏欲睡……」

蕭翎心弦震動，回目向玉蘭望去，只見她雙目發直，眼中神光渙散，果是有著中毒之徵，不禁長歎一聲，道：「是我錯怪你們了，不過，難道那唐三姑也是服用過化骨毒丹？」

金蘭道：「看樣子是不錯，但內情如何，妾婢實不敢斷言，百花山莊中的事情，除了大莊主之外，誰也不知道有些什麼變化，但玉蘭妹妹，卻是在妾婢親目所睹之下，看到她吞下的化骨毒丹……」

蕭翎道：「大莊主爲什麼不讓你也吞一粒呢？」

金蘭道：「我要侍候三爺的起居，要爲三爺趕車，如若吞下毒丸，神志恍忽，如何還能再幫三爺做事？」

蕭翎道：「大莊主交你辦的事，只有這些嗎？」

金蘭道：「還要我相機勸告三爺早日再回百花山莊，大莊主還因此賜與我兩種東西，如是三爺不肯重返百花山莊，就要我暗中下手！」

蕭翎淡淡一笑，道：「他賜給你的什麼？」

金蘭伸手入懷，取出一個小巧的玉盒，托在掌心，道：「大莊主告訴妾婢，這盒中共有兩件事物，一件是無色無味的毒粉，一件是可以點燃的毒香，如是三爺不肯回轉百花山莊時，妾婢先設法在食物中放下毒粉……」

蕭翎冷冷接道：「這辦法太陳舊了，實無新奇之處。」

金蘭接道：「如是三爺防備周密，無法在食物中下毒，就要妾婢燃起那支毒香，據大莊主告訴妾婢，這毒香可保燃燒十二個時辰以上，只要放在三爺必經之處，能使你聞到稍許香味，就入了大莊主的掌握之中。」

蕭翎心中大奇，暗道：就算那毒香歹毒無比，但稍許聞上一些香味，也未必就能使我入他的掌握之中……

突然高聲說道：「把那玉盒給我瞧瞧。」

金蘭只好把玉盒遞了過去，道：「三爺小心！」

蕭翎暗中提氣，閉住穴道，打開玉盒一看，頓時寶光耀目，玉盒中哪來的毒香、毒粉，竟是一顆奇大的明珠，不禁瞧得一愣。

蕭翎隨手合上盒蓋，收入懷中，道：「這玉盒由我暫時收著。」回顧了玉蘭一眼，道：「該如何才能解除這玉蘭腹中之毒？」

金蘭道：「據妾婢所知，大莊主只是武功高強，並非是使毒的高手，但他有一位好友，叫什麼毒手藥王，卻是位善用百毒的怪人，大莊主那化骨毒丹，就是出自他親手調製。」

蕭翎當下一帶馬車，道：「兩位上車吧！想那大莊主，必然派有暗中監視咱們之人，咱們如在此地停留過久，只怕啓動那些人的疑心。」

金蘭扶著玉蘭上了馬車，道：「三爺目下還不會遭受暗算，據妾婢聽那大莊主的口氣，深盼三爺仍能回到百花山莊中去，在你未確定是否肯回百花山莊之前，他們不會對三爺施下毒手。」

蕭翎揚鞭趕車，重又折返大道，口中卻緩緩說道：「眼下有一件最使人憂慮的事，就是玉蘭和唐三姑的化骨毒丹一旦發作，既不可棄兩人於不顧，亦不便帶兩個毒性發作的病人趕路。」

金蘭道：「這個請三爺放心，大莊主親口告訴妾婢，七日之內，兩人藥性未發之前，他就會派人送上解藥。」

蕭翎星目中神光一閃，道：「金蘭，我帶你們遠離了百花山莊的勢力範圍之後，你們就遠走高飛吧！天下這等遼闊，總不難找一個安身立命的所在，彼此擺脫江湖中的生活，做一個安安分分的人。」

金蘭苦笑一下，道：「如果如三爺之言，百花山莊中，走的何只我們姊姊！但三爺也不用爲我們煩心，我早已和玉蘭妹妹決定了該走的路……」

頓了一頓，接道：「不瞞三爺你說，我們姊妹雖是對三爺敬愛無比，情甘效死，但殘花敗柳，自知不配爲三爺身旁之婢，但三爺卻是妾婢們所見人物中，唯一能使大莊主有些心存畏懼的人，因此，我們姊妹兩人實是出自衷心，敬慕三爺的爲人英雄，但得有一分心力，就願爲三爺盡上一分心力。」

蕭翎原想把她三人帶出百花山莊的勢力之外，讓三人各奔前程，但金蘭道出這一席話，卻使他心意大變，暗道：是啊！我蕭翎既然存心救人，管上了這檔事，豈可半途而廢，虎頭蛇尾，好歹也該使她們身上的奇毒解了之後，才可放手而去。

突聞一陣馬蹄聲，得得而來，三匹健馬疾馳而過。

當先一人是一個青衣少女，一臉端莊嚴肅之色，目不斜視的縱騎而過。

第二騎馬上是一個胸垂花白長髯的老者，虎目、海口，神威凜凜。

那老者一見蕭翎，臉色忽然一變，回目一顧，縱馬而去。

蕭翎只覺這兩人面善得很，忖思良久，才突然想到，這兩人正是在歸州酒樓上遇到的八手神龍端木正，和那位行刺周兆龍，被自己接了她暗器的青衣姑娘。

第三騎馬上是一個身軀瘦小的灰衣人，留著八字鬍，雙目中神光如電，見了蕭翎的馬車，突然一收韁繩，健馬原本奔馳極快，卻突然緩了下來，掠著馬車行過。

蕭翎緩緩把控車的馬韁，交到金蘭手中，掀簾進入了車中，探手從懷中摸出金花夫人的紙團，展開一看，只見上面寫道：沿途必遇攔劫，小心兩個丫頭。

蕭翎一直忍著未看金花夫人交來的紙團，他要憑藉自己的智慧，來澄清胸中的疑慮，然後再看紙團上寫的什麼，是否和自己想到的事情一樣。

唐三姑和玉蘭都已被迫服下了化骨毒丹，蕭翎也不再忌諱她們，瞧完了金花夫人的紙團，隨手撕去，丟在車外。

蕭翎估算沈木風安排在自己身側的伏樁金蘭，作用已失，困擾的是玉蘭和唐三姑，這兩人服下了化骨毒丹，人已經有些癡癡呆呆，既不能棄之不顧，但自己又無能救治。

還有金花夫人在那紙團上那句沿途必遇攔劫的話，語氣十分肯定，如金花夫人沒有相當的把握，絕不致說得這般斬釘截鐵。

忽聽垂簾外傳進來金蘭的聲音，道：「三爺，前面有人攔道。」

奔行中的馬車，突然停了下來。

蕭翎掀開車簾，緩步走了出來，只見道旁一片雜林中，隱隱有人影閃動。

四個佩帶著兵刃之人，一字排開，攔住了去路。

兩個是中年大漢，一個青衫老者，和一個身披袈裟的和尚。

蕭翎目光緩緩由四人臉上掠過，已瞧出那老者、和尚，都有著精湛的內功。

那青衫老者一拱手，道：「閣下可是來自百花山莊中？」

蕭翎緩緩一點頭，道：「不錯，老丈有何見教？」

左面一個中年大漢暴聲喝道：「你可是那百花山莊中的三莊主？」

蕭翎道：「不錯，諸位橫身攔道，想是必有事故？」

右面那中年大漢接道：「閣下可是姓蕭名翎？」

蕭翎暗道：好啊！你們早已調查的清清楚楚了，還來問我作甚，口中卻緩緩地應道：「在下正是蕭翎。」

忽聽那青衣老者長歎一聲，道：「蕭大俠雖出道不久，但已名動江湖，想不到竟然會投到了百花山莊，可惜呀！可惜。」

蕭翎知他又把自己誤認爲那位假冒自己的蕭翎，但此時此情中，解釋不易，也無法解說的清楚，只好含含糊糊地說道：「在下和諸位素不相識，無怨無仇，不知諸位爲何要攔阻住在下的去路？」

那青衣老者目光一抬，瞧了那馬車一眼，道：「請問三莊主，這馬車中放的是什麼？」

蕭翎微微一怔，道：「車中乃是在下幾位隨行的朋友。」

左面那大漢刷的一聲，抽出背上單刀，冷冷說道：「車中如無別物，可否容得我們搜查？」

蕭翎俊目中神光閃動，突然由腦際間閃過了一抹靈光，暗道：除了這四個人之外，那林中還隱著無數高手，他們這等糾眾而來，必有緣故，車中既無不可見人的事，倒不如讓他瞧瞧，也好斷去他們的生事藉口。」

心念一轉，怒火平息，淡淡一笑道：「諸位如是要查看，儘管瞧吧！」

閃身退到一旁，回目對金蘭說道：「你打開車簾。」

蕭翎這出人意外的謙和，似是大出兩個大漢和青衣老者意外。

三人相互望了一眼，緩步行近馬車。

那青衣老者一皺眉頭，道：「車中是女眷嗎？」

蕭翎道：「不錯。」

青衣老人道：「男女授受不親，咱們不能驚擾到三莊主內眷，有勞三莊主扶她們下車來吧。」

蕭翎苦笑一聲，低聲對金蘭道：「扶她們下來吧！」

金蘭應了一聲，扶著玉蘭和唐三姑下了馬車。

那青衣老人目光如電，掃掠車中存物一眼，道：「那車中的兩個木箱，不知三莊主能否啓開給我等瞧瞧？」

蕭翎心頭納悶，暗道：這些人不知是何用心？搜查何物？

但他心中坦蕩，雖是有些氣怒，仍然低聲對金蘭說道：「把那兩個木箱拿下來，給他們瞧瞧吧！」

金蘭猶豫了一下，登上車去，抱下來兩個木箱。

紅漆的木箱上，加上了一把金鎖，和兩條密封，這本是沈木風和周兆龍托蕭翎帶回的禮物，箱中存放何物，蕭翎並未看過。

那青衣老者目光環掃了車廂一眼，再無別的可疑事物，才回頭對蕭翎說道：「有勞三莊主啓開這兩具木箱瞧瞧如何？」

蕭翎強自按下心中的怒火，冷冷說道：「諸位勞師動眾，白晝攔道，查過這木箱之後，在下倒也得向諸位討還一個公道……」

目注金蘭接道：「你打開兩具木箱。」

金蘭粗著嗓子，道：「小的沒有鑰匙。」

蕭翎經她一提，才想到自己也是沒有啓鎖的鑰匙，沈木風只告訴他，車上放有讓他帶回原籍的禮物，並沒有交給他啓鎖之鑰。

心中念頭轉動，口中說道：「你把那金鎖劈了就是。」

金蘭顰起秀眉，伸手從車墊下抽出長劍，寒芒連閃，劈落了兩個木箱上的金鎖。

那老者心中似甚抱疚，沉聲說道：「如是我等得訊不確，老朽自當面向蕭兄謝罪。」一伸手打開了左首一個箱蓋。

但見一陣白粉飛揚，一股濃重的藥味，撲入鼻中。

那青衣老者似是突然被人在前胸上擊了一拳，身不由主地向後退了兩步。

兩個大漢探首一望，立時雙雙拜倒地上，放聲大哭起來。

那身披袈裟，一直未曾開口的和尚，目中神光一掠木箱，突然合掌當胸，欠身說道：「阿彌陀佛！善哉！善哉！」

蕭翎雖然已從那四人驚愕、惋惜的神情中，瞧出了事情有些不對，但仍想不出箱中是存放的何物，緩緩行前兩步，探首一望，亦不禁臉色大變。

原來那木箱中，鋪滿了半箱白粉，白粉上赫然是一個人頭！

那人頭似是早已用藥水泡製過，面目仍然清晰可辨，只見他虬髯繞頰、虎目圓睜、亂髮披垂，雖只是一個人頭，但不難想見他生前的威武形貌。

蕭翎愣了一愣，突然伸手打開另一個箱蓋。

只見那木箱中放著兩封白簡，已然快變成了黃色，一支金色的短劍，和一面古銅鏡子。

那青衣老人究是修養有素，驚痛片刻，已恢復了鎮靜，冷冷說道：「證物確鑿，人贓並獲，不知三莊主有什麼話說？」

蕭翎輕輕歎息一聲，道：「想不到他們竟……」

忽然住口，改轉話題，問道：「這木箱中的人頭是誰？」

那拜伏地上哀哀痛哭的兩個大漢，突然一躍而起，雙刀並出，分左右兩路攻向蕭翎，招數惡毒，顯然存心一擊致命。

蕭翎縱身避開，沉聲說道：「兩位暫請息怒，在下有幾句緊要之言……」

但那兩個大漢早已激忿難遏，形同瘋狂，哪裏還容蕭翎分辯，雙刀連環進擊，寒光如雪，把蕭翎圈入了一片刀影之中。

蕭翎赤手空拳，穿行在飛旋的寒芒之中，一味躲避，不肯還手。

那青衣老人已瞧出蕭翎武功高出了兩人甚多，如若他肯還手回攻，兩個大漢只怕早就傷在蕭翎的掌指之下，當下舌綻春雷，大聲喝道：「住手！」

兩個大漢有些迷亂的神智，突然一清，收刀而退。

青衣老人刷的一聲，抽出背上長劍，道：「老夫領教三莊主的武功。」

他雖能保持著外形的鎭靜，但內心之中的悲痛，不在那兩個大漢之下，抽出長劍，不問青紅皂白，話出劍落，一招「玉女投梭」，迎胸刺去。

蕭翎急急說道：「閣下且慢動手，請聽在下幾句分辯之言如何？」

就在蕭翎說話的工夫，那老者已攻出了八劍，他劍招老練辛辣，高出那兩個大漢的刀法很多，八劍迫攻，逼得蕭翎連退四步。

金蘭只瞧得大爲擔心，忍不住說道：「三爺小心了，他們在激怒之下，劍招毒辣無比，已非口舌能予解說息爭了。」

言中之意，無疑是告訴蕭翎，要他先以武功鎭服這幾人之後，再用口舌解說。

卻不料這一多口，引起了那兩個大漢的注意，虎吼一聲，一個撲向金蘭，另一個卻已向玉蘭撲了過去。

金蘭吃了一驚，長劍一領，橫裏躍出，擋在玉蘭前面，冷冷說道：「你們不容分說，出手就是致命的猛攻……」

那大漢厲聲喝道：「百花山莊中的人，個個都是造孽無數、滿手血腥之徒，死有餘辜。」一招「橫掃千軍」，攔腰斬來。

金蘭自知武功身法，難和蕭翎相比，如不還手，不出十招，就得傷在此人手中，只好揮劍反擊，一招「金絲纏腕」，反向那大漢脈穴掃去。

另一個撲向金蘭的大漢，因她躍救玉蘭，一招撲空，轉身揮刀，迫攻過來。

金蘭心知玉蘭和唐三姑都已服有毒丹，雖然毒性尚未發作，但神志已然不清，難以拒敵，當下振起精神，長劍飛旋，獨擋二人。

那身披袈裟的和尚，突然舉步行至木箱，伸手拿起箱中的金劍，藏入懷中。

蕭翎看得真切，心頭怒火陡生，喝道：「你等究竟是要爲故人報仇，還是想劫取東西！」喝聲中，揮掌反擊過去，掌力迅勁，直擊青衣老者握劍的右腕。

那老者劍勢一偏，閃過一掌，正待揮劍反擊，卻不料蕭翎掌勢攻出之時，後招綿連而至，那老者一避之下，先機已失，蕭翎雙掌連連拍出，一掌快過一掌，那青衣老者，手中空有長劍，卻是無能反擊，被逼得連連後退。

要知蕭翎這連環閃電掌法，列爲江湖一絕，其妙處就在快如奔雷閃電，使人有著應接不暇之感。

蕭翎連續拍出了一十六掌，逼得那青衣老人退了六、七尺遠，陡然縱身一躍，撲向那身披袈裟的和尚身前，冷冷喝道：「拿出來！」

那和尚雖然身披一件寬大的袈裟，但人卻是十分瘦小枯乾，啓開半睜半閉的雙目，道：「什麼東西？」

蕭翎道：「一把金劍，你可是認爲我沒有瞧到嗎？」

枯瘦和尚淡淡一笑，道：「瞧到了又怎麼樣，反正也不是你們百花山莊之物。」

蕭翎怒道：「瞧你這等猥瑣神情，就不似有道高僧和正大門派中人。」

那和尚雖受這等辱罵，仍是毫不生氣，淡然說道：「這把金劍，乃貧僧一位故交之物，關係著他的生死之謎，貧僧先代施主保管，日後也好轉交給他的後代……」

他輕歎一聲，道：「貧僧已然數十年未和人動過手了，早已息隱山林，不問江湖中事，但那位死去的故交，和貧僧交非泛泛，不得不出面查詢此事，真相未明之前，貧僧不願和你動手，貧僧目睹金劍時，心中甚是震動，只是出家人早已勘破世情，不願輕舉妄動，幾經忖思之後，始行取此金劍，暫代保管，待日後查出了元兇之後，老衲再為故友索命，小施主年輕率直，貧僧也不計較你出口傷人的事了！」

蕭翎聽得怔了一怔，道：「這麼說來，那金劍關係著一樁悲慘的往事了？」

那枯瘦和尚道：「何止這把金劍，那箱中的書簡、古鏡，每一件事物，恐怕都關係一樁武林的恩怨血債。」

蕭翎一腔怒火，被他一番心平氣和之言，說得完全消失，心中暗暗忖道：人不可貌相，這和尚看上去形貌猥瑣，但言語神情，卻是有大豪高僧的氣度，當下抱拳一揖，道：「請教大師父的法號。」

那枯瘦和尚淡淡一笑，道：「貧僧天生一副瘦骨嶙峋的樣子，如雪中枯樹，難登大雅之堂，故而自號枯木……」

蕭翎道：「原來是枯木大師，在下失敬了，大師深明事理，尚望能勸請那兩位兄台停下手來，在真相未明之前，在下實不願多造殺孽。」

枯木大師道：「阿彌陀佛！小施主有此一念，足見慈悲心腸。」
轉臉望著那青衣老者，道：「有勞施主，勸他們暫行停手，該先把事情說個明白……」
那青衣老者接道：「大師言之有理。」
回過頭去，高聲說道：「兩位賢侄暫請停手。」
那兩個大漢對這青衣老者似極敬畏，聽得喝叫之聲，立時收刀而退。
蕭翎長長歎息一聲，抱拳對那青衣老者一禮，道：「請問兄台上姓大名？那箱中人頭是誰？」
青衣老人道：「老夫董公誠，乃形意門……」
他緩緩把目光投注到那箱中人頭之上，接著說道：「箱中人頭，乃本門中第九代掌門，他們都是門下弟子，師兄弟之情，重如父子，也難怪他們，難以按下激憤之心。」
蕭翎道：「你是他的什麼人？」
董公誠道：「我是他的師弟。」
說話中，一側身子，目光一掠那箱中存物，道：「不瞞蕭兄，今日來此的人，非我們形意一門……」
抬頭望了那遙遙的林木一眼，道：「那林中還有著很多高人，據在下所見，包括了少林門下高僧，以及三大門派中的高人。」
蕭翎道：「怎麼？他們都是來找我算帳的嗎？」

董公誠道：「百花山莊，積欠的血債太多，你三莊主縱然確未參與其事，但爲那百花山莊的惡名所累，如想平安度過，只怕不是易事！」

蕭翎劍眉微聳，道：「九大門派中人，雖然素爲江湖同道敬仰，但亦不能欺人過甚，在下雖有忍耐之心，並非是永無限制。」

枯木大師高聲說道：「他們或許有皂白不分之嫌，但他們每人都滿懷怨恨而來，如是把他們換了你三莊主，只怕你還不如他們忍耐之力，蕭施主如肯聽貧僧相勸，還望拿出最大的氣度，忍耐下去，不要使今日之局鬧出流血慘事……」

蕭翎冷冷接道：「大丈夫可殺不可辱，世人如若都把我蕭某人看成了萬惡不赦之徒，那也是沒有法子的事。」

枯木大師道：「榮辱之念，全繫一心，今日群豪雲集，大興問罪之師，你蕭三莊主縱然可演出一場觸目驚心的流血慘劇，但何嘗不是你忍辱負重，還我清白的時機。」

蕭翎道：「忍又如何？不忍又如何？」

枯木大師道：「化凶爲吉，化暴戾爲祥和，在你三莊主之手。個人榮辱事小，眾生平安事大。」

蕭翎聽得心中一動，道：「多謝大師指教。」

抬頭看去，只見那林中緩步走出來僧、俗老少四十餘個不同身分的人。

那些人中，有的已然拔出了手中的兵刃，滿臉殺機地走了走來。

蕭翎舉手一揮，低聲對金蘭說道：「好好的保護她們兩人，上車去吧！」
金蘭應了一聲，扶著唐三姑和玉蘭登上了馬車。
蕭翎長吁一口氣，盡吐胸中鬱悶，卓然而立。
那現身群豪，迅快地圍了上來，片刻之間，把蕭翎團團圍起。
靠西首一個身著孝衣、滿臉憂戚的少年，突然驚聲叫道：「家父的遺書！」撲跪在那木箱前面，拿起一封書信。
蕭翎目光一轉，只見那封套上寫的是：「文諭文娥吾妻啓閱」八個草書。
那少年情緒十分激動，跪在地上的雙膝和捧信的雙手，都不停地微微顫抖。
全場中二十餘道目光，都凝注在那少年手中的書信之上。
他們雖無人向蕭翎質問一言，但蕭翎卻有著惶惑不安的感覺，他覺出這些人的心中，都對他有著極深的仇恨，想到感慨之處，不禁失聲一歎。
他這輕聲一歎，立時便引出四周譏嘲的冷笑。
蕭翎極力使自己心情平靜下來，想開口打破這緊張的沉寂，但卻一直想不出該如何開口。
忽聽枯木大師的聲音，傳入耳中說道：「小施主！沉住氣，此情此景，實是你日後命運所繫，必得以無上禪定之力，來迎接這殺機瀰漫、大變俄頃的一刻時光。」
蕭翎苦笑一下，無可奈何地望了枯木大師一眼。
突聽那手捧書簡，跪在地上的少年，喃喃說道：「爹爹一生光明磊落，沒有不可告人之事，母親思念爹爹，十年來與日俱增，不幸在月前去世，孩兒斗膽要拆閱你給母親的遺書了！」

只見他打開封套，把信箋托在掌中，任命四周群豪觀看，蕭翎目光一掠群豪，轉目瞧向那張素箋，只見上面寫道：

字奉賢妻妝次：為夫被囚百花山莊，遍歷了一十七種不同的毒刑之後，恐已成殘廢之身，見此信有如見為夫最後一面，盼望顧念夫妻情分，善自珍視吾兒，撫養他成人長大，臨書匆匆，不勝依依……

下面落款卻是南派太極門，十二代掌門人石俊山。

但聞幾聲黯然的歎息響起，似是四周群豪都對那石俊山寄有無限的同情。

那身著孝衣少年，雙目中淚水泉湧，滴在那信箋之上，雙手抖動的越發厲害，竟是連那信箋也折疊不成。

人群中，突然大步行出兩個五旬左右的老者，分站那少年兩側，說道：「掌門人身負振興本門大責，和血海深仇，不可哭壞了身子。」

那身著孝衣的少年，伸手拭去臉上的淚痕，雙目中暴射出仇恨的光芒，凝注到蕭翎的臉上，道：「你是百花山莊中的三莊主了？」

蕭翎抱拳說道：「兄弟正是蕭翎。」

那身著孝衣少年，道：「家父死在百花山莊，有此函為證，父仇不共戴天，在下今日要先向三莊主索回這筆血債。」

蕭翎不禁歎息一聲，道：「石兄話雖不錯，但兄弟亦有隱衷，尚望能給在下一個辯說的機會……」

只聽人聲傳來，一個全身素衣的婦人，懷中抱著靈牌，急急奔了過來。

四周群豪，看她一個婦道人家，孝衣抱靈，都不自禁地向旁側讓去。

那婦人闖入場中後，揚起手中長劍，指著蕭翎，怒聲喝道：「你可是百花山莊的莊主？」

蕭翎無法否認，只好點頭說道：「不錯……」

素衣少婦道：「好！那我就先殺了你，替我那夫君報仇。」刷的一劍刺了過來。

蕭翎只覺她刺來的一劍，又毒又辣，不禁心頭一震，忖道：這婦人劍招的辛辣，似是尤在那董公誠之上，我如再不出手還擊，只怕要傷在她的劍下……

就在他念頭轉動之間，那素衣少婦已然連貫刺出了八劍。

蕭翎雖以佳妙的輕功，閃開八劍，但已有著手忙腳亂之感。

那素衣少婦眼看蕭翎能夠一招不還地避開八劍，先是微微一怔，繼而放聲大哭起來，手中劍勢隨著那痛哭之聲，越發緊促起來，而且劍劍惡毒無比，均攻向蕭翎致命的所在。

蕭翎避開她八劍之後，心知遇上了勁敵，已然準備還手，卻不料她突然放聲大哭了起來，不覺間激起豪氣，暗道：我蕭翎豈能和一個弱女子一般見識。

但見那素衣少婦，劍招愈變愈詭奇，攻勢也愈來愈凌厲，蕭翎的處境也更見險惡。

蕭翎在勉強支撐下三、四十個照面，已然有著措手不及之感，那素衣少婦手中的劍招，似已進入了佳妙之境，行雲流水般，源源不絕。

忽聽蕭翎大喝一聲，劈出一掌，一股強猛的劈空勁氣，迫開那素衣少婦。

凝目望去，只見蕭翎右手按在左肩之上，鮮血由手指縫上，透了出來，這一劍傷的不輕。

枯木大師低聲說道：「阿彌陀佛，小施主定力過人，貧僧十分佩服。」

蕭翎臉色蒼白，肅然對那少婦說道：「你丈夫也許是當真的爲百花山莊中人所傷，但我絕不是殺害你丈夫的兇手，我加盟百花山莊，只不過是數月間事，夫人如若硬要指說在下就是兇手，那也是沒法子的事情，但我得事先聲明，你如再出手，在下可要還擊了……」

那青衣少婦接道：「只有你這般武功，才有殺死我夫君之能。」一振手中長劍，又是一劍刺去。

蕭翎心知自己左肩受傷甚重，如若再不還手，只怕難再躲她十劍，右手一揮，迅快拍出，擊向那素衣少婦握劍的右腕。

那素衣少婦劍勢一沉，避開了蕭翎掌勢，一招「迴風弱柳」，反手劈出。

但見蕭翎的掌勢一揮，搶在素衣少婦前面，迫得她收劍退了兩步。

這素衣少婦劍招的毒辣，場中之人早已有目共睹，那確是極盡變化之能，但蕭翎掌勢的快速凌厲，更是出人意料，任那少婦手中劍招千變萬化，卻是一直爲蕭翎掌勢壓制，無能發揮威力。

突聽蕭翎大喝一聲：「放手！」砰的一掌擊在那少婦握劍的腕上，登時長劍脫手，跌落地上。

那素衣少婦左袖掩面，放聲大哭，放腿疾奔而去。

蕭翎望著那少婦的背影，心中感慨萬端，說不出是怒是恨。

他左肩上的傷勢，更見嚴重，血水泉湧而出，濕透了半個衣袖。

枯木大師看到他慘白的臉色上，神色不停變化，心中暗暗震動，忖道：此人骨奇神秀，英華內斂，武功似已到不著皮相之境，日後成就，定是武林中一代人傑，今日如若逼他過甚，激起他的怒火，造出一番殺劫，不獲武林諒解，那是逼他爲惡，爲日後武林劫運著想，老衲必得出面助他一臂之力，解去這個死劫。

只見那身著孝服的少年撩起長衫，取出了一把二尺不到的短劍，緩步行在蕭翎身前，說道：「在下石奉先，領教三莊主絕學。」

蕭翎心中氣苦，想到這般人不問青紅皂白，就苦苦逼迫自己，平靜的心情中，逐漸地泛起了怒意，當下一提真氣，厲聲喝道：「諸位既然都把我蕭某人看成了十惡不赦之徒，蕭某人就殺幾個給你們見識見識。」

顯然，他忍受已到極限，動了怒火。

石奉先道：「三莊主請亮兵刃。」他雖在極度傷痛之下，但仍能保持著一派掌門的風度。

蕭翎道：「在下就以這一雙肉掌奉陪。」

忽覺一陣頭暈，幾乎拿不住椿。

原來他失血過多，加上心中重重矛盾氣怒，神智不能集中，影響到體力，忽有不支之徵。

石奉先道：「三莊主既不肯亮出兵刃，在下只有得罪了。」領動劍訣，一招「白鶴剔翎」，斜裏刺了過來。

蕭翎不再相讓，揚手一掌「天雷迅至」，拍向石奉先握劍左腕。

原來那南逸公創出的連環閃電掌法，雖是以迅快求勝，暗中卻揉合了天下各家掌法之長，招數一發出，同時包含著避讓敵人的身法。

他把這兩個動作，混在一招之中，先天上已然快過別家掌法一步。

石奉先劍勢雖然先發，但蕭翎的掌勢卻是後發先到，迫得石奉先不得不由攻勢易作守勢，收劍避開。

蕭翎已自知失血過多，難耐久戰，何況四周群豪，不下數十人之多，如若拖延時間，對自己大是不利，一面運氣止血，一面施展連環閃電掌法，展開了快攻，倏忽之間，連攻九掌。

石奉先手中長劍，已無反擊之能，被迫改採守勢，那南派太極門的武功，原以陰柔之力見長，劍招辣而不猛，最利防守，連接了蕭翎九掌之後，竟仍能從容應付，不露敗象。

但聞石奉先大喝一聲，手中長劍突然反守爲攻，他的劍勢，看上去並不凌厲，但卻綿連不絕，飄忽難測，劈刺之間，極是難防。

這正是南派太極門中，賴以爭霸武林的絕技「回風十八劍」，雖只有十八招，但每招卻含有正、反之變，共有五十四招正變，五十四招反變，合共一百零八變，六劍連綿，稱作一劍，最是毒辣不過。

蕭翎封開了三劍之後，已知難以長久支持下去，心中暗暗忖道：我早該想到失血過多，不宜用義父傳授的掌法拒敵，如若此刻我能有一劍在手，憑仗師父傳授的劍法，就算不能勝他，至少也打個平分秋色之局，也好藉機調息一下，待氣力恢復，再以連環掌力勝他。

原來那莊山貝博通天下各門各派的拳掌劍法，蕭翎在那三聖谷中，雖然追隨他身側學藝最久，但莊山貝也無法把胸中博記的天下各門各派劍法，一一傳授於他，只好去蕪存菁，把每一套劍法中的精妙變化，傳授於他，然後又解說應對之策，但這都非他本身所學，傳給蕭翎的唯一劍招，就是他隱居於三聖谷，悟出的馭劍手法。

因此，蕭翎的一身武功，成就得十分奇怪，他無法看出任何一套劍法，但當對方劍法、拳掌進入了精奇變化之時，常會觸動靈機，恍然大悟，立時可想出破解之法。

但這「回風十八劍」，蕭翎卻是從未聽過，石奉先攻出了十餘劍，蕭翎仍是瞧不出一點路數，而且險險爲長劍刺中。

正感焦急之時，突然石奉先喝道：「著！」劍尖寒芒一閃，點向前胸。

蕭翎眼看劍勢刺到，但卻是無法防阻，只好疾向左側讓開。

哪知石奉先刺向蕭翎後胸的劍勢，突然一沉，由下面迴旋而上，反向左面撩起，這一劍十分毒辣，竟使蕭翎立處於危急之中。

原來蕭翎自閉左肩穴道，防止流血，一個左臂，本就運轉不靈，石奉先這一劍，又偏偏向他左臂刺來，匆急之下，吸氣疾退。

但仍是晚了一步，被那長劍尖掃中肘下小臂，登時衣破肉綻，鮮血淋漓。

就在石奉先劍勢刺中蕭翎，群豪暗暗叫好之際，突見蕭翎右手一揚，發出了修羅指力，一縷勁氣，破空而至，擊中了石奉先的右肩之上。

但見石奉先身子搖了兩搖，突然丟下手中長劍，一跤跌倒地上。

蕭翎連受兩次劍傷，又運氣發出修羅指力，雖然點傷了石奉先，但那閉穴的真氣，卻難再凝聚，穴道自解，兩處傷口鮮血泉湧，濕透了一隻衣袖。

人群中，快步奔出了兩個五旬左右的老人，一個蹲下身去，扶起石奉先，另一個刷的抽出了背上長劍，說道：「南派太極門下鄧坤，領教百花山莊三莊主的絕技……」也不容蕭翎答話，就亮開門戶，準備出手。

忽聽一個嬌脆的聲音傳了過來，道：「他身受兩處劍傷，都爲太過慈悲，你們都自負是武林中成了名的人物，卻使車輪戰，對付一個受傷的人，算得什麼英雄，如若你當真的想打，我來陪你就是。」

聲落人現，一個青衣橫劍書僮，擋在了蕭翎身側。

這現身書僮，正是改扮的金蘭。
鄧坤揚手一劍，刺了過去，金蘭不願多耗內力，硬封他的劍勢，側身避開，還刺一劍。
兩人一交上手，立時各出絕學。
劍光閃轉，寒芒飛繞，劍尖指襲之處，盡都是致命的要穴。
蕭翎看那老者劍招佳妙，不在那石奉先之下，只怕金蘭不敵，車中的玉蘭和唐三姑，又都服下了化骨毒丸，除了棄置她們不顧跑走外，只有擊退強敵一途，心念轉動，怒火漸起，撕下衣襟，包起傷勢。
回目望了枯木大師一眼，冷冷說道：「大師親目所睹，親耳聽聞，這些人既不肯聽我解說，也不肯放我們離開，存心是要置我們於死地了，在下兩次相讓，兩度身受劍傷，逼人至此，怪不得我蕭某人要大開殺戒了！」
枯木大師低喧一聲佛號，道：「阿彌陀佛，百里行程半九十，施主已然忍讓許多，就不能再多忍一刻工夫嗎？」
四周群豪，齊齊把目光投注在兩人身上，竊竊低語，顯然，在場之人都不識枯木大師。
忽聽鄧坤厲聲喝道：「撒手！」
長劍施出拈字訣，搭上了金蘭右腕。
在這險惡萬狀中，金蘭仍是不肯棄劍，左手劈出了一掌，擊向鄧坤前胸，右手縮收，向下疾沉。

她應變雖快，但仍是無法閃開鄧坤那急快的劍，寒芒閃過，血珠濺飛，金蘭那嫩白的玉臂，被劍尖劃了一道三寸長短的血口。

蕭翎經過一陣調息之後，體能稍復，眼看金蘭受了劍傷，心中大怒，厲喝一聲，揚手點出修羅指力。

一縷銳風，破空而去！

但聞鄧坤大喝一聲，仰身摔倒在地上。

蕭翎點倒鄧坤之後，突然欺進兩步，到了金蘭身側，沉聲說道：「寶劍給我，收起箱子，快馳車趕路。」

伸手奪過金蘭手中寶劍，健腕翻振，銀星飛灑，幻起了一片寒芒，擋住了追上的群豪。

金蘭忍疼轉身，在蕭翎劍光環護之下，合上箱蓋，縱身登上馬車，握韁馳馬，篷車疾向前面奔去。

蕭翎劍勢連變，刺傷了兩個近身側的大漢，喝道：「擋我者死。」

提聚全身真氣，劍化八方風雨，寒芒暴射，又刺傷了一名近身大漢。

群豪眼看蕭翎如此勇武，個個心生寒意，誰也不敢先擋銳鋒。

就在群豪攻勢一緩之時，蕭翎衝入群豪，劍光旋風中，又傷了兩人。

金蘭馳車追在蕭翎身後，在蕭翎的劍勢護衛下，衝出重圍而去。

蕭翎大奮神勇，威震群豪，突圍而出，一口氣奔出了四、五里路，才停了下來，回首望了金蘭一眼，口齒啓動，話還未說出口，突然一跤倒在地上。

原來他在重傷之下，既未及時療息，復又強行提聚真氣出手，以致傷口迸裂，再經這一陣奔走，失血過多，難再提聚真氣，回首看金蘭無恙，心中一寬，真氣頓散，一跤跌在地上。

金蘭驚叫一聲，縱身下車，伸手扶起，連聲叫道：「三爺，三爺……」一面伸手在蕭翎身上不住推拿。

良久之後，才見蕭翎睜動一下失去神采的眼睛，有氣無力地說道：「不要怕，我死不了，扶我上車去，快些趕路……」

金蘭咬牙忍著臂傷，扶著蕭翎，走向篷車。

正待舉步登車，突聞一個冷冷的聲音傳了過來，道：「他傷的很重嗎？」

那聲音不大，但聽在金蘭耳中，卻如巨雷轟頂一般，全身一顫，雙手一鬆，將懷中的蕭翎跌落地上。

只見一隻潔白的大手，陡然伸了過來，接住了蕭翎，緩緩放下。

金蘭目湧淚光，盈盈跪了下去，道：「不知大莊主駕到，賤婢未能遠迎，莊主恕罪。」

廿二　遍地荊棘

金蘭自聽得那聲音之後，始終未抬頭望過來人一眼，那聲音太熟悉了，不用抬頭，已知道來人是誰了。

但聞一個冷漠、沙啞的聲音說道：「你站起來，本座的來去，豈是你能查覺。」

金蘭緩緩抬起頭來，只見沈木風高大駝背的身子，就停在身前尺許之處，雙目中神光閃爍，嘴角間卻帶著一分淡淡的笑意。

遙聞馬嘶之聲傳來，幾匹健馬，風馳電掣一般奔了過來。

沈木風兩手一伸，托起蕭翎的身軀放入了車中，說道：「快些馳車趕路，但不用太快，讓那些快馬追來。」

說話間，人已進入篷車之中，金蘭一語不發，登上馬車，抖動韁繩，馬車疾向前面奔去。

篷車奔行在大道上，蕩起了兩道滾滾的塵煙。

馬蹄聲得得可聞，似是那急來的快馬，已然追到了篷車後面。

突然間，響起了一聲慘叫，混入了轆轆的輪聲之中，金蘭不用回頭張望，已知是沈木風出手傷了那追近馬車的人，聽那慘叫之聲淒厲短促，那人縱然不立刻死亡，恐也難保得活命。

她暗暗歎息一聲，忖道：那些人對百花山莊，已然恨之入骨，對三爺的誤會，已然夠深了，大莊主隱身車中，施放暗器傷了這些緊迫不捨的武林人物，這筆帳，豈不是都記到了蕭三爺的身上，日後蕭翎縱有蘇秦之舌，也是難以解說的清楚，這手段當真是毒辣得很，如若蕭三爺被武林各大門派，聯手迫得天下無立足之處，只有投效百花山莊一途，甘心受他之命……

她愈想愈覺不錯，不禁由心底泛升起一股怒火，當下揚鞭催馬，篷車速度突然加快，疾如流星般，飛馳在官道上。

只聽車簾內傳出沈木風沙啞、冷漠的聲音，道：「金蘭，走慢一點。」

金蘭心中雖然將沈木風恨之入骨，但她一見沈木風或是聽得了沈木風的聲音，心中蘊藏著的反抗意識，便立時消失。

是以，聽得沈木風呼喝之聲，竟是不能自禁，一收韁繩，馬車果然緩了下來。

但聞得得蹄聲，緊逼車後，緊隨著又是一聲驚心動魄的慘叫傳來。

金蘭暗暗地數算那慘叫聲，共有九次之多，九筆血的仇恨，記到了蕭翎的身上。

突然篷車中傳出沈木風的聲音，道：「停車。」

金蘭一收韁繩，馬車驟然停了下來。

車簾起處，走出來沈木風那高大微駝的身軀，舉起巨靈般的手掌，輕輕在金蘭肩上扳了一下，笑著說道：「蘭兒，蕭三爺待你好嗎？」

他臉上帶著祥和的微笑，這極難一見的笑容，留給了金蘭難以忘去的印象，她記得被那沈木風奪去童貞的一夜，也見過他這般平和的笑容。

金蘭對那平和的笑容，有著深惡痛絕的感覺，緩緩垂下頭去，說道：「蕭三爺人間麒麟，哪裏會看上奴婢，縱有好感，也只是對奴婢們一點憐惜而已。」

沈木風道：「日久生情，你終日和他廝守在一起，日久天長，自然會獲他喜愛……」

語聲微微一頓，笑容盡斂，聲音也變得十分嚴厲，接道：「蕭三爺醒來之後，不許告訴他剛才的事，也不許提我來過此處……」

金蘭吃了一驚，急道：「你可是在三爺身上下了毒……」

沈木風長長吁一口氣，道：「此刻，三爺已遍地仇蹤，不用我在他身上下毒，他已難應付那追索血債的武林人物，今後他只有重回百花山莊一途，個中厲害得失，一目瞭然，你好好的想想吧，我要走了。」

金蘭哪裏還敢多口，縱身躍上馬車，揮動長鞭，馬車疾向前面馳去。

一口氣奔行七、八里路，才收韁停了下來，但她仍是有些放心不下，回頭看去，沈木風早已是不見蹤影，才啓開車簾，進入車中。

只見蕭翎仰臥車中，緊閉雙目，傷口處敷有藥物，流血已止。

金蘭緩緩伸出手去，施展推宮過穴手法。

在蕭翎身上推拿一陣，果然找出了幾處被點的穴道。

那沈木風故意要金蘭解開蕭翎的穴道，是以下手甚輕，推拿片刻，蕭翎的穴道已解。

但聞蕭翎輕輕歎息一聲，緩緩睜開雙目望了金蘭一眼，又望望傷口處敷的藥物，說道：「是你替我敷的藥嗎？」

金蘭只好點頭應道：「妾婢看三爺流血不止，擅自作主替三爺敷了藥物。」

蕭翎挺身坐了起來，道：「謝謝你啦……」

似是突然想起了什麼重大之事，急急問道：「我不支暈倒之後，那些人就沒有追趕咱們嗎？」

金蘭道：「妾婢抱三爺上了馬車，立時狂奔趕路，是不是有人追來，妾婢就不清楚了。」

她心中有鬼，說話時粉頸低垂，一直不敢抬頭。

蕭翎輕輕歎息一聲，道：「大莊主把這些和人結仇的鐵證，當做禮物放在馬車之中，豈不是存心陷害我嗎？好叫我有口也無法分辯清楚，這辦法當真是毒辣得很。」

金蘭輕輕地歎了口氣，黯然接道：「三爺雖然武功高強，但也不能和天下武林人物為敵，該想一個法子，解說一下才好。」

蕭翎道：「鐵案如山，證物齊全，要我如何一個解說法呢？」

金蘭道：「那位枯木大師，頗能瞭解三爺處境，三爺最好能和他商議商議。」

蕭翎道：「我有兩位兄弟，可惜不在此地，這兩人聲望地位，都足以擔當此事。」

金蘭道：「三爺恕妾婢多口，不知你那兩位兄弟是何許人物？」

蕭翎道：「中州雙賈，這兩人武功高強，而且閱歷豐富，江湖上宵小詭謀，都無法逃出兩人的法眼，只可惜兩人不在此地。」

金蘭沉吟了一陣，道：「三爺有著這樣兩個幫手，應該早些尋著他們才對。」

蕭翎道：「如何一個尋法呢？天涯遼闊，人海茫茫，事先又未有約好……」

金蘭接道：「不知三爺和那中州雙賈可有約定的暗記嗎？」

蕭翎精神一振，道：「有啊，不是你提起來，我倒是忘去了。」

金蘭道：「那就好了，三爺沿途留下暗記，指示行蹤，要那中州雙賈趕來相會就是。」

蕭翎道：「好吧，不論那中州雙賈能否瞧到暗記追來，此事總算聊勝於無，你馳車趕路時，當心一些，凡是岔道路口，就停下車來，告訴我留下暗記就是。」

馬車奔行的大道上，轆轆輪聲，蕩起了兩道滾滾煙塵。

金蘭強自打起精神，留神著四下景物，只見大道岔處，馬車正行在一座十字路口，趕忙收韁停下馬車，說道：「三爺，這一處十字路口，似是行人必經之道，請三爺下車來留下暗記。」

蕭翎經過在車上一陣調息之後，竟然大部復元，一掀車簾，躍了出去。

金蘭呆了一呆，道：「三爺，你……你的傷勢全好了嗎？」

蕭翎似也未料到，自己的傷勢復原得那麼神速，先是一怔，繼而淡淡一笑，道：「我好了，你的傷勢輕些了嗎？」

金蘭喜上眉梢，嘴角間泛升起一縷寬慰的笑意，道：「多謝三爺掛懷，妾婢傷勢輕多了。」

蕭翎道：「那很好，你要好好的調息傷勢，我要傳你幾招劍式，日後和人動手時，就不致輕易受傷了。」直身行去，在岔道口處，留下了暗記。

金蘭口雖未言，雙目卻不住地四面張望，生恐此時有人追到，又將難免一場濺血慘局。

蕭翎劃好暗記，幸喜還無人追到。

蕭翎登上馬車，還未坐好，金蘭已揚鞭抖韁，疾馳而去。

蕭翎驟不及防，身子斜斜倒了下去，剛好撞入了玉蘭的懷中。

只見玉蘭嬌軀微微側了一下，口中高呼一聲：「好疼啊！」

蕭翎吃了一驚，挺身坐起，暗道：看來那化骨毒丹，不但可使人慢慢中毒死去，更可怕的還是服用人立刻失去了武功，不然，以玉蘭武功而言，我這無意的撞她一下，絕然不致失聲呼疼……

忖思之間，忽聽玉蘭尖叫一聲，滿車滾動起來。

蕭翎心頭大震，凝目望去，只見玉蘭全身肌肉，都似在開始收縮，聲聲尖叫，刺耳驚心。

奔行的馬車，陡然停了下來，軟簾啓動，金蘭一躍而入，看玉蘭滿車滾動的神態，登時花容失色，黯然流淚。

蕭翎驚震的心神，逐漸平復下來，右手疾伸，連點了玉蘭三處穴道，輕輕歎息一聲，道：

「好厲害的化骨毒丹。」

金蘭回目望了唐三姑一眼，只見她端然而坐，神情十分平靜，毫無毒性的痛苦，心中大為奇怪，說道：「兩人都服了化骨毒丹，怎的只有玉蘭姊姊一人發作，這唐三姑卻沒有事情。」

蕭翎凝目思索片刻，道：「是啦！如以藥性計算，兩人都還未到發作的時間，只是全身受不得一點撞擊傷害，略受損傷，立時將促使藥性提前發作，我剛才無意中撞了玉蘭，才引她毒性早發。」

金蘭淚如泉湧，緩緩伸手，摸出一方白絹，拂拭著玉蘭臉上的汗水。

原來那玉蘭雖被蕭翎點了數處大穴，口不能言，身不能動，但縮筋之苦，並未消失，只疼得香汗淋漓。

金蘭一咬玉牙，伸手又點了玉蘭的暈穴，緩緩對蕭翎說道：「三爺，賤婢實是該死，願聽三爺的責罰。」

蕭翎怔了一怔道：「金蘭，你這話是何用心？」

金蘭道：「大莊主來過了，只是那時三爺因失血過多，疲勞過甚，暈過未醒……」

蕭翎低頭望了傷處一眼，道：「我這傷口上的敷藥，可是大莊主為我敷的嗎？」

金蘭黯然說道：「大莊主把三爺扶入了馬車之中，替三爺敷上了藥物，但也替三爺結下了無數的大仇血債。」

蕭翎奇道：「結下了什麼深仇？」

金蘭道：「大莊主隱身在車篷之中，不知施用的什麼武功，連傷了九個迫近馬車的武林人……」

蕭翎接道：「你都看到了嗎？可知他們傷的如何？」

金蘭道：「聽那慘叫之聲的短促淒厲，只怕那些人難以再活了。」

蕭翎雙目中暴射出冷厲的寒芒，怒聲說道：「大莊主哪裏去了？」

金蘭道：「大莊主連傷了追兵之後，喝令妾婢停車，再三警告妾婢，不得把他到此之事，說給三爺知道，然後飄然而去……」

蕭翎緩緩接道：「我怎的一點都不知道呢？」

金蘭道：「大莊主扶三爺上車之時，順手點了三爺幾處穴道，三爺自然是不知道了，但更重要的是，這輛篷車，已然成了江湖間仇恨和凶殘的標誌，咱們如若乘此車趕路，不知要招惹多少麻煩……」

蕭翎長長歎息一聲，接道：「我知道你想要棄車而行，以避人耳目，逃過攔劫，但此事關係太大，我們如易裝棄車而逃，或可避開人們的耳目和追蹤鐵蹄，但此後只怕永難解說清楚了！」

金蘭道：「人無遠慮，必有近憂，目下的誤會，恐已非三爺口舌所能解釋，妾婢之意只是暫避敵鋒，日後再行設法……」

突聞蹄聲得得，傳了過來。

金蘭駭然震動，急急說道：「有人來了，咱得快些走了。」伸手打開車簾。

蕭翎道：「來不及啦……」

語聲未落，突聽嗤的一聲，一道寒芒，穿過車篷而入。

蕭翎一皺眉頭，伸手接住了飛來暗器。

金蘭低聲說道：「三爺，車中地方狹小，閃避不易，不如到車外去吧！」

蕭翎道：「好！你好好的照顧著兩人，別讓她們受了暗算。」

躍出馬車，抬頭看去，只見兩匹健馬，勒韁站立在七、八尺外。

當先一人方臉虎目，滿臉紅光，身著天藍長衫，胸垂花白長髯，正是那八手神龍端木正。

緊傍他身側，站著個全身青衣，面目姣好，端莊嚴肅的青衣少女，背上斜斜插著一柄長劍。

蕭翎目光一掠兩人，拱手說道：「原來是端木大俠……」

端木正冷冷接道：「冤家路窄，今日又叫咱們碰上了！」

蕭翎微微一笑，道：「兩位苦苦追蹤在下，不知爲了何故？」

端木正冷冷說道：「不用我們費心動手，自會有人前來找你算帳……」

回顧了那青衣少女一眼，接道：「雪兒，咱們走吧！」一帶韁繩，撥轉馬頭奔去。

那青衣少女應了一聲，拍馬緊追端木正身後而去。

只聽旁立身側的金蘭柔聲說道：「三爺，咱們趕路吧！」

蕭翎長長吁一口氣，道：「唉！那八手神龍端木正，定然趕來瞧瞧我的傷勢如何，金蘭，看來咱們前程的險阻一定甚多。」

金蘭心中忖道：何止是險阻甚多，你不肯棄車易裝而行，只怕是永無清靜之時……口中卻柔聲應道：「吉人天相，似三爺這般正人君子，必獲上天垂顧。」

金蘭一抖韁繩，馬車又向前奔去。

行約兩、三里路，忽聽幾聲馬嘶，四匹駕車的長程健馬，一齊倒摔在地上死去。

金蘭呆了一呆，道：「三爺，四匹馬都已受了暗算，一齊倒斃了。」

其實不用她說，蕭翎已然下了馬車仔細查看了一下，歎道：「四匹馬都中了淬毒暗器，毒發而死，只是那暗器十分細小，當時咱們未能查覺。」

金蘭道：「可是那端木正施用的手段嗎？」

蕭翎道：「大概是他了……」

金蘭忽的嫣然一笑，道：「這樣也好，迫著三爺棄車易裝。」

蕭翎道：「事情絕不是你想得那樣簡單，只怕他們早有所謀。」

餘音未絕，突然一聲厲嘯傳來。

蕭翎抬頭看去，只見正南里許，除有一座莊院之外，極目力不見人家，那厲嘯聲，就從那座莊院中傳了過去。

蕭翎沉吟了一陣，道：「你背起玉蘭，我提著車中存物，先找出可避風雨的所在，安頓下兩人，咱們再行設法……」

金蘭遙望著里許外的莊院，道：「咱們可是要趕到那莊院中嗎？」

蕭翎道：「你可曾聽得適才那長嘯聲嗎？那嘯聲就是要引起咱們的注意……」

金蘭道：「是啦！他們故意布下陷阱，誘使咱們上當。」

蕭翎苦笑一下，道：「此刻咱們已步入殺機的包圍之中，由那四匹健馬的倒斃，可以斷言，那些人已經不和咱們講什麼武林規矩，準備不擇手段的對付咱們，從此刻起，要特別小心，咱們隨時都可能受人暗算。」

金蘭沉吟了一陣，道：「三爺一人走吧……」

蕭翎接道：「你們呢，怎麼辦？」

目光轉動，突然發現一里外一棵大樹下，孤立著一座茅舍，當下說道：「先到那座農舍中去，安頓下兩人再說。」當先放步行去。

金蘭揹著玉蘭，牽著唐三姑，走在前面。

蕭翎提著兩具木箱，隨後而行。

那唐三姑似是武功全失，舉步行進之間十分緩慢，里許路途，足足走了一頓飯工夫之久。

這是孤立農舍，建築在一株奇大的榕樹下，古樹茂枝，蔭地有半畝大小，農舍就緊傍著那大樹身而築，大約是終年不見陽光所致，農舍四周的磚壁上，生滿了青苔。

兩扇木條編成的柴扉，半掩半閉，但卻靜得聽不到一點聲息。

蕭翎重重地咳了一聲，道：「有人嗎？」

農舍中傳出來一個蒼老的聲音，道：「什麼人？」

蕭翎道：「在下路過貴地，兩位隨行女眷，不幸染上小病，想借貴府暫息片刻，不知可否見容？」

柴扉緩啓，慢步走出一個雞皮鶴髮老媼，手握竹杖，緩緩說道：「荒地茅舍，不足以迎貴賓，客人如不嫌棄，那就請進來吧！」

蕭翎心中一動，暗道：這老媼言語文雅，頗似位讀過詩書之人……

心中念轉，口裏卻連連應道：「多謝婆婆。」當先走了進去。

這農舍不過兩間大小，除了一間客室之外，還有內室，中間用竹籬隔開，門口處，垂著一方藍布簾子。

靠後壁一張白木方桌上，放著一個大瓦壺，兩個粗瓷的白茶碗。

那老媼望了金蘭背上的玉蘭一眼，搖動著滿頭白髮，道：「在家千日好，出門時時難，客官不要客氣，要什麼儘管吩咐老身。」

蕭翎微微一笑，道：「咱們休息一會兒就走，不敢勞動婆婆大駕。」

那老媼又仔細打量蕭翎和金蘭一陣，道：「我已年邁體衰，不能奉陪諸位了。」手扶竹杖，緩步走入了內室。

蕭翎望著老嫗的背影，心中暗暗忖道：這老嫗不似出身荒村的人。

忽聽一個沉重的聲音，傳了過來，道：「錢大娘在嗎？」

室中傳出老嫗的聲音，道：「找老身有何見教？」

蕭翎凝目望去，只見一個身著勁裝的大漢，遙站在農舍的大門以外，抱拳說道：「在下奉了主人之命，有要事稟告老前輩。」

內室中傳出了錢大娘的聲音道：「老身今天精神不好，家裏又有貴賓，今日不見客，有事改天再說吧！」

那勁裝大漢道：「事情十分緊急，必得……」

錢大娘怒道：「老身今天不見客，你聽到沒有？」

那勁裝大漢道：「這事和你老人家室中客人有關，無法等待。」

他一連叫了數聲，再不聞錢大娘答話。

蕭翎憤然站了起來，低聲對金蘭說道：「那人既是要找咱們，我先去問個明白。」正待舉步而出，突聽那大漢驚呼一聲，回頭狂奔而去。

內室中又傳出錢大娘的聲音，道：「不識時務的東西，給臉不要臉，敬酒不吃吃罰酒。」

金蘭低聲說道：「三爺，那位婆婆是一位隱居荒山的高人。」

蕭翎點點頭，默不作聲。

只聽錢大娘繼續說道：「幾位只管放心的休息吧！不過，諸位也不能常留在此地不走，兩個時辰之內，必須得離開此地，不過兩個時辰已經是夠長了，不論是療傷或調息，都已經夠用了！」

蕭翎天生傲骨，當下接道：「老婆婆儘管放心，我等絕不至拖累老婆婆就是，不用兩個時辰，在下等立刻就要上路。」

金蘭哪裏還敢多開口，揹起玉蘭，牽著唐三姑，緊隨蕭翎身後行去。

忽見軟簾啓動，衣袂飄風，那錢大娘突然現身，當門而立，攔住了去路，冷冷說道：「慢著！」

蕭翎暗中提氣戒備，道：「老婆婆有何見教？」

錢大娘笑道：「幾位就這樣走嗎？」

蕭翎道：「那要怎麼一個走法……」

錢大娘微微一笑，道：「留下東西再走！老身這茅廬中，從來不白白接待客人。」

蕭翎暗中忖道：看來今日之局，不動手，是無法離開此地了，想不到這荒涼的所在，竟然也會住著這樣一位喜怒無常的武林高手。

當下暗中一提真氣，放下手中木箱，道：「不知老婆婆想要在下留下何物？」

錢大娘道：「嗯！看樣子你是想和老身動手了？」

蕭翎道：「形勢迫人，在下雖有息事寧人之心，也是無法如願。」

錢大娘道：「初生之犢不怕虎，你這小娃兒的豪勇之氣，倒是可嘉的很……」

語聲微微一頓，道：「接我三掌，不論你用什麼法子，封架閃避均可，只要你能毫無損傷的躲了開去，就放你們上路！」

蕭翎細想日來的際遇，心中就不禁怒火高漲，冷笑一聲，道：「只要老婆婆劃出道子來，在下是無不奉陪。」

錢大娘笑道：「老身一向喜歡有風骨的英雄人物，小娃兒，你不錯。」言笑聲中，右手呼的一掌，劈了過去。

蕭翎右掌一翻，迎了上去，不閃不避，硬接一掌。

但聞砰的一聲輕震，兩人都站在原地未動。

錢大娘咦了一聲，右掌一收，但又迅快地劈了出來。

蕭翎暗中咬牙，右掌一揮，竟又硬行接下一掌。

錢大娘肩頭搖動，全身晃了兩晃，蕭翎卻不自主地退了兩步。

金蘭轉目望向蕭翎，只見他神色平靜，毫無受傷之徵，心頭一寬，長吁一口氣。

錢大娘臉上的笑容，卻已消失，舉起的右掌也遲遲不敢劈出，顯然這最後一掌，仍無把握能夠擊敗蕭翎，不敢再貿然出手。

但見她緩緩收回舉起的掌勢，冷冷說道：「你是什麼人的門下？」

蕭翎道：「家師未立門戶，姓名恕難奉告。」

錢大娘目中厲芒閃動，怒聲喝道：「好狂放的小娃兒，可敢再接老身一掌？」右手一揚，又全力劈出。

蕭翎道：「有何不可？」右掌一舉，迎了上去。

雙掌接實，響起了一聲大震，蕭翎被那強猛的掌力，震得眼前金星亂閃，一連退了四、五步，錢大娘也是站立不穩，身不由己地向後退了三步。

錢大娘身子一側，讓開門戶，道：「請吧！」

蕭翎提起兩具木箱，大步出了柴扉，只見四、五丈外，站著兩個全身勁裝，背插單刀的大漢，虎視眈眈，凝注著蕭翎。

金蘭緊行一步，追上蕭翎，低聲說道：「三爺，那兩個人似在等候咱們。」

蕭翎道：「那假冒我蕭翎之人，能在武林中享有盛名，是因爲他下手毒辣，殺人太多了，所以人人都敬他、畏他，不敢惹他，如若他們要迫得我們無路可走，我蕭翎也只好殺些人給他們瞧瞧了！」

金蘭心知日來際遇，已使他蒙受了太多的委屈，玉蘭和唐三姑毒性發作在即，又使他心中充滿了焦急，這委屈和焦急，已在他胸臆間孕育成了一股怨恨，怒從怨恨起，大有不計後果，放手大幹之意，不禁心頭微凜……

這是沈木風期望的事，他千方百計，替蕭翎造出了重重障礙，其用心就是要把他迫擠的悲忿交集，失去理性，逞一時豪氣快意，造成一次殺劫，鑄就終身難回之錯，以便爲己所用……

只聽一聲斷喝道：「閣下可是那百花山莊中的三莊主嗎？」

蕭翎霍然放下手中木箱，冷冷說道：「是又怎樣？兩位有何見教？」

那左面一人說道：「三莊主一路行來，連殺了九位武林高手，好煞氣啊！好煞氣啊！」

蕭翎目光一掠兩人，看衣著神態，都不像江湖上有名人物，不過是人的屬下而已，但竟對自己這般無禮，不禁心生怒意，目中冷芒暴射，道：「兩位可是不怕死嗎？」

右面大漢縱聲大笑，道：「咱們自知武功非你之敵，不過，我們是奉了主人之命，來告訴三莊主一件事情。」

蕭翎道：「兩位請說，在下洗耳恭聽。」

左面大漢接著道：「我家主人設下了一席酒宴，叫我等來問你一聲，敢不敢前往赴宴。」

蕭翎還未開口答話，那大漢又搶先接道：「你們百花山莊可以做事不擇手段，事事以詭計暗算傷人，但我們卻不屑如此，如是你三莊主不敢赴會，那也悉聽尊便，只是從此之後，我們以牙還牙，也將用你們百花山莊的手段，對付你了，先此通知……」

蕭翎還劍入鞘，朗朗接道：「有勞兩位帶路，在下極願一會貴主人。」

那兩個大漢似是未料到蕭翎會選擇赴會一途，不禁一怔，相互望了一眼，說道：「三莊主倒不失豪雄氣度，我們兄弟先走一步帶路了。」

兩個大漢當先帶路，行約七、八里後，折轉向一座雜林之中。

金蘭突然快行兩步，緊傍蕭翎身側，低聲說道：「但望三爺多多忍耐一些，不難辯明真相……」

只聽帶他的大漢高聲說道：「百花山莊三莊主，應邀赴會前來。」

蕭翎抬頭望去，只見一片空闊的草地上，站著一位約四十上下、虬髯繞頰的大漢，虎目生光，神威凜凜，當下一挺胸，大步走了過去。

兩個帶路大漢，身子一側，讓開了去路。

蕭翎直入草坪，放下手中木箱，抱拳說道：「在下應邀而來，敢問主人何在？」

那虬髯大漢自蕭翎現身之後，兩道炯炯的目光，一直不停在蕭翎身上打量，直待蕭翎抱拳相問，才收回目光，抱拳答道：「就是區區在下，聽你口氣，就是那百花山莊的三莊主了？」

蕭翎道：「蕭某應邀而來，不知閣下有何見教？」

虬髯大漢突然縱聲大笑，伸出手來，疾向蕭翎右腕抓去，口中朗朗說道：「三莊主這等丰神俊貌，卻有著毒辣心腸，當真是人不可貌相！」

蕭翎右手一揚，五指反而向大漢手上扣去，兩人雙手觸握，寂然無聲，良久之後，那虬髯大漢才放開了蕭翎右手，讚道：「三莊主好俊的功夫！」

蕭翎道：「過獎，過獎，請教兄台大名？」

虬髯大漢道：「兄弟步天星。」

兩人雙手一握之下，彼此惺惺相惜，敵意大減。

蕭翎道：「步兄派人邀約兄弟來此，不知有何指教？」

步天星道：「有幾位武林朋友想見三莊主，兄弟自然也是其中之一……」

蕭翎目光環掠四周，不見一個人影，接著道：「不知是何許人物？」

步天星道：「兄弟自當替三莊主引見……」

舉手一招，東面林木中，緩步走出一個月白僧袍，年約五旬，方面光頭的和尚。

步天星指著那和尚說道：「這位大師就是少林門下的智光大師。」

蕭翎一拱手，道：「久仰，久仰。」

智光合掌喧了一聲佛號，還了一禮。

步天星舉起雙手，互擊兩掌，南面林木中大步走出來一個身材魁梧，虎背熊腰的大漢，白髯垂胸，背上揹了一對日月青鋼輪。

此人留給了蕭翎極深的印象，一見之下，立刻認出，口齒啓動，欲待出言招呼，突然心念一動，又強行忍了下去。

步天星指著那大漢說道：「這位是楚崑山楚大俠，人稱聖手鐵膽。」

蕭翎一抱拳，道：「楚大俠，在下蕭翎。」

楚崑山道：「久聞大名，今日有幸一晤。」

蕭翎暗暗忖道：這人不但迂腐頑固，且毫無心機，我報出了自己姓名，他竟是聽而不聞。

廿三　百口難辯

要知五年之前，蕭翎只不過是身罹絕症、弱不禁風的孩子，也初隨岳小釵行走江湖，處處新奇，見過的人和物，無不留下深刻的印象，但別人卻未必就記得他了。

但聞掌聲三響，西方林中，緩緩走出兩人，當先一個身著袈裟，滿沾油污，一臉油光，身後揹著一個奇大的鐵葫蘆，光禿禿的大腦袋。

緊隨他身後，卻是一個身穿百綻大褂，足著草履，手中提著一只大鐵鍋，蓬髮垢面的叫化子。

步天星指著兩人說道：「這兩個是當今江湖上，人人敬仰的風塵奇客，酒僧、飯丐。」

蕭翎欠身一禮，道：「久聞兩位大名了！」

步天星雙手高舉互擊四響，正北方林木中，緩步走出來一個花白長髯的老者，架著一根李公拐，跛著一條左腿，正是蕭翎在百花山莊中見的那跛俠常大海。

在他身後，緊隨著兩個人，一個三旬左右的大漢，一個二十上下的少年，這兩人手中的長劍，都已出鞘，四目中暴射出仇恨的怒火，凝注著蕭翎。

蕭翎一見這師徒三人，心中不禁一跳，暗道：這三人被逐出了百花山莊，心中對我記恨極深，如若有這三人從中作證破壞，今日只怕很難解說得清楚了。

跛俠常大海果似還記著舊恨，不等步天星引見，搶先說道：「三莊主別來無恙，不知是否還記得我們師徒三人？」

蕭翎道：「跛俠常大海，常兄，兄弟豈能忘……」

常大海冷冷接道：「月前，三莊主在那沈木風庇護之下，把咱們師徒三人逐下望花樓，那份煞氣、威風，咱們師徒是至今難忘。」

蕭翎淡淡一笑，道：「貴師徒誤會極深，看來不是口舌所能解釋了。」

常大海朗朗笑道：「我常某如耳中聽聞，還可說傳言失實，但我是親目所見，難道還會瞧錯了人不成。」

蕭翎只覺心中湧起了千言萬語，一時間卻又不知從何說起，長長歎息一聲，默然不言。

步天星道：「幾位既是相識，那也不用在下引見了……」語音微微一頓，接著道：「咱們今日請三莊主來此赴約，並無酒筵款待，只是請問三莊主幾件公案，如何了斷。」言詞口氣咄咄逼人。

蕭翎精神一振，道：「諸位儘管請問，蕭翎知無不言，言必由衷。」

智光大師合掌喧了一聲佛號，道：「三莊主適才連斃九名高手，老衲一位師侄，也傷亡在三莊主的手下，這只怪他學藝不精，生死原不足惜，但不知三莊主為了何故，施下毒手，取了他的性命？」

蕭翎輕輕咳了一聲，還未想出適當的措詞回答，忽然楚崑山高聲接道：「三湘老漁翁，為人謙和，江湖上誰不敬他、重他，和你何仇何恨，你竟施展絕毒暗器，傷了他的性命，這個仇楚某人如不代他報了，三十年交往之情，豈不是盡付流水，難免受天下英雄恥笑。」

一字一句都如鐵錘錘下去一般，敲打在蕭翎的心上，但感腦際一片紊亂，說不出一句話來。

飯丐探手從腰中間掛的大布囊中，抓出一把飯來，放入口中，說道：「神行追風客，和咱們酒僧、飯丐號稱風塵三友，你把他打得氣息奄奄，咱們要不替他報仇，別人豈不說咱們風塵三友怕了你們百花山莊。」

蕭翎只覺胸中熱血沸騰，難以自己，高聲接道：「住口！你們憑什麼認定那些被殺之人，就是我蕭某所殺？」

步天星淡淡一笑，道：「那些人緊追在三莊主馬車之後，不是你，還會是旁人不成？」

蕭翎只覺腦際轟然一震，道：「你看到了？」

步天星臉色一變，舉手一揮，道：「抬上二爺的屍體。」

但聞林中應了一聲，兩個大漢抬著一具屍體急奔了過去。

蕭翎凝目望去，只見那人雙目圓睜，嘴角間隱見血跡，僵硬的臉上，怒意仍存，大有死不瞑目之概。

步天星悲憤地接道：「我這位義弟，生性最是慈善，和我這嫉惡如仇的性格剛好相反，想不到他這般善良之人，卻落得這般下場，難怪他死難瞑目了！」

蕭翎揮手說道：「步兄……」

步天星此刻已再難抑心中悲憤之情，厲聲說道：「我在他身後三、四丈處，眼看他追近馬車後，倒了下來，難道還是假的不成！」

蕭翎只覺心頭激跳，有口難辯，急得大聲叫道：「他們雖是爲追那乘馬車被殺，但兇手卻非是我蕭某……」

步天星怒道：「事實俱在，你還要這般狡辯，只可惜當時我爲義弟之死太過傷痛，未能追上那馬車，抓你出來。」

蕭翎怒聲喝道：「你們這般不問真相，不分皂白，一口咬定了我，那是逼我……」

金蘭突然接口說道：「三爺，真金不怕火，你不用太急，慢慢的給他們說個明白。」

酒僧半戒冷然一笑，道：「你是什麼人？」

金蘭道：「我叫金蘭，你們這些自負爲俠義道上的人物，竟然都是這般糊塗的人！」

楚崑山吼道：「你說哪個糊塗？」

金蘭道：「我說你們所有的人，自然是連你也算在內了！」

楚崑山聽她聲音尖長，自信必是一個女孩子，只是穿著男裝，縱身一躍，飛了過來，接道：「好男不跟女鬥，老夫是何等身分，豈肯和你一般見識。」說罷返身一躍，又退出一丈開外。

步天星舉手一揮，立時有兩個黑衣大漢奔了過來，抬下屍體，他刷的一聲，拔出背上的一管銀笛，冷冷說道：「不論你用的什麼手段暗器，但能連續傷亡了九名高手，那也足證高明，我步天星願先領教高招。」

蕭翎反腕抽出長劍，冷冷接道：「既非口舌能夠解說清楚，只有先在武功上分個高低再說。」

步天星強忍心中激憤，早已迫不及待，銀笛一振，道：「接招！」疾揮一笛，點了過來。

蕭翎長劍疾起，「起鳳騰蛟」，這出手一劍，守中寓攻，封開了步天星的銀笛，反腕削了過去。

步天星縱身讓開，長嘯一聲，揮笛反擊，但見銀光流動，漫天笛影，直罩過來。他心中悲痛，一出手就全力搶攻。

蕭翎長劍振起，迎住來勢，展開了一場惡鬥。

步天星的笛法，攻勢發動之後，一招緊接一招，綿綿不絕，其間毫無懈怠，使敵人沒有反守爲攻的機會，原是極爲厲害的一套笛法，尋常之人很少能夠接卜三十招。

但可惜他遇上了蕭翎，使這凌厲的笛法，威勢大減。

原來蕭翎從那莊山貝學劍，兼得天下各派心法，最是善於應變，忽而使出武當絕學，忽而是青城絕招，劍路之廣，變化之奇，立即把步天星的笛勢，化解於無形之間，只看得四周觀戰群豪，個個心中震動，想不出他如此年紀，怎生涉獵如此之廣。

轉眼之間，雙方已交手三十餘回合。

蕭翎突施一劍「春風化雨」，逼開笛勢，說道：「在下已領教了笛法，也不過如此而已，當心我要反擊了。」

話方落口，劍勢已變，寒芒旋飛，銀星暴射，凌厲絕倫地反擊過去。

步天星緩了一緩，已然失去先機，但覺蕭翎劍勢如潮，山湧而到，不禁心頭大駭，暗道：此人能在不足半日之中，連斃了九名高手，果然有非常的身手……

忖思之間，突覺四面潮湧而來的劍氣，忽然消去，所感受的壓力大減，不禁心頭一喜，正待運笛反擊，瞥見寒芒一閃，那漫天劍氣，朵朵銀花，突然間合而為一，當胸刺到，趕忙舉起手中銀笛，斜往上撩，銀笛一觸長劍，突然大喝一聲，一股強猛的內勁反向長劍震去。

原來，他和蕭翎動手幾招之後，已發覺在招式變化上難以勝過對方，這唯一的可勝之機，就是憑藉數十年深厚的內力，反震對方的長劍脫手……

他想得雖是不錯，但事實卻大出他意料之外，內力彈出，蕭翎長劍並未脫手，反而黏在銀笛之上，疾向下面沉落。

這正是上乘劍術中黏、滑二訣的運用，先以陰柔之力，承受下步天星那強猛的反震之力，劍勢卻順笛而下，找上了步天星的握劍右腕。

形勢匆急，步天星來不及多轉念頭，右手一鬆，銀笛脫手落地。

蕭翎疾退兩步，卸去承受下的力道，說道：「承讓，承讓。」

步天星面如死灰，黯然說道：「三莊主劍術精博，在下不是敵手。」

跛俠常大海一順手中鐵拐，道：「勝敗乃兵家常事，今日既非比武定名，敗而何憾，步兄請退下休息，兄弟領教領教他的劍術。」

語聲未落，人已撲了過來，鐵拐一揮，一招「橫掃千軍」，攔腰擊到。

蕭翎聽那掄動鐵拐中，挾帶著呼嘯的風聲，不敢用長劍硬接拐勢，閃身避開。

常大海欺身迫近，鐵拐如狂風驟雨，迫攻過去。

蕭翎振起精神，長劍幻起朵朵銀花，尋空抵隙，迫使他拐勢不能近身。

常大海久走江湖，對敵經驗是何等豐富，眼看蕭翎不敢封架自己的拐勢，立時把一支李公拐的威勢，全部發揮出來，拐拐挾著強猛的內力，帶起了呼嘯的風聲。

轉眼之間，兩人已交手五十餘回合。

蕭翎被那急如風雨的拐勢，迫得向後退出了六、七尺遠。

常大海雖然佔盡優勢，但他心中明白，蕭翎只是被自己這威猛的拐勢唬住，不敢以長劍接拐勢，是以才節節退避，如讓他想出破解之法，施展出進逼步天星銀笛出手的黏、滑二訣，就不難反賓爲主，奪回先機，必得設法在他尚未醒悟之前，把他傷在拐下。

蕭翎雖是節節退避，但他門戶封守的謹嚴，劍路之廣博難測，卻使那常大海尋不出可乘之機。

常大海求勝心切，五十餘招仍然找不出蕭翎的破綻，不禁心中焦急起來，心中念頭輪轉，忖思求勝之道，手中的拐勢不覺一緩。

就這一緩，觸動了蕭翎靈機，長劍突施一招「天河倒掛」，劍尖顫動，幻起了兩朵劍花，斜刺入了常大海拐影之中，左手卻呼的劈出一掌。

強猛的掌力，逼住了常大海的拐勢，劍化「迴風絮柳」，左右點出。

常大海門戶大開，眼看劍勢點到，鐵拐卻收不回來，只好向後退去。

蕭翎一掌一劍，扳回劣勢，靈智頓開，如影隨形般，疾欺而上。

常大海繞場疾走，奔行了三、四丈遠，仍無法甩開蕭翎那指向前胸的劍勢，心知生望已渺，長歎一聲，停下腳步。

兩個隨在常大海身後而來的仗劍少年，齊齊虎吼一聲，一左一右地揮劍撲了上來。

這兩人都是常大海的嫡傳弟子，眼見師父將要傷死在蕭翎劍下，心中又痛又急，飛身一擊，各出了畢生功力，兩柄長劍，劃起了兩道森寒的劍氣。

但見蕭翎健腕翻揮，手中長劍左右搖擺，錚錚兩聲，彈開兩柄襲來長劍，人卻仍然站立原地，臉色肅然，俊目放光。

群豪凝神望去，只見常大海前胸處，衣衫破裂了三寸長短一道口子，人卻毫髮未傷。

跛俠常大海睜開雙目，黯然一歎，道：「罷了，罷了！咱們師徒還有何顏立足江湖……」

揚手一掌，反向天靈要穴劈去。

兩個仗劍大漢，料不到師父有此一著，眼看他反掌自絕，竟是救援不及。

驚愕之間，突見人影一閃，蕭翎左手閃電而出，後發先至地拂在了常大海腕脈之上。

常大海揚起自絕的一條手臂，突然間不聽使喚，軟軟地垂了下來。

智光大師高喧一聲佛號，緩步走了過來，說道：「勝敗乃是兵家常事，武林中從沒有常勝之人，常大俠也不用太過激動。」

常大海道：「身受強敵相救，此辱日後如何能報？」

蕭翎緩緩接口道：「不論哪年哪月，只要我蕭某人還活在世上，常大俠隨時可雪今日之辱！」

常大海厲聲喝道：「我常大海縱有能雪得今日之辱，也必得先饒你一次性命。」一頓鐵拐，陡然躍出一丈多遠，大步而去。

蕭翎望著師徒三人消失的背影，心中暗暗歎道：此人對我誤會如此之深，真不知如何才能解釋？

只聽智光大師說道：「阿彌陀佛，三莊主劍路之博，變化之奇，實為老衲生平僅見，那就無怪能在半日間連斃九名武林高手，老衲不揣冒昧，還想領教一、二。」

蕭翎道：「大師空門俠隱，世外高人，只怕在下難是敵手。」

智光道：「老衲自知勝望渺茫，三莊主請亮劍出手吧！」

蕭翎心知今日之事，已非口舌能解說得了，也不再客套，長劍一領，「天風振袂」，眨眼間幻起三點寒芒，分襲智光三處大穴。

智光沉聲喝道：「好劍法。」袍袖揮拂，掃出一股潛力，逼住劍勢，呼的一聲，當胸劈下。

蕭翎長劍斜裏兜回，封住智光掌勢，道：「大師且慢動手。」

智光道：「三莊主還有何言見教？」他連敗了步天星和常大海後，已使在場之人，不敢再輕視於他。

蕭翎右手一翻，長劍入鞘，抱拳說道：「大師既是不願動用兵刃，在下亦以赤手奉陪。」呼的一掌，推了出去。

智光運起功力，揮掌硬接一擊。

雙方掌力接實，響起一聲砰然大震，蕭翎心神一蕩，道：「大師好雄渾的掌力。」施展開連環閃電掌法，連綿搶攻。

智光接下蕭翎一掌，心中也是一震，暗道：此人這點年紀，內功卻這樣精深，若假以時日，那還得了……

忖思之間，蕭翎已攻出一十六掌，出手之快，當真如驚雷驟發，迅電奔至，智光大師被這一輪快速絕倫的連環迫攻，逼得連退四步，大有應接不暇之感。

酒僧半戒低聲對飯丐說：「臭要飯的，看上去這小娃兒確實有點門道，只怕那大和尚難得勝他。」

談話之中，忽見智光大師奮力反擊，呼呼兩聲，穩住了劣勢。

這是一場罕見的惡鬥，四掌交錯，丈餘內潛力激盪。

蕭翎的掌勢以快速見長，一掌攻出，第二掌緊隨攻到，有如十八隻手掌一齊攻出般，看得人眼花撩亂。

智光大師卻是以掌勢雄渾見長，門戶封閉得謹嚴無比，任蕭翎攻來掌勢千變萬化，乘風狂飆，但始終無法突破智光大師的防守之勢。

不大工夫，雙方已交手一百餘招，仍是不勝不敗的局面。

在這一百餘招的惡鬥之中，蕭翎攻多守少，智光卻守多於攻。

突聽智光大師高道一聲佛號，突然反守爲攻，左掌右拳，交相攻出。

飯丐微微一笑，道：「酒和尙，你瞧出苗頭沒有，那智光施出壓箱底本領了。」

酒僧半戒道：「他拳掌互攻，卻使出了兩種大不相同的力道。」

飯丐道：「不錯啊！他右掌雖然用的十八羅漢掌法，左手卻是用的少林七十二種絕技之一的先天性功拳，一招攻勢之中，剛柔互濟，只怕那小子支撐不久了！」

半戒道：「那小子掌法有點怪異，似是絕傳江湖的連環閃電掌，昔年南逸公南大俠，挾此舉世無匹的掌法，打遍了南七北六一十三省，極一時盛名……」

兩人說話之間，場中形勢已然大變，智光大師因使出了少林鎭山之藝，先天性功拳後，果然扳回了劣勢，反守爲攻。

只因他掌、拳之上，用出了剛、柔兩種大不相同的力道，勁道忽強忽軟，使蕭翎那一氣呵成的連環閃電掌法，受到莫大影響，速度大爲減緩。

這種以快速見長的掌法，勢道一緩，威力大爲減弱，攻守互易，智光大師反劣爲優。

忽見蕭翎掌法一變，左手仍然施用連環閃電掌法，右手卻施展十二蘭花拂穴手，三招不到，已把劣勢穩住。

那十二蘭花拂穴手，不但是攻勢淩厲，而且出手的姿勢，異常好看，掌指如盤網蛛，始終不離那智光大師肘穴腕脈。

飯丐眼看智光大師已勝算在握，心中甚爲高興，卻不料蕭翎掌法忽的一變，不但又把敗勢穩住，反而逼得智光處處受制，掌勢拳法，都有些施展不開，不禁臉色一變，道：「這小子果然是身懷絕技。」

語聲甫落，場中勝負已分。

兩條飛旋的人影，霍然分開。

蕭翎和智光大師，甫合又分，智光已合掌當胸，說道：「三莊主武功高強，老衲不是敵手。」

蕭翎道：「承讓，承讓。」

飯丐臉色大變，一躍而出，冷冷喝道：「好小子，果真是有兩手，老要飯的要領教領教。」舉起手中大鐵鍋，平舉在胸前。

金蘭心中暗暗忖道：不論三爺武功如何高強，也無法能勝得這麼多高手的車輪戰，似這般地打下去，終歸是必敗無疑，正待出口揭露，使蕭翎有所警惕……

哪知蕭翎已拔劍在手，道：「好！請出手吧！」

飯丐目睹蕭翎武功，連敗步天星、跛俠常大海和少林智光大師，哪裏還敢稍存半點輕敵之心，鐵鍋起處，兜頭罩了下來。

他用一口鐵鍋做爲兵刃，自創了招數變化，路子十分奇怪，蕭翎看他一鍋罩下，長劍一起，斜斜點了上去。

哪知飯丐並不避讓劍勢，鐵鍋和長劍相觸，借勢一滑，疾向蕭翎手腕之上削去。

蕭翎吃了一驚，暗道：這鐵鍋原來有如此妙用。身子疾退，腕勢下沉，險險地避開一擊，舉劍封住面門。

飯丐鐵鍋揮動，縱削橫擊，斜斬兜劈，武功自成一家，招數奇特。

蕭翎長劍凝勁，每一劍都帶起一片劍氣，飯丐攻勢雖甚怪異凌厲，但也無法勝得蕭翎，不大工夫，雙方已惡鬥了數十招。

蕭翎已然逐漸地消去驚懼，手中長劍也力圖振作，展開了反擊之勢，和飯丐相對搶攻起來，刷刷四、五劍，已把劣勢穩住。

飯丐爲一世英名，不能不出全力搶攻，以求勝得此陣，蕭翎爲了滿腹冤屈，必得勝了今日這大戰，但因飯丐那兵刃太過奇怪，看上去不倫不類，不在十八般兵刃和九種外門兵刃之內，而招術的奇怪，又令人莫測高深。

蕭翎雖然穩下劣勢，展開反擊，但一時想制服對方，卻也是力難從心。

酒僧半戒，一面不停地喝酒，一面觀戰，看兩人鬥過百回合時，突然鬆開了手中的酒壺，微現醉意的雙目，突然暴射兩道寒芒，凝注場中兩人。

這時，場中的飯丐和蕭翎，已然鬪入了將分勝敗的關頭，只見一團黑影，裹住了一道白芒，盤旋飛舞，交錯在一起，難分敵我。

突然間，黑影和白芒，同時斂收，兩人也霍然分開。

蕭翎抱劍而立，欠身說道：「多承相讓。」他心中一直念著當年酒僧、飯丐相助自己一事，對兩人十分恭敬。

飯丐呆呆地望著蕭翎，良久之後，才緩緩說道：「這是老要飯一生中第二次的挫敗，敗兵不言勇，咱們後會有期。」

緩緩轉身而去，神色間流露出無限的淒涼。

酒僧半戒高聲道：「臭要飯的不要走，瞧我酒和尚給你出氣。」舉手對蕭翎一揖，道：「小心了，我和尚也要領教。」

蕭翎道：「理應奉陪。」

酒僧半戒大步而來，行近蕭翎六、七尺處，突然停了下來。

蕭翎拳、劍平胸，道：「賓不壓主，先請出手。」

半戒道：「你要小心了……」

語音未絕，突見半戒大師一張口，一股水箭，激射而來。

那水箭尚離數尺，一股強烈的酒味，已然撲入鼻中。

蕭翎掌凝內勁，翻腕推了出去。

一股強猛的暗勁，迎向那酒箭劈去。

那酒箭吃那掌勁一擋，驟然間暴散開來，有如一蓬雨絲，籠罩了數尺方圓。

那酒箭雖被蕭翎震散，但那些散裂的雨絲，仍是沖向蕭翎。

蕭翎暗提真力，運起護身罡氣，那酒絲已近蕭翎身前半尺左右，有如遇上了一堵石牆，紛紛落下。

酒僧半戒吃了一驚，失聲叫道：「護身罡氣。」轉身疾追飯丐而去。

這時，場中除了蕭翎、金蘭和那服了化骨毒丹的唐三姑、玉蘭之外，只剩下步天星和楚崑山兩人。

那步天星敗在蕭翎手中，自是不能硬起頭皮再戰，能和蕭翎動手的，只餘下楚崑山一人。

那楚崑山為人雖是迂腐固執，但他自知論名氣，難及飯丐、酒僧，說武功，難及得上智光大師，這三人尚且敗在了蕭翎的手中，自己縱然奮起一戰，也是必敗無疑。

但形勢如此，又不能縱身而退，因為那比打敗更損聲名，只好取下背上雙輪，舉手一揮，閃動起一片青芒，說道：「老夫以雙輪領教三莊主的劍術。」

蕭翎雙手抱拳，微微一笑，道：「老前輩還識得在下嗎？」

楚崑山已然拉開架勢，準備搶攻，卻不料蕭翎和他敘起舊來，怔了一怔，收起手中雙輪，說道：「你就是近年中崛起江湖的蕭翎嗎？老夫聞你之名久矣！今日有幸一會。」

蕭翎歎道：「在下雖然也叫蕭翎，但卻不是那位名動江湖的蕭翎，請老前輩仔細的想上一想，你見過幾個蕭翎？」

楚崑山呆了一呆，凝目沉思，良久之後，突然說道：「老夫想起來了，大約五年前吧，老夫曾見過一個虛弱多病的孩子，那孩子似乎也叫蕭翎，以後，他被送上了武當山，此後就下落不明了！」

蕭翎道：「你可還記得那蕭翎的形貌？」

楚崑山道：「這個老夫已是記不清楚，隱隱之間，只記得那孩子身體雖弱，但口齒卻很伶俐，膽子很大……」

突然長長歎一口氣，道：「那娃兒和老夫談得十分投緣，可惜他身罹絕症，虛弱多病，又被捲入江湖人物的恩怨之中，受盡折磨，唉！風聞他落江而死……」

蕭翎黯然一歎，道：「多承掛懷，在下就是那昔年虛弱多病的蕭翎。」

楚崑山雙目圓睜，打量了蕭翎一陣，突然怒聲喝道：「你胡說八道，老夫是何等人物，豈是好騙的嗎？」

蕭翎知他爲人迂腐頑固，也不生氣，微微一笑，道：「五年之前，在下和老前輩被逼在一座山巔之上，在那山上還有我的岳姊姊，以後又遇上了中州二賈……」

楚崑山突然跳了起來，道：「不錯啊！你怎知道的這般清楚？」

蕭翎當下微微一笑，道：「在下就是那在場目睹的蕭翎，自然清楚了。」

楚崑山仔細地看了蕭翎兩眼，又道：「不像，不像，老夫絕不受你欺騙。」

蕭翎凝目沉思片刻，心中突然一動，笑道：「我說出一件事來，老前輩定然就會相信了。」

楚崑山道：「老夫眼睛裏，向來是不揉一顆砂子，你倒說說看，能不能使老夫相信。」

蕭翎道：「我還記得，那時在下曾拔過老前輩顎下長髯，說你生得好鬍子。」

楚崑山沉思片刻，突然跳了起來，道：「有過此事！你當真是他嗎？」

蕭翎道：「在下爲什麼要騙老前輩呢？」

楚崑山突然拋去右手的青鋼輪，握住蕭翎一隻手，道：「小老弟啊，五年不見，你竟長得這般高大了……」他口齒有些拙笨，但字字句句都說得十分真誠。

蕭翎自離師門之後，一直在險惡機詐的環境之中摸索，但覺人與人之間，充滿著險惡，此刻卻被這老人豪爽真摯的熱情感動，不禁真情激動，湧現出兩眶熱淚。

楚崑山搖著蕭翎的手，接道：「好孩子，看來這世間，當真是有脫胎換骨的靈藥了，以你那樣纖弱之軀，變得這般英俊，有如換了一個人般，別說老夫了，就是那岳小釵見到了你，只怕也不敢相認了！」

蕭翎道：「晚輩的際遇，一言難盡，以後再詳細告訴老前輩。」

楚崑山突然鬆開了蕭翎手掌，撿起地上的青鋼輪，道：「可是那沈木風改變了你纖弱的身軀，傳授你這身驚人的武功嗎？」

蕭翎接口道：「不是，晚輩這身武功，卻是際遇奇幻，想來如夢……」

楚崑山冷冷說道：「那你爲什麼要加入百花山莊？」

蕭翎道：「只怪我初入江湖，不解險惡，識人不明，才鬧出這樣一件事情，一時失足，終生抱恨，使天下武林都不恥我蕭翎的爲人。」

楚崑山輕輕歎息一聲，道：「年輕人沒有經驗，不能怪你，既知失足，應該及時回頭才是……」說至此處，聲色突轉嚴厲，大聲接道：「那爲什麼還要下那毒手，傷斃了九名武林高手，尤其是那三湘老漁翁，和老夫相交了數十年，他的爲人，謙和慈愛，從無仇家，你竟皀白不分的把他也傷在淬毒暗器之下？」

蕭翎俊目中神光一閃，一字一句地緩緩說道：「其實他們都是傷在沈木風的手中！」

楚崑山呆了一呆，道：「沈木風也來了嗎？」

蕭翎點頭說道：「來了，但他卻一直隱身在暗處，不肯出面，連傷九名武林高手，是有心要嫁禍於我。」

他回顧了金蘭一眼，接道：「如若不是她告訴我事情經過，連我也不知內情。」

楚崑山收了雙輪，右手拉著顎下長髯，輕輕地扯動一陣，目注金蘭，道：「你當真的瞧到了嗎？」

金蘭道：「目睹耳聞，一字不虛。」

楚崑山聽他聲音嬌柔，不禁一皺眉頭，道：「你究竟是男子還是女人？」

金蘭道：「小婢金蘭，女扮男裝。」

楚崑山道：「原來如此，你說說此事經過，也好洗刷蕭翎的冤枉。」

金蘭道：「那時三爺身受重傷，力盡暈倒，大莊主卻突然出現，點了三爺的穴道，扶他上車，連傷九名追蹤馬車的高手，事情經過，就是如此簡單，但說出來有誰肯相信呢？」

楚崑山手拂長髯，搖頭晃腦地說道：「老夫相信，此乃三十六計中移花接木之策，不足為奇。」此人當真是迂腐的可以，似是計出有典，大可不用懷疑了。

站在一側靜靜聽聞，始終不發一言的步天星，突然接口說道：「敗兵之將，原已無說話餘地，但在下心中有數點疑問難明，實難忍下……」

蕭翎道：「步兄有何高論？兄弟洗耳恭聽。」

步天星道：「九個受傷武林高手，已然死了八個，只餘那風塵三俠中的神行追風客，還有一口氣息未絕，此人輕功，蓋代無雙，他是當先追近馬車之人，只要他能夠說話，此事不難弄個明白。」

蕭翎急急接道：「不知他現在何處，請步兄帶兄弟去瞧瞧，或能代為效勞，療好他的傷勢。」

步天星凝目沉思了片刻，道：「這個必得酒僧、飯丐同意之後才行，兄弟難作主意。」

蕭翎知他心中仍有極深的懷疑，不再多言此事，回顧了楚崑山一眼，道：「老前輩既然相信在下之言，還望代我解說一、二。」

他一直記著南逸公的話，和人平輩論交，難得稱人一聲老前輩，但想初遇楚崑山時，自己不過十二、三歲，楚崑山已白髯垂胸，這才破例稱他一聲前輩。

楚崑山道：「老夫既然相信你之言，自是要為你解說，但你如能脫離那百花山莊，自可消除武林同道之疑。」

蕭翎道：「目下還難如此，必得先見過那沈木風之後，才能決定……」

金蘭接口道：「沈木風心機是何等的陰沉，手段是何等毒辣，三爺既已陷足於先，拔足必得等候到適當時機……」

她回顧了玉蘭和唐三姑一眼，接道：「兩位可看到了這兩個可憐姑娘嗎？」

楚崑山、步天星四道目光，一齊投注到唐三姑和玉蘭的臉上，說道：「這兩位不知是何等人物，受了什麼暗算？」

金蘭道：「一位是賤妾閨房好友，同是奉侍於三爺身旁為婢，另一位卻是武林中大大有名的人物……」

步天星接道：「什麼人？」

金蘭道：「唐三姑娘，不在西南道上走動之人，提起唐三姑，也許還無人知道，但如四川唐家，只怕天下皆聞了。」

楚崑山道：「數百年來，四川唐家一直是威勢顯赫，自成一派門戶，但不知這位唐三姑唐姑娘，在四川唐門中，是何身分？」

金蘭道：「唐姑娘得天獨厚，她是當今唐家主事人，唐老太太的嫡親孫女。」

楚崑山道：「好啊！這沈木風當真是膽大得很，四川唐家的淬毒暗器，天下有誰不知，數百年來，一直被人尊爲施暗器的泰山北斗，這沈木風竟是不把唐家看在眼中。」

步天星接道：「兩位姑娘目光遲滯，神情恍忽，似是中了迷魂藥物之類的毒？」

金蘭道：「如是中了迷魂藥物，那也不算沈木風的手段，她們服用了化骨毒丹，此刻毒性尚未完全發作，發作時的痛苦，實叫人不敢去想……」

她回目望了蕭翎一眼，接道：「蕭三爺大仁大義，俠骨鐵膽，他盡可拋棄我們不管，但他卻不忍心棄我們獨去，才落得這般下場，被武林同道視爲殺人兇手。」

楚崑山道：「這兩位姑娘服有化骨毒丹，如她們藥性發作，如何是好？」

蕭翎道：「沈木風曾經相約在毒性未發之前，送上解藥。」

楚崑山道：「沈木風的話，豈能相信，如他不及時送到呢？」

蕭翎道：「那只有走一步算一步了。」

楚崑山手拈髯尖，不住地來回走動，顯然，正在忖思著一件十分疑難的事。

金蘭突然插口說道：「大莊主隱身車中，連續斃傷了九名高手，旨在替三爺樹下許多強敵，如是天下武林同道，人人視蕭翎爲大惡不赦，逼得他無立身之地時，豈不是迫他投入百花山莊，爲那沈大莊主效命？」

楚崑山點頭道：「不錯，那沈木風用心確然如此……」

金蘭接道：「老前輩既已得悉內情，也無疑在雙肩之上，加上了一副千斤重擔。」

楚崑山愕然說道：「怎樣在老夫肩上加上了千斤重擔？」

金蘭道：「天下武林人物，人人都認爲三爺是大奸大惡的人，只有你楚大俠得悉全情，三爺是身負不白之冤，假若你不替他解釋明白，天下武林怨憤激怒，都指向三爺，處處和他爲敵，到時如是迫得他退無可退，避無可避，難免要鬧出一場殺劫，那時，血流五步，鐵案如山，天下武林同道固然可以理直氣壯地，指蕭翎爲沈木風的幫兇，但蕭三爺豈不真的被逼得效死百花山莊……」

楚崑山接道：「高論，高論，老夫自當要天涯奔走，爲蕭翎解說明白！」

步天星輕輕歎息一聲，道：「大賢大惡，無不是才絕一代之人，只怕蕭兄的善良，徒將招致殺身之禍……」語聲微微一頓，又道：「兄弟料理過義弟後事，定當追隨楚大俠的身後，爲蕭兄的清白奔告武林同道。」

蕭翎長揖到地，道：「兄弟感激不盡。」

步天星道：「蕭兄珍重，兄弟就此別過。」轉過身子，大步而去。

楚崑山收起了青鋼日月雙輪，說道：「據老夫所知，你們這次行動，已然傳揚江湖，無數的武林高手，都在向此地集結，準備合力制止一幕慘局！」

蕭翎茫然說道：「什麼慘局？」

楚崑山道：「傳言中說，百花山莊已盡出高手，由蕭翎領隊，沈木風親自督後，重出江湖，先滅四大賢，然後會合南海五凶，血洗峨嵋、青城兩大門派……」

蕭翎訝然道：「這話從哪裏說起，在下只不過回籍探親……」

楚崑山道：「話從哪裏傳出，老夫亦不知道，但事已沸揚於武林道上，酒僧、飯丐、跛俠和老夫，只不過是先到的一批而已。此行南下，荊棘正多，小兄弟要多多珍重了……」

蕭翎長長歎息一聲，說道：「欲加之罪，何患無詞，如是他們硬是不問青紅皂白，視我如十惡不赦之人，那也是沒有辦法的事。」

楚崑山道：「事已至此，還望小兄弟能多多忍耐，老夫這就別過。」也不待蕭翎答話，轉身急急而去。

蕭翎望著楚崑山急奔而去的背影，緩緩坐了下來，喃喃自語，道：「天下武林同道，皆曰我蕭翎可殺，難道我就引頸受戮不成？」

金蘭緩步行近了蕭翎身側，柔聲說道：「三爺，真金不畏火，只要三爺能忍耐一些，是非總有辯明之日，那時武林同道，都將覺得愧對三爺了。」

蕭翎苦笑一下，挺身而起，道：「縱然是旅途險惡，咱們也不能坐此以待，走吧。」

金蘭柔婉地一笑，道：「咱們的處境雖險，楚歌四面，但妾婢卻毫無畏懼之感，比起在那百花山莊中，反覺得安全多了。」

蕭翎暗道：那金蘭不過是一個十幾歲的女孩子，但她卻能不爲險惡的際遇困擾，我蕭翎堂堂男子漢，難道還不如一個女孩子不成。

心念及此，豪氣頓生，挺胸昂首，大步而行。

出得雜林，瞥見一個滿頭白髮，手執枴杖的老嫗，站在丈餘外一株大樹之下，臉色一片肅穆，雙目中暴射出兩道森寒的目光，凝注著蕭翎。

蕭翎心頭一震，暗道：這錢大娘兩目中煞氣甚重，只怕不是好兆頭……

只聽錢大娘冷漠地說道：「小娃兒，你能活著出來，真是恭喜你了……」微微一頓，冷冷接道：「不過，你也不用太歡喜，雲集於此的武林高手，一批強過一批，你剛才所經，只不過是一場開頭戲，此後的遭遇，必將較過去險惡百倍。」

蕭翎心中忖道：她這般恫嚇於我，不知用心何在？

口中卻應道：「多承相告，在下感激不盡。」

錢大娘道：「據老身所知，武林中四大賢的門下，也已趕到，此外，還有峨嵋、青城門下的高手，以及那足智多謀、擅長用毒的南山神醫。」

蕭翎道：「當真是熱鬧得很，在下如若能倖脫今日之難，日後必將登門拜謝示警之情。」

掌握。」

錢大娘冷笑一聲，道：「那南山神醫，和毒手藥王齊名武林，你武功雖好，也難逃出他的

蕭翎雖有重重疑竇，但見她冷冰冰的神情，也不願多問，淡淡一笑，道：「多承指教，在下自當小心。」

錢大娘氣得一頓手中枴杖，道：「你可知道老身爲什麼要來此告訴你嗎？」

蕭翎呆了一呆，道：「在下不知。」

錢大娘道：「此時此情，只有老身能夠救得你們四條性命！」

蕭翎一時間想不出她的用心何在，愣了一愣，道：「老婆婆難道要爲我等四人，和那天下英雄對抗嗎？」

錢大娘冷冷說道：「如若你肯答允老身一件事情，老身就設法救你們一次。」

蕭翎道：「什麼事？在下可能辦得到嗎？」

錢大娘道：「自然辦得到了。」

蕭翎凝神思索良久，仍是想不出一點頭緒，當下舉手一揮，道：「既是如此，就請老婆婆說出條件吧！在下如能答允，立即答應，如是不能答應，也不耽擱老婆婆的時間了。」

錢大娘緩緩說道：「說起來也不是什麼難事，只要把你自己借給老身，用上三天，這條件夠便宜了吧！」

蕭翎道：「什麼？借我用三天？一個活生生的人，也可借用，這倒是未曾聽聞的事。」

錢大娘一笑，道：「你不用誤會，老身所謂借用，只要你冒充一人，隨同老身參加一個宴會，宴會終結之後，還你本身面目……」

蕭翎道：「你要我冒充何人？」

錢大娘歎口氣，道：「冒充老身一位孫兒，老身這把年紀，做你奶奶，也算說得過去了。」

蕭翎心中大感奇怪，暗暗忖道：她要我冒充她孫兒三日，這倒是聞所未聞的怪事……

但聞那錢大娘接道：「那兩位姑娘毒性發作在即，你一個人武功再高一些，只怕也難兼顧她們的安全，合則對咱們兩人有利，分則是兩敗俱傷之局！」

蕭翎道：「改名易姓的事，我蕭翎是絕然不幹，但如是有利雙方，我或可考慮，但你得先說明原因何在，讓我想想才能決定。」

錢大娘笑道：「漫天要價，就地還錢，只要你心有此意，事情就好談多了，此地談話不便，請進老身那茅廬中小坐片刻如何？」

蕭翎道：「好！有勞帶路。」

錢大娘微微一笑，轉身行去。

廿四　暗施巧計

那茅廬不過里許之遙，片刻已到，錢大娘一反倨傲冷淡之態，回頭欠身肅客。

蕭翎大步而入，心中感慨萬千，這一、兩個時辰間變化之大，實叫人料想不到。

那錢大娘親自動手，替蕭翎和金蘭倒了兩杯茶，笑道：「老身這松子香蕊茶，從不敬客，吃下有補肺清神之效，兩位請先喝一杯茶，咱們再談正經事情不遲。」

蕭翎力鬥群豪，腹中早已有些飢渴，舉杯飲下，道：「老婆婆選中此地，想來是定有道理了。」

錢大娘道：「因爲這一棵數千年的老榕樹，才使老身留居陋室，十數寒暑……」

她似是自知說錯了話，不待蕭翎追問，趕忙改變話題，接道：「老身息居於此之時，有一個十八歲的孫兒，和我同住於此，兩前年，我那孫兒突然失蹤，迄今下落不明，老身本要去尋找於他，只因和人有約在先，和一件要事糾纏，無法分身找他。」

說至此處，雙目突然一紅，兩行老淚，順腮而下。

蕭翎看她思念孫兒之情，盡現於神情之間，心中忽生不忍之感，想要安慰她幾句，又不知從何說起，不禁黯然一歎。

錢大娘拂拭去滿臉老淚，強作歡顏，接道：「適才老身接到了一位故友之信，明日午正之時，要老身攜帶我孫兒，同去赴宴，但老身那孫兒已然失蹤了兩年之久，訊息全無，要我哪裏去找他回來……」

蕭翎道：「那你就據實相告才對，何用我來冒充？」

錢大娘口齒啓動，欲言又止，借勢連聲咳嗽一陣，說道：「我們昔年原是仇人，結怨極深，得以化去嫌怨，全係我那孫兒之故，如若老身不能帶孫兒赴會，定將要引起他的誤會，說不定會當場鬧的反目動手。」

蕭翎道：「在下仍是有些不解，想你們應都已是花甲以上之人，十年不見，那時你的孫兒，才不過八、九歲，你那故友何以會看重一個大事全然不解的孩子呢？」

錢大娘道：「此中情由，說來話長，三莊主如是不信，先請看過這張請帖。」右手從左袖之中，取出一張白柬，遞了過來。

蕭翎接過白簡，打開一瞧，只見上面寫道：

> 匆匆一別，轉眼又十易寒暑，無日不在思念之中，明日午時之前，有軟轎數頂登府，請乘轎來此一敘，唯望能攜帶令孫兒同來。

錢大娘輕輕歎息一聲，道：「這封函簡，明裏是請老身，其實重要的還是那最後一句，老身思前想後，只有三莊主一人最爲適合不過，因此，老身不揣冒昧，請來三莊主，坦然相商，甚望三莊主答允助老身一臂之力。」

蕭翎緩緩把函簡遞了過去，說道：「這倒是一件奇怪的事，容在下仔細考慮一下再說。」

錢大娘緩緩站了起來，說道：「好，你們商量一下，老身告辭片刻。」接過簡柬，緩步走回內室。

蕭翎回顧了金蘭一眼，道：「此事確然有些奇怪，使人有著莫測高深之感，但看那錢大娘語意懇切，又不似虛僞做作。」

金蘭凝目沉思一陣，突然壓低了聲音，道：「妾婢亦如墜入五里雲霧之中，想來，這其間定然有什麼古怪，妾婢之意，還是不要答應她的好！」

但見軟簾啓動，錢大娘啓簾而出，接道：「老身一生之中，從未求告過人，想不到這把年紀了，竟然要求人相助……」

她的聲音，聽起來淒涼無比。

但見她緩緩移動著沉重的腳步，走到了蕭翎身側，緩緩伸出右手，道：「如蒙相助，老身願以靈丹二顆相贈，以解那兩位姑娘身受之毒。」

蕭翎低頭望去，果見她掌心之中，托著一個小巧的玉瓶，搖頭笑道：「老婆婆的盛情，在下只有心領了。」

錢大娘輕輕歎息一聲，道：「三莊主不要小覷老身這兩粒解毒丹丸，此丹老身已珍存了三十餘年，乃是六十年前，譽滿江湖，被尊爲用毒之王金浩的遺物，遍天下只有老身收存兩粒，不論何等劇毒，只要服下此丹，立可解除身上毒性。那金浩雖然未立門戶，但據老身所知，眼下江湖上用毒之人，大都是承繼他的調毒之法，蕭大俠如是不信老身之言，何妨一試？」

蕭翎想到此行的險難困阻，如若能把兩人身中之毒解去，不但可減去一大拖累，且可爲己助力，再想到玉蘭毒發時的痛苦，不禁怦然心動。

回目望去，只見金蘭雙目現出一片乞求之色，顯是已爲那錢大娘的言詞所動。

但聞錢大娘說道：「蕭大俠儘管試用，如是解不了兩位姑娘身中之毒，老身願終生爲奴，聽候她們的差遣。」

蕭翎道：「老婆婆言重了。」伸手取過玉瓶，但又迅快地放了下去。

錢大娘臉色大變，道：「怎麼？蕭莊主可是懷疑老身在用詐嗎？」

蕭翎道：「那倒不是，但在下有幾句話，不得不先說明。」

錢大娘道：「老身洗耳恭聽。」

蕭翎道：「在下如答應去了，縱然是刀山劍林，也是義無反顧，只是在下得事先說明，我可以隨你赴宴，但卻不能改換姓名。」

錢大娘道：「你隨我赴會，在他心目之中，自然看你是錢家的後輩了。」

蕭翎道：「不論他們如何去想，但我卻不能親口承認。」

錢大娘道：「好吧！屆時你要聽老身的話，免得露出馬腳。」

蕭翎道：「好！」

伸手取過玉瓶，打開瓶塞，神情嚴肅地分把兩粒丹丸，送入了玉蘭和唐三姑的口中。

金蘭雙掌齊出，拍活了玉蘭的穴道。

只見玉蘭尖叫一聲，滿室滾動起來。

原來她毒性提前發作，始終未停息下來，但因穴道被點，暈了過去，雖是痛苦萬般，但始終無法叫出聲來。

此刻穴道已解，知覺盡復，再難忍受那收筋化骨之疼。

金蘭和玉蘭孤苦相依，情逾姊姊，見玉蘭此刻的痛苦尤甚過死亡，不禁黯然淚下，點點淚珠，沾濕了衣衫。

只聽唐三姑啊喲一聲，盤膝而坐的身子，突然栽倒地上，雪白的臉上，籠罩了一層黑氣，張口吐出了一片黑水。

忽聽錢大娘歎息一聲，道：「好厲害的毒藥。」縱身而起，躍落唐三姑的身側，扶起了唐三姑的身子。

蕭翎回頭看去，只見玉蘭已不再尖叫滾動，臉上也和唐三姑一般，泛起一片黑氣，張口吐著黑水。

金蘭蹲著身子，扶住了玉蘭嬌軀，右手輕輕在玉蘭背上敲打。

這轉變，是好是壞，蕭翎無法預料，只好靜以觀變。

忽覺一股奇臭味道，觸鼻欲嘔，充塞全室，蕭翎一皺眉頭，暗道：這是怎麼回事？

只聽錢大娘長長吁一口氣，道：「好了，好了。」

回目望了蕭翎一眼，接道：「她們上吐下瀉，靈丹效驗已著，你請出室，待老身替她們換件衣服。」

蕭翎心中雖是疑信參半，顧慮重重，但人卻緩步向外行去。

大約過有頓飯工夫之久，室中才傳出錢大娘的聲音，道：「三莊主，請進來吧！」

蕭翎步入室中一看，景象已然大變，只見那唐三姑和玉蘭二人並肩盤膝而坐，微閉雙目，正在運氣調息，兩人臉上濃重的黑氣，已然消退甚多。

錢大娘笑道：「老身幸未辱命，兩位姑娘的險期已過，三莊主答應老身之言，該當如何呢？」

蕭翎道：「大丈夫一諾千金，難道我蕭翎答應了，還會變卦不成？」

唐三姑突然睜開了一雙失去神采的眼睛，緩緩說道：「多謝蕭兄相救……」掙扎欲起。

錢大娘吃了一驚，急急叫道：「使不得，姑娘體內的餘毒未盡，虛弱未復，快依老身之言，靜坐調息，不可妄動。」

唐三姑已然掙扎起身，但卻被錢大娘伸過來的雙手，硬把她按了下去。

錢大娘接口說道：「兩位最好是別多講話，四個時辰之內，餘毒就可以消除了，那時兩位縱有千言萬語，也可以放心暢談了。」

蕭翎淡淡一笑，道：「這位老婆婆說得不錯，兩位得除腹內之毒，全是她賜贈的靈丹之力……」

錢大娘接道：「老身之見，三莊主最好是避開一下，也免得她們難以自禁，不言不快。」

蕭翎轉身而出，出了茅屋，倚身老榕樹下，眺望四郊景物，想到高堂雙親，不禁泛升一縷愧疚之情。父雖豁達，母愛至深，悄然離家，一別數年，音訊全無，想老母思兒之情，不知流出了多少淚水，想到感慨之處，不禁黯然欲泣。

突然間，響起了一陣鳥羽劃空之聲，抬頭看去，只見一隻健壯的白鴿，由那枝葉茂密的老榕樹中穿隙而下，略一盤旋，直向那茅屋之中飛去。

蕭翎心中一動，暗道：這錢大娘隱居於此，甚少和武林人物往還，哪來的信鴿到此呢……忖思之間，錢大娘已緩步走了出來，手中持著一張白箋，滿臉凝重之色，行近身前，緩緩把手中白箋，遞向蕭翎。

蕭翎接過一瞧，只見上面寫道：

老前輩隱息已久，何苦為人所累，結怨武林同道，見字尚望賞賜薄面，逐走蕭翎等一行四人，日落之前，望能實現，屆時晚輩縱有相護之心，恐已無相護之能了。

短短幾行草書，下面署名一個飛字。

蕭翎看見短函，長歎一聲，目光轉望著錢大娘，道：「老婆婆只不過想借重在下，冒充你那孫兒，這代價豈不太大了嗎？」

錢大娘道：「事已至此，老身也顧不得許多了，縱然和天下武林結怨，那也是無可奈何的事。」

蕭翎道：「咱們萍水相逢，承賜靈丹，在下等已感激不盡，在下之意，老婆婆也不用淌這次渾水了，由在下獨力對付，如若我幸能不死，明日午時，再和老婆婆同赴你故舊之約不遲。」

錢大娘道：「如果不幸戰死呢？」

蕭翎呆了一呆，道：「那時在下人都死了，自然無法履約了！」

錢大娘道：「正因如此，我才不希望你逞強戰死，這天下縱然還能找到像你這般可以冒充我那孫兒之人，但一時之間，也是無法尋到，爲明日那個宴會，老身必得盡我之能，保護你們的安全不可。」

左手一揮，扯去了白箋一半，放入那白鴿翼下的銅管之中，雙手一抖，白鴿振翼而去，眨眼間飛得蹤影不見。

蕭翎望著那白鴿飛得不見，才低聲問錢大娘，道：「此刻距離日落，最多不過一個時辰，強敵來犯在即，老婆婆可有什麼打算嗎？」

錢大娘沉吟了一陣，道：「眼下只有一個辦法，那就是和他們周旋一戰，但必得預做佈置，進者可攻，退者可守。」

蕭翎道：「看那飛鴿傳來書信，今宵來犯之敵，人數定是不少，咱們只有三人之力，還要分心保護兩個毒傷未癒的人，如不能安排妥當，只怕有顧此失彼之憾。」

錢大娘道：「只要咱們能設法支撐到明日午時光景，即可有援手趕到。」

蕭翎道：「你可是說那位故友……」

錢大娘接道：「不錯！」

突然間響起一陣嗚嗚之聲，遙遙傳了過來，錢大娘臉色一變，道：「好啊！他們就要發動了，咱們還未研商拒敵之策哩。」

蕭翎望望天色，道：「時限還早，爲什麼提前發動？」

錢大娘道：「想是他們看到了老身撕去那傳來書箇，心中惱怒，提前發動。」

蕭翎道：「既是如此，咱們也該有個計議才是，在下之意，老婆婆負責保護唐姑娘等安全，由在下迎上前去……」

錢大娘道：「不用講了，這法子行不通，他們人手眾多，你一人之力，如何能抵拒得住，有道是打蛇打頭，擒賊擒王，我們必得先把他們主持人物制服才行……」

語聲微微一頓，又道：「眼前我們只得三人拒敵，必得一齊出戰，布成一個三角陣勢，以這老榕樹爲點，不讓他們迫近茅屋……」

蕭翎道：「不成，三人一齊出手，固可增加一些聲勢，但那兩位體力未復的姑娘，豈不是沒人照顧了嗎？」

錢大娘道：「老身亦爲此事難作主意，如若咱們三人之力，能夠撐上一夜半日，不讓他們攻入茅屋，老身可以把她們請入我那地下習武密室之中養息，怕的是敵勢眾大，咱們自己無能支撐時，要借那黑夜掩護退走，就無法兼顧到密室中的兩位姑娘了。」

蕭翎道：「你那地下密室，可夠堅牢嗎？」

錢大娘道：「堅牢得很，不知開啓之法的人，絕難強行攻入，唯一的遺憾，就是沒有通往別處的暗門。」

蕭翎道：「在下之意，還是把兩位姑娘送入密室的好，咱們亦可無後顧之憂，專心一志的對付來犯之敵了。」

錢大娘下了決心，點頭說道：「好！咱們就這麼辦，我去把兩位姑娘移入密室。」

大約有一盞熱茶工夫之久，錢大娘帶著金蘭，齊齊走了出來。

金蘭移步行近蕭翎身旁，低聲說道：「錢老前輩那密室，堅牢無比，十分安全，縱然是他們放火燒去茅屋，也不致危害到唐三姑娘和玉蘭姊姊……」

蕭翎長長吁一口氣，道：「我擔心的就是怕他們施用火攻，你這一說，我就放心了！」

金蘭嫣然一笑，接道：「唐姑娘和玉蘭姊姊，身中絕毒，除了沈大莊主之外，世間原無可救之藥，但咱們就偏偏遇上了錢老前輩，承她慨賜靈丹，使唐姑娘和玉蘭姊姊，絕處逢生，吉人天相之言，看來並非是欺人之談，也更堅定了妾婢一片向善之心。」
突聞嗤的一聲，一支響箭破空而至。
錢大娘手中枴杖一揮，嘩啦一聲，擊落了響箭，冷笑一聲，說道：「他們就要發動了，來犯之敵，人手眾多，咱們只有三人，不宜和他們對陣相拚，老身之意，咱們各守一處方位，彼此相互接應。」
目光一轉，望著金蘭，接道：「姑娘可會施用暗器嗎？」
金蘭道：「用是會用，只是不夠精熟罷了。」
錢大娘道：「好，就請姑娘守在茅屋之中，老身和蕭莊主二人分在室外拒敵，我們以那茅室爲護守要區，不讓他們逼近。」
蕭翎道：「好吧！就依老婆婆的吩咐。」
突聞一陣流矢劃空之聲，一支長箭，電奔而來。
錢大娘枴杖一撥，竟然沒把那長箭擊落，只不過震得來勢略偏，撲的一聲，釘在老榕樹上，深入了六、七寸，箭尾的雁羽，不停地搖動。
蕭翎吃了一驚，道：「強弓長箭，勁勢竟如此凶惡，此人的內力，定甚驚人。」
錢大娘卻是見箭變色，冷冷說道：「好啊！想不到神箭鎮乾坤唐元奇他也來了！」
蕭翎道：「他用的什麼兵刃？」
錢大娘道：「一丈二尺的軟索銀錘……」

微微一頓，接道：「你遇上他時，可要小心一些，不可用兵刃打撥他射來的箭，不可硬接他的兵刃。」

蕭翎道：「謝謝指教。」

金蘭沉聲說道：「三爺小心了。」縱身飛躍而起，直向那茅屋之中奔去。

蕭翎道：「咱們先隱在這老榕樹上，查看一下他們來勢如何。」

一提氣，身子筆直而上，飛起一丈多高，左手一伸，抓住了一條軟枝，一個倒翻，身子隱入了茂密的枝葉之中。

錢大娘低聲讚道：「好俊的輕功！」枴杖點地，身子斜裏飛起，也隱入那茂密的枝葉中。

兩人不過剛剛隱好身子，兩條人影，已然聯袂奔到。

蕭翎借那枝葉間的空隙望去，只見來人年約三十多歲，全身勁裝，手中各執一柄單刀。

蕭翎低聲說道：「老婆婆，這兩位是何許人物？」

錢大娘道：「探道而來的無名小卒。」

語音甫落，又是四條人影，疾奔而到。

蕭翎凝目望去，只見那當先之人，身著天藍長衫，猿臂蜂腰，星目劍眉，手中握著一把摺扇，身後三個大漢，每人提著亮銀棍，爲首一人除手中的亮銀棍外，肩上還斜揹了一柄長劍。

錢大娘低聲對蕭翎說道：「你可識得這個人嗎？」

蕭翎搖頭說道：「不認識，老婆婆想必識得了？」

錢大娘道：「此人乃近年突起武林道上的一位年輕怪傑，他出道不足五年，已然把豫、鄂、湘、贛四省的武林人物，壓服組合起來，被擁為四省總瓢把子……」

她望了蕭翎一眼，接道：「本來老身已久年不問江湖中事，對江湖上後進人才，和人事變遷，早已不聞不問，但此人自封四省總瓢把子之後，曾經來拜會老身數次，請老身重出江湖，贊助於他，此人能言會道，說詞動人，老身幾乎被他說動，幸得我未為所動，一口回絕。……

「此後他在半年之內，連來三次，也被我拒絕了三次，但他竟然第四次還敢來找，老身被他纏得沒有辦法，只好避開不見，那時，我就隱身在這老榕樹上，暗中監視他的舉動，他竟然在我陋室門外，一等三、四個時辰之久，那實在需要常人難及的耐性……」

蕭翎聽她說了半天，仍未曾說出那人姓名，忍不住問道：「老婆婆可知道他的姓名嗎？」

錢大娘道：「自然是知道了，他叫馬文飛……」

只聽一陣宏亮的喝聲，傳了過來，道：「老前輩乃江湖上素負盛譽之人，實在犯不著為一個積惡如山，雙手血腥的惡徒，和天下武林人物作對……」

蕭翎仔細看去，那喝聲正是出自馬文飛之口。

只聽他繼續說道：「晚輩素來敬重老前輩的為人，極力約束屬下，不可侵入老前輩那榕樹為界的禁地。但此刻的形勢不同，除了晚輩之外，還有少林高僧，和天下雲集於此的武林高手，這些人都在二里外一片雜林之中休息，是晚輩再三婉言商榷，他們才肯答應，讓晚輩最後再來勸說老前輩一次。在下言盡於此，還望老前輩三思而行。」

蕭翎望了那馬文飛一眼，道：「此人既這般難纏，就由在下來對付他了。」

錢大娘道：「和他對手相搏，不但要胸羅龐雜武功，以變制變，而且還要不爲他言詞所動……」

蕭翎道：「記下了，老婆婆請自珍重……」

也不讓那錢大娘再行接言，陡然一提真氣，由那濃密的老榕樹枝葉中，飄落實地。

馬文飛目光一瞥見那蕭翎飄落實地的身法，欲言又止，右手中的摺扇平胸舉起，左手斜刺向旁邊伸出。

那排列在他身後的三個大漢，爲首一人，迅快地解下了背上的寶劍，遞了過去。顯然，他一睹蕭翎那落地身法，已知遇上了勁敵。

蕭翎打量了馬文飛一眼，緩步向前行去，直似未曾瞧見那列隊以待的陣容。

那馬文飛竟也是沉著得很，右手中的摺扇，迅快地交到了左手中，左手卻把長劍交付於右手之中，眼看著蕭翎緩步行來，也不出言喝問。

蕭翎霍然停下腳步，右手一翻，肩上的長劍已然出鞘。

馬文飛冷笑一聲，道：「閣下是誰？」

蕭翎道：「在下蕭翎。」

馬文飛道：「原來是百花山莊的三莊主，在下失敬了。」

蕭翎道：「好說好說，尊駕是豫、鄂、湘、贛的總瓢把子馬文飛了？」

馬文飛接道：「江湖草莽，難望百花山莊的項背。」

蕭翎道：「咱們素不相識，閣下為何率領屬下高手，和我蕭翎為難？」

馬文飛道：「天下武林何辜，蕭莊主何故下手屠殺，何況那九名傷亡人之中，還有在下的一位得力屬下，別說要為死者報仇的話了，單是蕭莊主在兄弟的地面上鬧事，馬文飛也不能坐視不管！」

蕭翎冷冷說道：「那百花山莊，也在你總瓢把子的地面之上，你又為何不管？若是你馬文飛果真以豫、鄂、湘、贛的總瓢把子自命，早該找上那百花山莊才對！」

馬文飛只覺臉上一燒，道：「在下之見，此刻也還不遲……」

蕭翎道：「你不過是畏懼那沈木風的威名，不敢找上百花山莊罷了……」

突然仰臉一陣大笑，接道：「其實，何止你姓馬的一人，只怕是敢於出面和我蕭翎為難的人，沒有一個敢去輕捋虎鬚，為難那沈木風了。」

但見馬文飛劍眉聳動，星目射光，怒聲喝道：「想那沈木風銷聲匿跡，深藏在百花山莊中，重出江湖，不過是近月中事，你卻認為那百花山莊是足可托身為避難之地了，馬某今日先收拾了你三莊主，再去鬥鬥那沈木風。」

蕭翎道：「只怕你連我蕭翎也勝不了！」

忽聽那三個手提亮銀棍的大漢冷冷說道：「殺雞何用牛刀，不用總瓢把子出手，咱們三人足以對付他了。」

語聲甫落，三條亮銀棍同時飛起，分由三個方位，攻向了蕭翎。

蕭翎手中長劍，突施一招「天女散花」，銀芒旋飛，劍花朵朵，人卻已從三人合擊的棍勢中一閃而出。

三條大漢眼看劍花重重湧來，心中暗生震駭，攻出的亮銀棍隨即收了回來，封住門戶。

蕭翎就在三人由攻變守的剎那間，閃出了合圍之勢，欺身到馬文飛的身前，說道：「他們三人非我之敵，在下亦不願傷及無辜，還是領教瓢把子的絕學吧。」

馬文飛看他輕輕易易地閃出三人的合圍之勢，心中亦是大感震驚，暗道：此人無怪能連傷九名武林高手，果是身負絕技……

但聞三聲大喝，連續響起，那三個手執亮銀棍的大漢，重又撲了過來，手中亮銀棍分由三個方位，點向蕭翎。

蕭翎心中暗道：敵眾我寡，必得先挫一下敵勢銳焰……

心念轉動，欺身向前，劍鋒找上那大漢握棍的右腕。

一舉之間，避讓還擊，東、北兩方位攻來的銀棍，同時落空。

正面方位上的大漢，看蕭翎竟然以手中長劍和自己銀棍相觸，心中大喜，暗道：你這是自找苦吃！內勁陡落，向外猛碰，希望一下振飛蕭翎手中的長劍。

哪知一和蕭翎長劍接觸，不但未能震飛對方手中長劍，反被長劍沾在了銀棍之上，不禁心頭大駭，愕然之間，蕭翎已然連人欺了進來，劍鋒一閃，找上了右腕。

那大漢無暇多做思慮，本能地一鬆手中銀棍。

蕭翎左手疾探而出，不容那銀棍落地，已然抓在了手中。

這時，他劍上餘力仍有，只要一吐右腕，那大漢不死必傷，但他卻不肯藉機施下辣手，左腳陡然飛起，踢了過去。

但聞砰的一聲，那大漢整個的身軀，被踢得摔出四、五尺遠。

這不禁使東、北方位上兩個大漢吃了一驚，就是那馬文飛，也是大爲震駭不已。

兩個大漢一怔之後，雙雙撲到，掄動亮銀棍，當頭劈下。

蕭翎還劍入鞘，運足真力，健腕一翻，陡然向亮銀棍迎去。

只聽一陣金鐵交鳴的大震，正東方位上一條大漢，手中亮銀棍脫手飛出，正北方位上的大漢，銀棍雖未出手，但卻被震得雙臂發麻，半晌舉不起手中兵刃。

蕭翎未料自己竟有著如此渾厚的內力，呆了一呆，回顧馬文飛道：「請總瓢把子指教。」手中亮銀棍一翻，一式「力掃五嶽」，攔腰掃去。

馬文飛看他內力驚人，哪裏還敢封擋來勢，雙肩微晃，人已退出八尺。

蕭翎銀棍揮動，放手搶攻，他胸中熟記的武功甚雜，雖是從未用過銀棍，但使出來招數，卻是棍法正宗之學。

馬文飛素以所學博雜自負，十八般兵刃，件件都能來得，但見蕭翎使出的棍法，竟是正宗棍法中神髓之學，暗中自歎弗如。

蕭翎一口氣連攻了一十八招，亮銀棍劃起一片嘯風之聲，丈餘內塵揚草飛，潛力激盪，但那馬文飛卻從容地閃開一十八棍，蕭翎口雖不言、心中卻是暗暗敬佩，忖道：此人閃避身法的佳妙，武林中實不多見……

馬文飛待蕭翎那一十八招連環棍法施完，才一揮右手長劍，一劍刺出，反擊劍勢出手的同時，左手中的摺扇，也斜裏劃出了一股扇風，劍刺蕭翎的握棍右腕，摺扇卻逼住了蕭翎反擊路道，一招之間，攻守兼具。

蕭翎被他反擊的扇風逼退了一步。

馬文飛心知如是讓蕭翎緩過手來，亮銀棍必將有更爲厲害的招術，立時欺身而進，逼近蕭翎身側，左扇、右劍，攻勢極爲凌厲。

蕭翎手中的亮銀棍，乃是善於長戰的重兵刃，被馬文飛欺近身後，不但威勢難以發揮，反而成了累贅。

但見馬文飛手中長劍，閃起了朵朵劍花，始終指襲蕭翎的握棍雙腕，迫使蕭翎無法求變，左手摺扇忽張忽合，斜削直點，削點之處，又都是人身要穴，迫得蕭翎只有閃讓對方襲擊的份兒，無能還擊。

片刻工夫，馬文飛已刺出了三十六劍，摺扇也急攻了二十四招。

這段時間中，蕭翎始終無能還手，被迫得連退出一丈多遠。

只聽那榕樹上傳下來錢大娘的聲音，道：「你如再不棄下手中銀棍，拖著那個累贅，再鬥上一百招，也是無能還擊一招。」

蕭翎全心全意，都想著得以扭回劣勢後，如何才能把亮銀棍發揮出十成威力，這一念頭，害得他無暇旁思。

他聽得錢大娘一番話後，心中才陡然大悟，暗道：這等簡單的事，我怎麼竟然想不到，如是早棄此棍，我兩手也不致受它的拖累，以致全爲劍勢所制，雙手握棍，閃讓敵劍，豈不是如同綁著兩隻手打架一般。急忙棄去銀棍。

忖思之間，分去了不少心神，一個應變較慢，左肩被馬文飛擊中了一扇，登時衣衫破裂，鮮血汩汩而出。

在馬文飛的意念之中，這一扇縱然不能把蕭翎左臂完全卸下，至少也將使他筋骨斷裂，失去再戰之能，但在摺扇將要劃中蕭翎肩頭時，似是遇上了一種強大的阻力，那阻力卻無形無體，頗似傳言中的護身罡氣，和佛門至高的須彌神功。

這兩種佛、道絕學，武林中向極少見，對方小小年紀，怎會練成此等絕技……

蕭翎左肩受傷之後，激起了強烈的鬥志，大喝一聲，雙腳連環飛起，交替踢去。

這正是昔年梁山好漢武松，醉打蔣門神的玉步鴛鴦連環腿，乃是連環腿法中的一絕，莊山貝好務雜學，費了數月苦功，把這套幾乎失傳的武功，重又整創出來，傳了蕭翎。

馬文飛長劍連閃，施出了「雲龍三現」的連環劍招，但見寒芒閃動，劍氣森森，封住了全身門戶。

蕭翎雖然未能得手，但這反擊之勢，卻替他爭取了足夠的機會，氣沉丹田，疾快地落著實地，未容馬文飛變招反擊，立時搶先發動。

蕭翎有如解去了手上的束縛，長長吁一口氣，展開反擊，亮銀棍大開大闔，竟是三十六路行者棒的招術。

馬文飛雖是身經百戰，歷經大風大浪的人物，但目睹蕭翎武功博雜、精奇，心中暗自驚駭不已，念頭回轉，不覺分了心神。

只聽噹的一聲金鐵交鳴，手中長劍被棍勢掃中，長劍被蕩了起來，門戶大開，手臂一麻，長劍幾乎被震出手。

蕭翎大喝一聲欺身而上，亮銀棍直搗黃龍，疾向前胸點去。

馬文飛暗中咬牙，一側身子，驚險異常地避開蕭翎的棍勢。亮銀棍掠著前胸而過，半寸之差，就要點中馬文飛的要害。

此人對敵經驗十分豐富，已知自己陷入了落敗的邊緣，如若不能冒險爭得主動，必將為蕭翎那大開大闔的棍法所敗。

蕭翎亮銀棍掠胸點過，亦知此舉失措，正待挫腕收回，馬文飛已疾快地反擊過來，左手摺扇斜裏削向蕭翎右腕。

蕭翎剛吃過一番苦頭，心知再不棄手中的亮銀棍，必將重蹈覆轍，當下雙手一鬆，亮銀棍砰聲落地。

廿五　英雄論技

在這等近身相搏之中，沉重、長大的亮銀棍，已然失去制敵作用，蕭翎鬆去手中兵刃，反有手腳靈活之感，右腕一挫，避開扇勢，左掌疾快拍出一掌。

馬文飛右臂仍有著麻木之感，運劍不便，單以左掌摺扇和蕭翎搶攻。

蕭翎一掌拍出，領動了連環閃電掌法，一招快過一招，連環七掌，已把馬文飛的摺扇逼住，再也施展不開。

馬文飛目中湧現一片殺機，暗中旋動摺扇柄處的機簧。

但他究是成名武林的人物，一方霸主之才，施展暗算，心中又有些慚愧之感，矛盾難決，竟然無法下手。

正自猶豫之間，蕭翎突然一收掌勢，飄逸五丈，說道：「總瓢把子武功高強，咱們再鬥上百來招，只怕也難分勝敗，機會難得，咱們等一會兒再打吧！」返身一縱，直向那茅屋奔去。

馬文飛暗暗叫了一聲：慚愧！

雖是蕭翎說得客氣，但他自己心中明白，以蕭翎那愈打愈快的連環掌法，絕難再擋十招。

抬頭看去，只見那茅屋之前，人影閃動，刀光如雪，打得激烈無比。

錢大娘一條枴杖，有如水中游龍一般，縱送橫擊，獨擋了七、八個人的圍攻。

但仍有著四個人，繞過了錢大娘，向那茅屋中奔去。

蕭翎看得心中大急，一提真氣，全力向前奔去。

迅快得有如流矢，像一道輕煙般，從那錢大娘身側掠過，隨手一揮，發出了修羅指力，點倒了一個大漢。

錢大娘駭然一震，暗道：好快速的手法。

精神一振，枴杖連環三招，擊傷了一個敵人。

圍攻錢大娘的七、八個武林高手，眼見那蕭翎輕描淡寫，回手一擊，便傷了同伴，不由得心中震動不已，鬥志大減。

錢大娘雌威大發，枴杖招術一緊，迫得圍攻群豪連連倒退。

蕭翎以絕世無倫的快速身法，衝近了茅舍，大聲喝道：「站住，強入者死。」

四個大漢，聽得蕭翎大喝一聲，突然一齊停了下來。

回頭望去，只見蕭翎抱劍而立，星目中神光閃動，掃掠了四人一眼，冷冷道：「在下不願傷人，並非是不敢傷人，如若諸位硬要向茅屋中闖，莫怪在下手下狠毒了！」

一個施軟鞭的大漢怒聲喝道：「你是什麼人，出言如此狂傲！在下倒是有些不信。」

蕭翎道：「你如不信，何妨一試！」

那施用軟鞭的大漢，右手一揮，低聲對兩個施用單刀的大漢說道：「貴昆仲一齊出手對付這等萬惡之徒，不用講什麼武林規矩、江湖道義。」

兩個用刀大漢應了一聲，一字排開，攔住了蕭翎的去路。

那施用軟鞭的大漢，回顧了那用虎叉的大漢一眼，道：「咱們闖入茅舍。」

蕭翎劍眉聳動，俊目放光，怒聲喝道：「如若諸位不聽在下警告之言，那可是自討苦吃。」

但見那手執虎叉的大漢，抖動著手中的虎叉，一陣嗆嗆亂響，疾向那茅舍衝了過去。

蕭翎怒叱一聲，一振手中長劍，白芒閃動，連人帶劍，疾向前面衝去。

兩個手執單刀的大漢，眼看蕭翎人劍合一的威猛來勢，不禁一呆，心中念頭還未轉完，蕭翎已由兩人身前疾衝而過。

但見那手執虎叉大漢衝近茅舍的身子，陡然飛了起來，摔出去四、五丈遠。

凝目望去，只見蕭翎手執長劍，擋在茅舍門口，冷冷說道：「哪一位有膽子，再過來試上一試？」

這快如閃電的驚人一擊，使得在場中人個個心生寒意。

只聽一個沉重的聲音說道：「你們不是他一人之敵，快退下來！」

來人正是馬文飛，只見他急行兩步，一腳踢在那施用虎叉的大漢身上，說道：「不是你們不行，而是人家武功太高了。」

那馬文飛回目一掠身後惡鬥之局，錢大娘似已控制全局，攻多守少，心中暗暗忖道：看來今日之戰，已難單憑我馬文飛和幾個隨行屬下出手，能夠勝得此陣了……

心念轉動間，突然探手入懷，摸出一個流星火炮，右手一抖，投向高空。

只聽砰的一聲，流星火炮在空中爆裂出一團火花。

蕭翎冷冷說道：「馬文飛，你可是在招請幫手麼？」

馬文飛臉上一熱，道：「不錯，今日來此之人，原非馬某一人，如今在下既是無能說服那錢老前輩，只有據實相告今日來此群豪，以作公決，是戰是和，也非我馬某能作決定。」

蕭翎冷笑一聲，道：「為著我蕭某一人，居然勞動中原群豪，和馬總瓢把子的大駕，當真是抱歉得很！」

馬文飛臉上赤紅，輕輕咳了一聲，道：「今日之戰，非是江湖上一般名利之爭，事關武林劫運，自非個人的顏面、勝負，可以影響大局。」

蕭翎輕輕歎息一聲，道：「馬兄倒不失磊落胸懷，英雄氣度，咱們適才之戰，你並沒有敗，不用如此謙遜……」

馬文飛道：「也許是三莊主手下留情，馬某雖未敗在當場，但在下實已自知如是再打下去，馬某必敗無疑……」

他輕輕歎息一聲，又道：「在下久聞蕭兄的大名了！亦曾快馬追尋，兩日夜兼程三千里，但卻緣慳一面，始終未能見得蕭兄，想不到初次一見，竟成生死對頭。」

蕭翎突然覺著這馬文飛有著異於常人的氣度，心中暗暗生出了敬佩之感，搖頭歎息一聲，說道：「馬兄追的那位蕭翎，恐非在下……」

馬文飛怔了一怔，道：「這世間有幾個蕭翎？」

蕭翎道：「兩個……」

馬文飛接道：「這倒是聞所未聞的事了，世界不乏同名同姓之人，但如說兩位蕭翎，都是身負絕技的武林高手，那倒是有些奇怪了。」

此人智慧過人，似是不信蕭翎之言。

蕭翎歎道：「不錯，世間很難有這般巧事，但如有一人假冒蕭翎之名，就不足爲奇了。」

馬文飛道：「是了，兩位蕭翎之中，有一人是冒名頂替的。」

蕭翎道：「正是如此。」

馬文飛道：「恕在下問一句不當之言，三莊主這蕭翎之名，是真是假？」

蕭翎道：「真假有何緊要……」

馬文飛接道：「不然，人過留名，雁過留聲，真假蕭翎，既都是身負絕技的高手，恐都不會默默無聞的虛度此生，這百年之後的是非功過，豈能混淆不清。」

蕭翎抬頭一瞥，道：「馬兄的幫手來了！」

馬文飛頭也不回地說道：「他們是來找那百花山莊的三莊主，如何是助我馬某！」

蕭翎道：「我蕭翎出道江湖不久，有什麼大罪大惡，惹得這麼多武林高手追殺於我？」

馬文飛道：「蕭兄氣度不凡，確非爲惡之相，只是因爲你投效了百花山莊，所以才成爲武林中的公敵。」

說話之間，數匹快馬，已然疾衝而至。

錢大娘手中枴杖，急攻三招，盪開了圍攻之人，飛身一躍，衝近茅屋。

馬文飛也不攔阻，身子一閃，讓開了去路。

錢大娘衝近蕭翎，突然一挺身，收住急衝之勢，和蕭翎並肩而立，道：「來人過多，咱們並肩一起拒敵，免得顧此失彼。」

蕭翎看那急奔而來的群豪，身分十分複雜，肥瘦高矮，不下數十人。

當先一人身高八尺，臉色赤紅，手中提著一柄軟索銀錘，背上揹弓，腰間插箭，神態威猛，氣勢懾人。

錢大娘低聲說道：「那當先而來的紅臉大漢，就是神箭鎮乾坤唐元奇了，其人天生臂力驚人，不可和他硬拚勁力……」

餘音未絕，那唐元奇已然衝到，高聲喝道：「哪一個是百花山莊的蕭翎？」

蕭翎一皺眉頭，道：「在下便是，有何見教？」

唐元奇冷冷接道：「好，吃我一錘。」

右手一抖，手中的巨大銀錘，直飛過去，點向蕭翎前胸。

只聽錢大娘急聲說道：「不可接他的銀錘！」

手中枴杖一伸，點了過去。

她出言招呼，爲時已晚，蕭翎長劍已然點在了唐元奇的銀錘之上。

只覺那點來銀錘力道奇大，震得手臂一麻，但那銀錘仍然被蕭翎的劍勢點開。

唐元奇怔了一怔，道：「好小子，可敢再接我一錘試試。」手腕一振，銀錘又點過來。

蕭翎冷冷說道：「好！我就再接你一錘。」行氣似珠，運勁若鋼，力道直貫劍身，又向銀錘上點了過去。

劍錘一觸之下，立時分開，未發出一點聲息，蕭翎站立不動，銀錘卻被盪開。

唐元奇呆了一呆，大喝一聲，道：「好啊！可敢再接我一錘。」

掄動銀錘，呼的一聲，當頭劈了下去。

這蕭翎的輕功，得自天下輕功第一的柳仙子所傳授，進攻之勢，快速絕倫，身影一閃時，人已逼近唐元奇的身前，左掌一揮，劈向前胸，右手長劍，卻逼住唐元奇的擊錘軟索。

這等欺身搶攻，看上去十分凶險，其實這等以攻還攻的手法，正是制服唐元奇巨錘厲攻的良策。

唐元奇看上去身材高大，但舉動卻是靈活異常，雙肩微晃，人已退出了五、六尺外，平腕一挫，收回銀錘。

蕭翎搶得先機，哪還容他緩開手腳搶攻，長劍疾揮，刷刷刷，連攻三劍，左掌配合著右手劍勢，拍出了四掌。

這一陣劍中掌的猛攻，迫得唐元奇連連後退，反擊無力，幾乎傷在蕭翎劍下。
只聽錢大娘高聲叫道：「三莊主，快退回來。」
原來蕭翎緊追著唐元奇，追出了兩丈多遠。
回目一瞥，只見錢大娘手橫枴杖，擋在那茅舍門口，環伺茅舍兩側的武林高手，都已亮出兵刃，形勢已然是劍拔弩張，一觸即發。
蕭翎右腕微挫，收回劍勢，翻身一躍，退到茅舍門口，在這段距離中，雖然有人可出手阻攔於他，但卻都站著未動。
錢大娘低聲說道：「那馬文飛左面一位中年人，乃青城派中三大名劍之首的印月道長，此人劍術精絕，已得青城派中劍道神髓，不可輕視。」
蕭翎道：「多承指教。」
錢大娘道：「馬文飛右邊那位全身紅衣人，乃是江湖上有名的玩火高手，三陽神彈陸魁章，他和毒火井伽，在江湖上並稱爲正邪二火，此人一身是火，和他動手更要特別小心。」
只聽馬文飛高聲說道：「三莊主的武功，在下適才已經領教，那確實高明得很。」
蕭翎道：「好說，好說，總瓢把子過獎了！」
馬文飛淡淡一笑，道：「這位印月道長，乃當代青城掌門人首座弟子，劍術精絕，名震一時，聽得兄弟誇說三莊主的武功，心中羨慕不已，想領教一下蕭兄的劍術。」
馬文飛似是已看出了蕭翎心中爲難之意，接道：「在印月道長和蕭兄未分勝負之前，咱們絕不妄進尺寸……」

回目對四周群豪說道：「諸位請退後一丈，觀賞印月道長和百花山莊三莊主比劍。」

四周群豪都依言向後退出一丈。

蕭翎轉頭對錢大娘道：「老婆婆請替在下掠陣。」

錢大娘口齒啓動，欲言又止。

蕭翎步履瀟灑地行前五尺，抱拳而立，欠身說道：「青城名劍，天下知聞，蕭翎有幸一會道長。」

印月道長一翻右腕，刷的一聲，抽出背上長劍，說道：「蕭大俠少年英雄，貧道心慕不已。」持劍而行，距蕭翎五尺左右時停了下來，亮開門戶，道：「蕭大俠請！」

蕭翎心中忖道：看來這四周群雄，當以馬文飛、陸魁章、唐元奇和印月道長爲首，如能挫敗這四人，其他的人想必會知難而退……

心念一轉，彈劍說道：「道長名門大派中人，想必不願搶佔先機出手，在下先出招了。」長劍一探，點了出去，劍尖三顫，閃起三朵劍花。

這一劍名爲「鳳凰三點頭」，隱隱間含有客套之意。

印月道長長劍劃出，閃起一道白芒，封住了蕭翎劍勢。

這一招全是守勢，也含著客氣之情。

蕭翎劍勢一翻，振起兩朵劍花刺去。

這一劍卻是攻勢凌厲，劍帶疾風。

印月道長長劍「劃分陰陽」，噹的一聲，震開了蕭翎的長劍。

他聽馬文飛盛讚蕭翎劍招內力，有心要硬接他一劍試試。

蕭翎劍轉「迴風弱柳」，不容印月道長還擊，又是一劍掃出。

印月道長擋開蕭翎一劍，手腕微微一麻，心頭微生凜駭，忖道：此人果然是名不虛傳！

眼看劍勢回掃過來，不再硬接，振腕一劍，刺向蕭翎右腕。

蕭翎腕勢一沉，避開一劍，印月道長就在這一瞬之間，搶去了先機，長劍連環刺出，一口氣攻出了五劍。

這五劍猛惡快速，迫得蕭翎無法還手，連退五步。

蕭翎暗暗讚道：青城派稱爲武林四大劍派之首，出手的劍式，果非凡響。

印月道長一連攻出了八劍之後，勢道才微微一緩，蕭翎卻借他劍勢一緩間，展開了反擊。

兩劍並舉，展開了一揚凶惡的搏鬥。

一抹落日餘暉，透過了老榕樹，照射下來。

日光映射著劍鋒，幻起了一陣流動的劍氣，閃閃生光。

不大工夫，兩人已鬥了百招以上，落日餘暉，天色暗了下來。

長劍在夜色中，閃起一串串的寒芒，雙方的惡鬥，已漸入緊要關頭。

馬文飛目力過人，也站得最近，迷濛的夜色中，清晰地看到印月道長的汗水，珍珠般一顆接一顆滾了下來。

蕭翎卻似是愈戰愈勇，劍招也愈見凌厲，印月道長已無反擊之能，落敗不過是轉眼間事……忖思之間，突見蕭翎的劍勢一發，幻起了重重劍氣、銀芒，波湧而到。

雙劍相觸，響起了一聲金鐵交鳴，劍氣斂消，人影重現。

只見蕭翎抱劍而立，印月道長手中的長劍，卻已跌落在地上。

印月道長緩緩舉起衣袖，擦拭一下頭上的汗水，黯然說道：「三莊主劍術高強，在下不是敵手。」

蕭翎道：「承讓，承讓。」

印月道長緩緩撿起地上長劍，還入鞘中，道：「三莊主能夠勝過貧道，但卻未必能勝得天下英雄。」突然轉過身子疾奔而去。

蕭翎望著印月道長去如驚鴻的背影，亦不禁長長歎一口氣。

忽見那全身紅衣的大漢閃身而出，取下背上的火龍棒，冷冷說道：「在下陸魁章，領教三莊主的絕學。」

蕭翎劍眉一聳，道：「當得奉陪。」

錢大娘突然接口叫道：「當心他手中兵刃，和滿身火氣。」

陸魁章冷笑一聲，道：「想不到名震中原的錢大娘，竟然也投身在百花山莊。」

錢大娘怒聲道：「胡說八道！老身只爲和蕭翎之約，助他私人一陣，與百花山莊何干？」

陸魁章道：「在下已久聞錢大娘之名，待收拾了蕭翎之後，再行領教。」

火龍棍一揮，迎頭劈下。

蕭翎已得錢大娘的警告，說他火龍棍暗藏古怪，也不敢揮劍接架，縱身一躍，讓避開去，手中長劍寒芒一閃，刺向了陸魁章的右腕。

陸魁章一沉手腕，避開劍勢，火龍棒正待攔腰掃去，忽覺眼前劍花錯落，分向左、右雙腕掃了過來，不禁心頭一震，暗道：好快的劍勢！霍然後退兩步。

蕭翎長嘯一聲，劍、掌並出，展開了快攻，著著指襲向陸魁章雙腕脈門，迫使他的火龍棒無法施展。

這等單打一點的攻勢，十分不易，但蕭翎用來卻是瀟灑自如，毫無牽強之感。

神箭鎮乾坤唐元奇取下背上硬弓，抽出長劍，搭在弦上，覷個空隙，嗖的一箭射了出去。

那支強弓長箭，威力絕大，離弦的箭勢，早已算準了蕭翎移動的方位。

長箭射到，蕭翎剛好碰上。

匆忙之間，蕭翎已無暇多想，長劍一起，「陰雨蔽日」，閃動起一團劍氣封住門戶。

只聽呼的一聲輕響，劍、箭接觸。

長箭勁道奇猛，蕭翎劍勢只不過把長箭約略震偏，箭勢掠著身側而過，嗤的一聲，帶走了蕭翎肩上一片衣服，毫釐之差，就要箭中肩頭。

蕭翎吃了一驚，暗道：好凶猛的一箭……

心中念轉，驚魂未定，手中劍勢一緩。

陸魁章火龍棍趁勢扳回了先機，呼呼幾棒，迫退了蕭翎。

錢大娘揮動楞杖，大聲喝道：「好啊！你們都是江湖上成名的人物，居然要群打群攻。」

那神箭鎭乾坤唐元奇，已然另取出一支長箭，搭在弦上，聽得錢大娘喝叱之言，又將長箭收入袋中。

蕭翎已然分心於唐元奇長箭之上，暗中留神他的舉動，眼看他突然收回長箭，心中憂慮頓減，精神一振，長劍連出三絕招，又把陸魁章迫落下風。

三陽神彈陸魁章冷笑一聲，道：「三莊主的武功果然高強，當心我要施展火器了。」

蕭翎長長吸一口氣，運足乾清氣功，護身罡氣滿佈，道：「儘管出手。」口中說話，手中的劍勢，卻是絲毫未緩。

但見陸魁章忽然向後一躍，退開八尺，脫出了蕭翎劍勢威力圈外，一揚手中的火龍棒，亮光一閃，一道火舌，疾噴過來。

那火勢見風暴長，噴到蕭翎身前已然擴大成三尺見方的一團火焰。

蕭翎吃了一驚，暗道：果然厲害！一提氣，飛躍而起。

一團火焰，掠著雙足噴過。

陸魁章一擊之後，似是料到蕭翎必將縱身凌空而起，手中的火龍棒早已舉了起來，一按機簧，又是一道火舌噴射出來。

蕭翎懸空一收雙腿，半空中忽然打了一個翻身，橫行飄開了四、五尺，又險險讓過了疾湧而至的一團火焰。

陸魁章暗暗吃了一驚，忖道：此人之能果然不可輕視。舉著手中火龍棒不敢再輕易出手。

原來他這火龍棒中，藏有三道機關，動手對敵之時，可以噴出三次毒火，眼下他已用了兩道機關，尚餘最後一道，如再噴射出來，這條火龍棒就成了普通兵刃，必得再費上許久時間，重新裝過火藥，才可應用。

蕭翎雖然避開兩次毒火噴燒，但想到那火勢的猛惡快速，亦不由暗暗驚心，暗打主意道：他這兵刃如此惡毒，怎生想個法子把它毀去才好。

兩人心中各有所想，各有所懼，誰也不敢再輕舉妄動，相對而立，全心戒備。

錢大娘突然冷笑一聲，道：「陸魁章，老身常聽人談，你這支火龍棒，每次對敵，只可噴出三次毒火，不知是真是假？」

陸魁章冷冷說道：「不錯，我這條火龍棒還可噴射一次，但此事並非傳聞，傷在我第三次噴出毒火的武林高手，爲數並非太少，三莊主要小心了。」

一抖手中火龍棒，又是一道火舌，電射而出。

這是那火龍棒暗藏三道毒火中最後的一道，火焰猛烈，尤過前面二道。

蕭翎眼看火焰噴來，仰身向後倒去，容得背脊挨上地面，陡然一個大旋身，避開毒火，挺身而起。

那陸魁章乃久經大敵之人，看蕭翎仰身而臥，施展出險招，避開毒火，必然是有所謀圖，立時提高了警覺。

看蕭翎旋身欺來，火龍棒搶先出手，一招「金針定海」，點了過去。

蕭翎正待挺起身子時，那火龍棒已到前胸，匆忙間，長劍向外一推，「閉門推月」，封住了大開的門戶。

劍、棒相觸，砰的一聲輕震，蕭翎借長劍一展之力，站了起來。

陸魁章火龍棒招術疾變，倏忽間連攻了三棒。

蕭翎劍勢護身，全採守勢，硬封硬架地把三棒全都震開。

陸魁章右手火龍棒不停搶攻，左手卻已探入懷中，摸出了兩粒三陽烈火彈。

錢大娘知他一身火器，惡毒無比，眼看他左手探向懷中，立時大聲叫道：「三莊主，留心他左手火器。」

蕭翎心頭大駭，暗道：在這近距離之內，他如再施展惡毒火器，如何能閃避得開。

其實，他心念未轉之際，左掌已勢在意先地劈了出去。

一股暗勁，疾急湧出。

陸魁章剛剛摸出三陽烈火彈，蕭翎的掌力，已然劈到，正劈在陸魁章左手之上。

陸魁章手中扣著暗器，不敢硬接蕭翎掌力，手掌一鬆，烈火彈脫手而出，飛落到四、五尺外，摔落地上。

只聽兩聲波波輕響，兩團綠色的火焰，熊熊在地上燃燒起來。

蕭翎看得暗暗歎道：如果這火彈打到了人的身上，爆烈燃燒起來，那還得了，此人的暗器，件件如此惡毒，再也不能讓他施展出手。長劍一振，攻了上去。

他心中有了警覺，哪裏還會讓陸魁章有著緩開手腳的機會，劍勢綿綿不絕，有如波湧浪翻，把陸魁章圈入了一片劍影之中。

全場觀戰之人，眼看神箭鎮乾坤唐元奇，和青城三大名劍之首的印月道長，先後敗在蕭翎手中，這三陽神彈陸魁章，雖然還未落敗，但看情形已然是早晚間事，這三人不論是武功、聲望均爲一流人物。

三人如若都敗下來，唯一能和蕭翎對手的，只有一個馬文飛了。

且說錢大娘目睹蕭翎連勝數陣，勇猛異常，心中亦是震動不已，又是喜歡，又是妒忌。

陸魁章又勉強支撐下十幾回合，突聽蕭翎大聲喝道：「撒手！」

陸魁章倒是聽話得很，應聲丟棄了手中的火龍棒，道：「三莊主武功果然是高強得很。」

蕭翎道：「過獎，過獎……」

目光一轉，掃掠了全場一眼，道：「哪位還要和我單打獨鬥，再比一陣。」

場中群豪眼看蕭翎的武勇，劍招的精奇，哪裏還敢出手和他單打獨鬥，個個噤若寒蟬。

只聽蕭翎長歎一聲，說道：「不錯，我蕭翎眼下確是那百花山莊的三莊主，但我並未有什麼惡跡，諸位這般苦苦的相逼於我，實叫我有口難辯，兵刃無眼，諸位如是仍不罷手，只怕要鬧出流血慘事……」

馬文飛道：「咱們在江湖上走動的人，生死何足掛齒，三莊主不用爲我們擔心了。」

蕭翎臉色一變，道：「諸位如是一定想打，那也是沒有法子。」突然凝神舉劍，兩道炯炯目光，直逼在馬文飛的臉上。

馬文飛見多識廣，一瞧蕭翎那舉劍神態，正是上乘劍道中的馭劍手法，不禁心頭駭然，心知他再一出手，定然有人要濺血劍下。

當下轉動手中摺扇機簧，喝道：「各位都請退下，我要獨鬥三莊主。」

四周群豪都知馬文飛武功高強，依言退了下去。

蕭翎全身的功力，都凝聚在手中長劍之上，靜立不動。

馬文飛手舉摺扇，對準蕭翎前胸，手控機簧，但卻不敢隨便出手。

只覺蕭翎那橫劍而立的姿勢，兼具了攻、守兩訣，不論從任何方向，都無法找出他的破綻，馬文飛默查良久，仍是找不出下手的機會。

但見蕭翎身子搖了兩搖，突然長長吁一口氣，垂下手中長劍，揮手說道：「馬兄請回吧！來日方長，縱然是非得殺我蕭翎，也不急在今夜。」

馬文飛收了摺扇，低聲說道：「我接不下你這一劍。」

蕭翎道：「馬兄過謙了。」

馬文飛道：「兄弟觀察再三，蕭兄實不像百花山莊中人。」

蕭翎淡淡一笑，道：「但我確實是百花山莊中的三莊主。」

馬文飛道：「其間想來必有隱情，馬某願和蕭兄開誠一談。」

他輕輕歎息一聲，接道：「兄弟闖蕩江湖，走遍了大江南北，結交了無數少年英雄，但像蕭兄這等才慧、武功，還是初見……

「江湖間殺機瀰漫，魔長道消，蕭兄乃少年英雄，正該是砥柱中流，衛道除魔，爲武林闢一條坦蕩之路，立百世不朽功業，何以竟委身魔窟，青鋒三尺，造孽人間？」

蕭翎拱手說道：「兄弟苦衷，一言難盡，明夜此刻，兄弟在此候駕，馬兄有暇，盼來一晤。」

馬文飛道：「好！明日三更，兄弟當盡我所能，勸阻天下英雄，不得相犯。」回身率領群豪疾奔而去。

蕭翎望著馬文飛消失的背影，心中泛起無限相惜之情。

錢大娘一頓手中枴杖，道：「老身料想，今夜這老榕樹下，必將是血流成渠、屍骨堆積的局面，料不到竟是這樣一個善結的局面。」

蕭翎道：「那馬文飛的英雄氣度，果非凡庸……」

錢大娘道：「他如是平凡之人，那點年紀，豈能率領豫、鄂、湘、贛四省中武林人物。」

蕭翎仰面望天，長長吁一口氣，歎道：「但願今宵再無相犯之人……」

只聽身後傳過來金蘭嬌柔的聲音，道：「三爺連番惡戰，也該休息一下了。」伸手接過蕭翎手中長劍，替他還入鞘中。

蕭翎轉向金蘭問道：「玉蘭和唐姑娘的毒傷如何了？」

金蘭道：「服過藥物之後，已然大見好轉，此刻正在密室調息，賤妾下去瞧瞧。」轉身奔入室中。

錢大娘道：「老身已數十年未和人動過手了，今日倒真是打得痛快，孩子，你累了嗎？」

蕭翎苦笑道：「在下還好，唉！爲我等使老婆婆親身臨敵，與人結仇，在下心中十分不安。」

錢大娘道：「咱們這是交換條件，我今日助你，你明日幫我，談不上什麼安與不安。」

但聞一陣步履之聲，金蘭、玉蘭、唐三姑魚貫而出。

唐三姑和玉蘭受此折磨，顯得清瘦了甚多。

大概是金蘭早已把蕭翎相救兩人的經過，說了出來，是以兩人一見蕭翎，齊齊欠身作禮，拜謝救命之恩。

蕭翎還了一禮，道：「是那位錢老前輩相贈解藥所救，兩位應該謝她才是。」

錢大娘冷冷說道：「咱們事先有約，我贈藥不過是交換條件，二位不用感謝老身了……」語音微頓，目光分由唐三姑娘和玉蘭、金蘭臉上掃過，接道：「三位不要再打擾他了，他連經數番惡戰，需得好好休息一下。」

三女果是聽話得很，齊齊應了一聲，退回內室。

蕭翎就在廳間，選了一處乾淨之地，盤坐調息。

錢大娘也在廳中選了一片地位，陪同蕭翎打坐，直待五更過後，天色大亮，蕭翎才由一場禪定中清醒過來，睏倦盡消。

他只覺錢大娘臉上皺紋似是深了很多，眉宇間隱憂重重，不停地在室中來回走動。

好在半日時光，轉眼即過，剛到中午時分，果然有兩頂青色小轎，探奔而來。

錢大娘低聲對蕭翎說道：「孩子記著，從此刻，你暫時改名錢玉，你答應了老身，就該有始有終，不可露出馬腳……」

說話之間，那兩頂青色小轎，已然奔近茅舍。

錢大娘牽著蕭翎右手，步出茅舍，各登上一頂小轎。

大約奔行一個時辰之久，轎子陡然停了下來。

但見轎簾一啓，錢大娘當門而立，說道：「玉兒，下來吧！」

蕭翎抬頭看去，只見一座布設古雅的敞廳，大開著廳門，廳中煙霧繚繞，景物布設都似在若隱若現之中。

原來兩頂小轎就停在敞廳前面。

蕭翎心頭納悶，忍不住低聲問道：「這是什麼所在？」

錢大娘道：「一座廣大的宅院，到處都有，遠在天之涯，近在目之前……」

餘音未絕，突聽那煙霧繚繞的敞廳中，傳出來一陣清冷的笑聲，道：「嫂夫人別來無恙，不知是否還記得北海舊友？」

錢大娘道：「冰宮一別，轉眼又十餘寒暑，無日不在念中，接得手示，雀躍不勝。」

敞廳中哈哈一陣大笑，道：「那位可是令孫兒嗎？」

錢大娘道：「冰宮往事，幼孫無知，恐他已不復記憶了！」

敞廳中笑聲復起，道：「但小女卻是難忘那一夕相處，終日纏鬧著老夫，要重見令孫一面，北海冰宮中，雖不乏奇珍異物，但卻很難解她鬱鬱愁懷……老妻愛女情深，數度催老夫進入中原，但冰宮事繁，一直無暇為小女奔忙，此次小女隨同老夫南來，意在一償她思念兒時伴侶心願。」

蕭翎心中暗道：這人把我們請來此地，怎的也不讓我們進入廳中小坐？

心念還未轉完，敞廳那繚繞煙霧中，人影一閃，一個身著盤龍錦袍，胸垂雪白長髯的老者，陡然間出現在廳門前面。

五年前的往事，閃電般掠過了蕭翎的腦際，想起在武當山三元觀中，無為道長那丹室中遇見的北天尊者。

錢大娘欠身一笑，道：「怎敢當尊者親迎。」

北天尊者拂髯一笑，道：「兩位請入廳中坐吧！」

錢大娘望了蕭翎一眼，道：「玉兒怎的如此不知禮數，見了前輩竟不知參拜。」

蕭翎只好一撩長衫，拜了下去，道：「晚輩錢玉，叩見老前輩。」
北天尊者哈哈一笑，扶起了蕭翎，道：「錢世兄快些請起。」
挽起蕭翎，直向廳中行去。
進得廳門，突覺一股寒意襲來，有如驟然間進入冰天雪地之中。
蕭翎心中大感奇怪，留神看去，只見敞廳兩側，排列著一十六座巨缸，後壁間放著一座玉鼎，繚繞香煙，由鼎中冒出來，寒氣卻由那十六座巨缸內蒸蒸上騰。
香煙和寒氣，在敞廳內交混成一片繚繞的煙霧。
北天尊者牽著蕭翎左手，直行入廳中一張長形木桌邊，才放開蕭翎，笑道：「錢世兄請坐。」
蕭翎也不客氣，依言坐了下去。
北天尊者望了錢大娘一眼，笑道：「令孫人間祥麟，英俊非凡，嫂夫人有此佳孫，實乃可喜可賀之事，足慰錢兄在天之靈了」
錢大娘道：「日後還望尊者多多提攜。」
北天尊者笑道：「老夫義不容辭……」
微微一頓，接道：「老夫由北海冰宮之中，帶來了幾件中原難得一嘗的美味，咱們暢飲幾杯！」舉起雙掌，互擊一響。
片刻工夫，繚繞的煙霧中，魚貫走出來四個白衣少女，每人手中都捧著一只木盤，盤上各放了一個緊扣的玉碗。

只見最後一個行來的白衣少女手托的木盤上，除了一個緊扣的玉碗之外，還有三副杯筷，和一個玉瓶。

北天尊者取過玉瓶，拔開木塞，笑道：「錢世兄的酒量如何？」

蕭翎道：「晚輩不善飲酒。」

北天尊者道：「好！那你就少喝一點吧！」

舉起玉瓶，在蕭翎的酒杯中滴下三滴。

蕭翎看那玉瓶，最多不過有六兩容量，暗暗忖道：我雖然不善飲，但喝個四兩、半斤的酒，也不會醉，你在我杯中滴下三滴酒來，也未免太瞧不起我了。

只見北天尊者在錢大娘那小玉杯中加了半杯酒後，又在自己杯中加了半杯，才舉杯笑道：「試試老夫這『雪香千日醉』的味道如何。」

蕭翎舉起酒杯，原想一口吞下，但見那北天尊者，只輕輕吃了一滴，不禁心念一動，暗道：這酒名既叫雪香千日醉，只怕是激烈異常，慢慢嘗試一下再說，輕輕吃了一滴。

酒入口中，立時有股奇烈的清香，直透入丹田之中。

北天尊者放下酒杯，笑道：「錢世兄如是力難勝酒，那就不要吃了，嘗嘗這幾道菜味道如何？」伸手把木桌上緊扣在玉碗上的三個瓷碗，取了下來。

蕭翎凝目望去，只見那第一只玉碗一片雪白，有如冷冰在碗中的豬油一般，第二個碗中，放著三個淡紅色的圓球，除了顏色有點奇怪之外，像似炸丸子。

第三個玉碗中半碗濃湯，色呈青綠，看不出是何物做成。

北天尊者舉起筷子，笑道：「錢世兄，小女還在後廳中等候於你，快請嘗嘗這道佳餚……」當先舉起筷子，指著第一只玉碗說道：「這是千年熊掌，錢世兄請啊！」

蕭翎吃了一口，果是做得十分佳美，暗道：這北天尊者，倒是個會吃的人……

只見北天尊者指著第二只玉碗中淡紅色的圓球，笑說道：「這道是清蒸雪蓮子，錢世兄請嘗一顆吧。」

蕭翎舉筷夾了一個放入口中，還未嚥下，忽聽一陣步履聲，傳了過來。轉頭望去，只見繚繞煙霧之中，緩步走過來一個白衣姑娘。

北天尊者冷冷說道：「香雪，你來此地作甚？」

香雪欠身道：「小婢奉命來請錢公子。」

北天尊者似是對女兒愛護無比，輕輕咳了一聲，對蕭翎說道：「小女那烹飪之術，尤強勝過冰宮名廚，想她定已爲錢世兄備了佳餚，勞駕一行如何？」

蕭翎緩緩嚥下口中的雪蓮子，回目望著錢大娘。

錢大娘微微一笑，道：「昔年和公主相見時，年紀太小，難得公主仍然對你念念不忘，還不快去見過公主，坐在這裏發什麼呆？」

蕭翎無可奈何地站了起來，隨同香雪而去。

出了那水霧瀰漫的大廳，穿過了二重廳院，到了一精雅小巧的廳堂中。

一個全身銀紅衫裙的少女，坐在廳中一張檀木椅上，垂首弄絹，似有著無限嬌羞，香雪帶蕭翎進入廳中，她連頭也未抬過一下。

香雪附在蕭翎的耳邊，輕聲說道：「那就是我們公主了，已在廳堂中等候了很久，請去見個禮。」

雅致小巧的廳堂中，只剩下了蕭翎和紅衣少女兩個人，彼此枯坐，默默無言。

蕭翎雖然想打破這枯坐的沉寂，但他對錢玉與公主昔年之事，全不知曉，不知該如何開口才是。沉默延續了一盞熱茶工夫之久，還是紅衣少女先行開口，道：「錢相公別來可好？」

蕭翎道：「托天之福，公主安好。」

紅衣女道：「錢相公可曾記得昔年之事？」

蕭翎只聽得呆了一呆，茫然不知如何答話。

只聽那紅衣女接道：「錢相公為何不言，可是忘懷了嗎？」

蕭翎舉手擦擦頭上的汗水，道：「公主深居冰宮，聲勢顯赫，嬌貴尊榮，在下只不過是一個孤苦流浪人……」

紅衣少女嗤的一聲，打斷了蕭翎之言，接道：「你原來是為了門戶之見，我還道你早已忘去咱們許下的誓言了……」

蕭翎長長吁了一口氣，暗道：總算被我應付過去了！

只聽那紅衣少女接道：「那時，咱們雖然都還是未解人事的孩子，但我卻對那戲言往事念念不忘，隨著這與日俱增的年歲，記憶更是清新……」

她緩緩抬起頭來，望了蕭翎一眼，接道：「你比我想像中更英俊些。」兩片紅暈，泛上雙頰，神態無限嬌羞。

蕭翎進得室中，一直未和那紅衣少女對面望過一眼，此刻四目交注，才發覺這位深居冰宮的少女，竟然是如此美艷。

只見她秀眉彎彎，秋波如水，瑤鼻櫻唇，明艷照人，不禁微微一呆。

那紅衣少女似是陶醉在昔年的回憶中，偏頭想了一陣，又道：「記得昔年咱們在冰宮後面玩耍，你要我扮作新娘子，我一直不肯答應，後來你氣哭了，我才答應，這些往事雖然已十幾寒暑，但想來歷歷如繪，似如就在目前。」

這一下，蕭翎只聽得瞠目結舌，說不出一句話來。

幸好那紅衣少女並未再等待他答覆，又自接了下去，道：「不知何故，這些年來，我一直爲兒時那些美麗的往事縈繞心頭，念念難忘，唉！不知你是否和我一般的懷念著過去？」

蕭翎只覺腦際一片混亂，想不出一句措詞回答，輕咳了一聲，道：「公主……」

紅衣女搖首道：「別叫我公主好嗎？咱們像兒時一樣，我叫你玉兄弟，你該叫我什麼？」

蕭翎心中暗暗地摸索道：她叫我玉兄弟，那她顯然比錢玉大了，我該稱她姊姊才是，可是什麼姊姊呢？……

這念頭風車般在心中連轉了千百次，仍是想不出適當的措詞。

那紅衣女眼睛眨了兩眨，幽幽說道：「怎麼啦？你可是忘了我的名字？」

蕭翎訕訕一笑，道：「不錯，在下一時忘了公主的名字。」

紅衣女臉色一變，冷冷說道：「你這些年來，從沒有想過我了？」

蕭翎心中念頭交織，不覺間形露於外，劍眉輕鎖，臉上浮起了一層淡淡的憂苦。

那紅衣女冰冷的臉色上，又綻出哀怨的笑容，緩緩說道：「這些年來，你可是又遇上了喜愛的女孩子嗎？」

蕭翎衝口答道：「沒有。」這句話沒經忖思，本能地說了出來。

只見那紅衣女臉上愁苦一掃而光，嫣然一笑，道：「那你可仍是為了我爹爹在武林中至高無上的地位，有著門戶之見嗎？」

蕭翎道：「這個，這個……」

紅衣女笑道：「不用這個、那個了，我娘最是疼我，回去冰宮之後，我讓娘要爹爹把你接去冰宮，讓爹爹把他一身武功，盡傳給你，日後由你接掌冰宮門戶……」

微微一頓，不容蕭翎接口，又搶先說：「咱們不談這些事啦！你瞧我比起小時候，是醜了，還是好看了？」

蕭翎道：「公主明艷照人，美麗絕倫……」

紅衣女道：「你又叫我公主了，不會叫我的名字嗎？」

蕭翎暗道：誰知道你的名字了，一時間瞠目不知所對。

那紅衣女黯然歎息一聲，道：「玉兄弟，你可是忘了我的名字嗎？」

蕭翎心中暗道：看來再談下去，非得露出來馬腳不可，不如早些藉故告別的好。

正待開口，瞥見一個白衣小婢，手中捧著白玉茶盤，送上來兩杯香茗，只好忍了下去，正襟而坐。

白衣小婢放了茶盤，捧起了一杯茶，道：「錢相公請用茶。」

蕭翎接過杯子，放在桌上，欠身一禮。

那白衣小婢掩口一笑，道：「錢相公幾時學得這般拘謹了？」

那紅衣女突然歎息一聲，道：「當年在北海冰宮之時，他和咱們一起玩耍，總是叫我冰兒，或是冰姊姊，此刻相對，卻是一口一個公主，唉！好像是從不相識一般。」

蕭翎道：「當年你我都是不解人事的孩子，但此刻都已經長大成人，自然該避些男女之嫌才是。」

那白衣婢女望了兩人一眼，微微一笑，又悄然退了下來。

紅衣女臉上的笑容，逐漸斂失，代之而起的是一片怒容。

她似是愈想愈覺惱怒、委屈，突然抓起案上盛茶的玉杯摔在地上。

但聞砰的一聲，玉杯片片粉碎，杯中茶水，濺了蕭翎一身。

蕭翎回目望去，只見那紅衣女眉宇間一片怒容，大有立刻翻臉之勢，心頭微生震駭，忖道：那錢大娘要我假扮她孫兒錢玉赴此邀宴，料不到這中間竟然還牽扯了一段兒女私情的往事，但我既然承擔了下來，必得有始有終的把事情做好才是，如是砸了鍋，鬧出不歡之局，豈不是有負那錢大娘嗎？

心念已定，大覺坦然，回頭望著那紅衣女歉然一笑，道：「冰兒，你生氣了嗎？」

紅衣女悶了一肚子委屈，怒聲喝道：「誰要你叫我冰兒，你是我什麼人？」

蕭翎不禁微微一怔，道：「公主，請暫息怒火，聽在下一言如何？」

紅衣女尖聲叫道：「我不要聽了，你給我滾出去……」

蕭翎看她雙目中殺機泛動，大有立時出手之意，只好站起身來，抱拳一揖，道：「公主既如此厭惡於我，在下這就別過。」

轉身向前行去，只聽身後傳過來紅衣少女的嬌喝，道：「站住！」

蕭翎回過身子，抱拳說道：「公主有何見教？」

紅衣女道：「你剛才說的什麼？」

蕭翎道：「在下並非錢玉，是以不知昔年的往事，致令公主痛心故人不念舊情……」

紅衣女愕然說道：「你不是錢玉是誰？」

蕭翎道：「在下蕭翎。」

紅衣女道：「蕭翎，蕭翎，蕭翎……」

蕭翎道：「不錯，在下受了錢大娘相助之恩，才答應假扮她失蹤的孫兒錢玉，來赴此約……」他長長歎息一聲，又道：「事先那錢大娘並未談起錢玉和公主的往事，如是在下早知有此牽扯，絕對不會答應……」

紅衣女突然插口接道：「爲什麼？」

蕭翎道：「一個人的情義，是何等重要，在下冒充錢玉之名，致使姑娘誤作故人，罪莫大焉，如再不挺身認罪，於心何安？」

紅衣女兩目掠過一抹殺機，冷冷說道：「你既然知罪了，可知該怎麼辦？」

蕭翎怔了一怔，道：「姑娘之意呢？」

紅衣女道：「一個女孩的名譽、節操，其重尤過生死，你冒充那錢玉之名，害得我節操大損，日後你盡可向人誇耀，那北海冰宮公主，對我如何如何，那我有何顏面生於人世……」

蕭翎道：「如若我蕭某是那等卑下的小人，也不會自甘承認是冒充頂替了。」

紅衣女道：「任你狡辯千端，我也不會相信，除非你立刻橫劍自絕一死！」

蕭翎仰臉長長吁一口氣，道：「大丈夫死而何懼，不過，此時此景中，我不能死！」

紅衣女道：「所謂千古艱難唯一死，既然你連死都不怕，還有什麼事放不開呢？」

蕭翎道：「人死留名，雁過留聲，我蕭翎雖無流芳百世之心，但卻不能遺臭萬年，姑娘如肯信我蕭翎，請寬限我數年之期，待我洗刷了自身清白之後，自當負荊冰宮，聽候姑娘發落，在下就此別過！」轉過了身子，大步向前行去。

廿六　倖脫虎穴

突覺眼前人影一閃，那紅衣少女竟悄無聲息的越過身側，攔住了去路。

蕭翎疾退兩步，道：「姑娘好佳妙的身法。」

紅衣女道：「天下有誰不知北海冰宮的『七幻步』妙絕武林，還要你來稱讚不成！」

蕭翎心頭怒起，暗道：我心有愧咎，連連在言上相讓於她，她倒是當起真來，當下冷笑一聲，說道：「只聽那七幻步之名，就知不是正宗之學。」

紅衣女怒道：「你可要試試麼？」

蕭翎吸口真氣納入丹田，道：「當得領教。」口中雖是說得輕鬆，其實對她超越而過的奇異身法，並未有絲毫輕視之心，暗中全神戒備。

但見那紅衣女嬌軀閃動，轉得兩轉，突然幻現出兩條紅色人影，分由雙方攻來。

蕭翎吃了一驚，忖道：原來這「七幻步」有此妙用。不知哪一個方向攻來是真，只好雙手齊出，分拒兩方攻勢。

但見那紅色人影陡然向後退去，避開了蕭翎掌勢，幻影消失，四五尺外站著那嬌俏的紅衣姑娘。

只聽她清脆的笑聲傳了過來，道：「這七幻步法如何？」

蕭翎道：「幻影擾人耳目，算不得什麼奇絕之技。」

紅衣女道：「我幻起兩條人影，分由兩方攻你，你如何能知虛實？」

蕭翎道：「我雙手各拒一方。」

紅衣女道：「七幻步妙用無窮，我如若幻起三個幻影攻你呢？」

蕭翎道：「雙掌之外，我還可以踢出一腳。」

紅衣女道：「如是我幻起四條人影攻你？」

蕭翎道：「我可以雙手雙足並用。」

紅衣女道：「如是我能幻起五條人影……」

蕭翎道：「武功一道，並非說來輕鬆，在下料姑娘也難幻現四條以上化身。」

紅衣女歎道：「我不能，但我爹爹卻能，他可以幻出五個化身。」

蕭翎道：「旁門左道，不足為奇，縱然能幻起七個化身，又該如何？」

紅衣女道：「這只是一種奇幻的步法，練得純熟，再加上快速的轉動，就可以幻出化身，你自己不懂就罷了，竟敢信口開河誣為旁門左道，如若讓我爹爹聽到，準會把你碎屍萬段！」

蕭翎冷笑一聲，道：「令尊那七幻步縱然高明，但也未必就能把我蕭某人碎屍萬段。」

紅衣女怒道：「你可是不信我爹爹強過你嗎？那就先試試我的手段。」欺身急攻而上。

蕭翎揮掌一封，還了一掌。

兩人展開了一場搶制先機的快攻，掌指變化，各極迅辣。

蕭翎一連和她搶攻了二十餘招，竟然未佔得絲毫便宜，這才知道對方不僅只會那擾人耳目的「七幻步」，而是有真功實學。

那紅衣女亦爲蕭翎的武功，暗生傾倒，忖道：這人口氣很大，一身傲氣，但卻不是吹牛，確實有一點真實本領。

突聽一個沉重的聲音傳了過來，道：「冰兒，你們是在比試武功，還是在真的打架？」

紅衣女收掌疾退，回身笑道：「我和玉兄弟在探討武學。」

蕭翎抬頭看去，只見北天尊者和錢大娘並肩而立，望著自己和紅衣女出神，顯然，他並未被那紅衣女言語瞞過，神情間流現出滿懷疑慮。

錢大娘似是亦瞧出兩人不似探討武學，臉上神色變化忽驚忽怒，莫可捉摸。

她素知那北天尊者爲人，一翻臉全不念故舊之情，出手就要殺人。

只聽那紅衣女嬌笑道：「玉兄弟原是深藏不露，如非我迫你出手，現在我只怕還不知你具有此等身手。」談笑之中，走近蕭翎，牽著他的右手，奔回房中。

北天尊者望著兩人的背影，緩緩說道：「令孫的武功是何人傳授？」

錢大娘道：「除了家傳的武學之外，他受到幾位老前輩的指教，學的十分龐雜，老身亦曾爲此數說過他，要他不可務多，應該選擇幾種武功，專心練習，或許有些成就。」

北天尊者道：「據老夫觀察，令孫的武功，不但受過高人指點，而且已然升堂入室，老夫雖然未能窺得全貌，但自信不會走眼。」

錢大娘心中暗暗震驚，口中笑道：「尊者看他有些成就，那真是錢門之喜了。」

北天尊者語氣冷漠地說道：「因此，老夫可以斷言，他一身所學絕非你能調教出來。」

錢大娘道：「老身退出江湖，隱居田園，全爲此子，再加上他爺爺生前幾位故友，都很欣賞他的才氣，經常蒞入寒舍，指點他的武功，有時三日而去，有時數月才走，老身知他們都無惡意，是以，也沒有干涉他們……」

北天尊者道：「原來如此，那是無怪令孫的手法指掌，和你們錢家武功路數，全然不同的了。」

錢大娘道：「那些人只肯傳他武功，卻無人肯答應收他爲徒。」

北天尊者道：「那是那些不肯收令孫爲徒之人，都有自知之明，老夫看他適才和小女動手相搏時的數招，掌法的佳妙，變化的快速，招招都可以稱得上絕技二字……」

錢大娘笑著接道：「原來如此……」

北天尊者不顧錢大娘未完之言，自行接了下去，道：「小女武功，已得老夫大部真傳，所差者，不過火候而已，北海拳掌，素以凌厲見長，適才老夫目睹他們過招，任小女攻勢千變萬化，令孫都能從容破解，這就使老夫不得不心生疑問。」

他緩緩回過頭來，森寒的目光凝注在錢大娘的身上，接道：「來人當真是錢世兄嗎？」

錢大娘道：「世間哪還會有人冒充他人晚輩之理。」

北天尊者道：「老夫也和那錢世兄有過數面之緣，適才心中坦然，也就未作深思，如今想起來，錢世兄留在老夫記憶中，並不是他的形貌，而是他的骨格、氣度……」

錢大娘心中震動，暗道：此人武功驚人，想不到料事之能，竟也有如此能耐，只要能找出一點微末之疑，就苦苦追問不休。

忖思間，只聽那北天尊者說道：「嫂夫人可否把錢世兄叫過來，讓老夫再仔仔細細的瞧他一陣如何？」

錢大娘正待想一個婉言推托之法，卻見蕭翎和紅衣女已緩步走了出來。

北天尊者不容錢大娘開口，搶先道：「錢世兄請到這邊來，老夫有幾句話要問個明白。」

錢大娘暗裏吃了一驚，但見北天尊者對自己十分留心，別說出言招呼了，就是暗中打個招呼，示意他說話小心一些，也是無法辦到。

那紅衣女輕輕一扯蕭翎衣袖，道：「我爹爹叫你了。」

蕭翎道：「不知他有何見教？」放步向前行去。

紅衣女兩道目光一直盯注在北天尊者臉上，人卻緊隨在蕭翎身後而行，相距尚有七、八尺時，那紅衣女突然伸出手去，一扯蕭翎衣服，低聲說道：「你要小心了，我爹爹存心不良。」

蕭翎怔了一怔，舉步向前行去，在距那北天尊者還有四、五步時，停了下來，抱拳一揖，道：「老前輩有何見教？」

北天尊者道：「你過來，老夫有話問你。」

蕭翎想起那紅衣女的警告，不禁動了懷疑，暗中一提真氣，緩步向前行去。

北天尊者冷厲的目光凝注在蕭翎的臉上，打量了一陣，道：「小娃兒，你不是錢玉。」

蕭翎正待答覆，突見紅影一閃，那紅衣少女已擋在了蕭翎身前，嬌聲說道：「誰說他不是玉兄弟呢？」

北天尊者先是一怔，繼而哈哈大笑，道：「不錯啊！是老夫雙目昏花，瞧錯了人！」目光一轉，望著錢大娘道：「嫂夫人不用見怪，兒女們的真真假假，用不到咱們做長輩的費心。」

兩人相視而笑，隱入大廳。

紅衣女眼看兩人隱入煙霧之中，才回頭擦了一把冷汗，道：「好險啊！好險啊！如若你剛才答我爹爹問話，錯上一句，此刻已經橫屍廳外了。」

蕭翎心中不服，忖道：我倒不信你爹爹出手一擊，我便傷在他的手下，口裏卻緩緩應道：「在下早已有備了！」

紅衣女道：「我忘記告訴你，我爹爹已練成了一種絕世神功，名叫『陰風攝魂掌』，你可知道，那攝魂掌已經是威力奇大，被擊中不死必傷，而我父親除了練成攝魂掌外，又加上自己的寒陰氣功，所以，易名爲『陰風攝魂掌』……」

蕭翎心中暗道：我就不信那「陰風攝魂掌」能夠一擊置人於死地……心有所思，不覺間形諸神色。

那紅衣女似已看出了蕭翎心意，搖搖頭歎息一聲，道：「你可是不信我的話嗎？」

蕭翎道：「在下不是不信，只是有些奇怪。」

紅衣女道：「奇怪什麼？」

蕭翎道：「姑娘剛剛知道在下不是錢玉時，激憤之容，形諸神色，似乎要立刻把在下處死，才得稱心，不知何故，見得令尊之後，卻又激憤盡消，化敵爲友，反而保護起在下來？」

紅衣女嗤的一笑，道：「女人心，海底針，這忽喜忽怒之情，連我自己都捉摸不定，你自然是摸不透了……」

她突然一整臉色，莊嚴地說道：「你告訴我那蕭翎之名，不會再是假的了吧？」

蕭翎道：「千真萬確。」

紅衣女道：「你可知道我的姓名嗎？」

蕭翎搖搖頭道：「還未請教公主。」

紅衣女道：「那你現在可以請教了！」

蕭翎無可奈何地一抱拳，道：「請教姑娘上姓！」

紅衣女欠身施了一禮，答道：「不敢，不敢，賤妾複姓百里。」

蕭翎心中暗忖：好啊！真是要我問一句，她才答一句，只好接著問道：「姑娘的芳名？」

紅衣女道：「有勞相公下問，賤妾單名一個冰字。」

蕭翎道：「百里冰，好冷的一個名字。」

百里冰嫣然一笑，道：「我雖很少涉足中原，但卻常讀中原詩書，那賤妾二字，也不知用得當是不當？」

蕭翎道：「用得很好。」

他仰臉望望天色，道：「在下要告辭了！」

百里冰忽垂下頭去，幽幽地問道：「你雖然是冒充錢玉而來，但我卻一直無法改變……」

蕭翎道：「那不要緊，在下承姑娘數番相救之情，心中感激不盡，此後定當幫助姑娘訪查那錢玉下落，轉達姑娘對他的懷念之情，要他不分晝夜，趕往冰宮去見姑娘。」

百里冰抬起頭來，目光中滿是幽怨，望了蕭翎一眼，欲言又止，伸手由頭上拔下來一根雕琢精緻的玉簪，說道：「蕭兄請收下此簪。」

蕭翎呆了一呆，道：「姑娘之意……」

百里冰接道：「日後蕭兄若見著我那錢兄弟，請把玉簪交付於他，要他持此簪趕往北海冰宮見我。」

蕭翎接過玉簪，說道：「姑娘但請放心，萬一在下尋不到錢玉，定當把玉簪璧還公主。」

百里冰答非所問地接道：「我那玉簪乃是天山千年寒玉製成，可測百毒，你帶在身上，也許不無小助。」

蕭翎抱拳一禮，道：「在下就此別過了。」轉身向廳中走去。

忽聽百里冰低聲喝道：「站住，你要到哪裏去？」

蕭翎道：「我要去接那錢婆婆。」
百里冰輕歎一聲，道：「你不用去了，家父已然對你生出懷疑，去了恐難免要生事故！」
蕭翎沉思了一陣，堅決地道：「在下亦不能棄置那錢老前輩而不顧。」
百里冰道：「我替你帶她出來……」
回過身子，舉手一招，一個身穿白衣的婢女奔來，百里冰一指蕭翎，道：「香雪，你送這位蕭爺先離此地，在三里外那座山神廟等我。」
香雪應了一聲，回眸笑道：「蕭爺請！小婢有僭，先行一步帶路了。」轉身當先而行。
出得大門，立時有兩個白衣人，由壁角躍出，攔住了去路。
香雪迎上前去，低言數語。兩個白衣人，點點頭退回。
短短三里行程中，連遇四道攔截。
但均為香雪幾句軟言溫語，勸說的退避開去。
香雪說退了最後一道攔截伏兵，人已到山神廟前，長長吁一口氣，回目望著蕭翎一笑，道：「幸未辱公主之命……」微微一頓，接道：「在三、四里之內，有我們冰宮中衛隊，組成的三十六班巡視哨，不分晝夜，不停地巡視，但以三里為限，三里之外就算是天塌下來，他們也袖手不管，但限界內的一舉一動，他們也不肯放過。」
蕭翎道：「但姑娘卻能從從容容，刀不出鞘的把在下送了出來。」

香雪笑道：「他們都知我是公主的心腹婢女，對我有些忌憚，不敢開罪於我。」
蕭翎道：「你們那公主爲人很兇嗎？」
香雪道：「在我們冰宮之中，最兇的是夫人……」
她未等蕭翎答話，頓了一頓，又道：「夫人就是公主的母親，我們老爺最怕夫人了……」
她話未說完，忽然瞥見兩條人影奔了過來，趕忙住口不言。
奔來人影，勢如閃電，眨眼間已然到了兩人停身之處，正是那百里冰和錢大娘。
蕭翎一抱拳，道：「有勞公主。」
百里冰道：「兩位一路順風，恕賤妾不遠送了。」
錢大娘歎道：「勞公主上覆尊者，就說老身情非得已，明日即將整裝就道，天涯海角尋找我那孫兒，見他之面，老身定帶他同往冰宮一行，面見尊者謝罪。」
百里冰溜了蕭翎一眼，接道：「不用了吧！老前輩見著我那玉兄弟時，代我問候他一聲，也就是了，唉！兒時遊戲，如何能當真，晚輩此刻已然清醒多了。」
錢大娘道：「公主爲他奔波萬里，他去冰宮謝罪，也是應該的事，公主請回，老身就此別過了。」一拱手，帶著蕭翎轉身而去。
百里冰望著兩人的背影消失之後，才和香雪無精打采地聯袂而回。
錢大娘帶著蕭翎一陣急奔，回到那老榕樹下，只見景物依舊，金蘭正倚門張望，見蕭翎平安歸來，急急迎上去，道：「二位此行安好？」

蕭翎道：「還好，可有人來過這茅舍？」

金蘭搖搖頭，道：「沒有，自從三爺去後，從無人來驚擾過此地。」

蕭翎點點頭，道：「真信人也。」

玉蘭和唐三姑聯袂由室內走了出來，先對錢大娘欠身一禮，接道：「三莊主稱讚何人？」

蕭翎道：「馬文飛。他答應今夜之前，勸阻天下英雄，不得相犯此地，果是言而有信。」

金蘭插口說道：「三爺和老前輩，跋涉而歸，快請休息一下。」

錢大娘想起了蕭翎和馬文飛相約的期限，只怕還得一場惡戰，輕輕歎息一聲，道：「老身真得去休息一下了。」扶杖步入茅屋。

蕭翎目光一掠唐三姑和玉蘭，緩緩說道：「兩位的傷勢好了嗎？」

唐三姑道：「全好了，聽金蘭姑娘談起經過，當真是苦了你了。」

玉蘭盈盈一禮，接道：「妾婢何幸，受三爺如此大恩，今生今世，也是難以報答得完。」

蕭翎笑道：「同舟共濟，生死同命，不用談什麼受恩相報的話了……」語聲微微一頓，目光掃掠了三人一眼，道：「兩位能解開『化骨毒丹』之毒，只怕出了大莊主的意外，今宵不論是和是戰，咱們都要兼程趕路，趁此空暇，三位也該好好的養息一下體力。」

金蘭和玉蘭相視一笑，齊齊應道：「三爺也該好好調息一下，過關斬將，全憑三爺，妾婢等不過是搖旗吶喊而已。」

半日時光，匆匆而過。轉眼間日落西山，東方天際，捧出一輪明月。

蕭翎緩緩站起身子，低聲對金蘭等說道：「只要來人不侵入茅舍，三位最好是不要出手。」一大步出室而去。

月光下，只見馬文飛一身藍色勁裝，手執摺扇，早已在相約之處等候。

蕭翎一抱拳，道：「兄弟來遲一步，有勞馬兄相候。」

馬文飛道：「不是蕭兄來遲，是兄弟來得早了。」

蕭翎仰望了皎潔的明月一眼，道：「兄弟初出茅廬，識人不多，自思尚不曾和武林人物有怨恨，何以群雄畢集，處處和兄弟爲難？」

馬文飛道：「蕭兄坦蕩君子，言而有信，兄弟深信不疑，但濟濟群豪，並非是爲了蕭兄個人，只爲蕭兄來自那百花山莊……」

他長長歎息一聲，道：「沈木風在武林之中，造了無數的殺孽，之後他突然消失江湖，下落不明，雖經群雄明查暗訪了數年之久，仍是尋不出一點蛛絲馬跡……

「久尋不遇，江湖又傳出沈木風死亡的消息，追尋他下落的武林同道，才鬆懈下來，逐漸散去。唉！如今想來，沈木風死去之訊，定是他自己編造出的謊言，可惜，那時竟無人想到這是沈木風的遁身謊言，否則，也不會再有沈木風重出江湖的驚人之事了。」

蕭翎輕輕歎息一聲，道：「那時馬兄已經出道江湖了嗎？」

馬文飛道：「兄弟出道之時，那沈木風雖然早已歸隱，但此等往事，都是由家師口中說出，自然是不會假了。」

蕭翎道：「馬兄才氣縱橫，武功過人，令師定當是一位大有名望的風塵奇人。」

馬文飛黯然說道：「家師已然謝世了……」

他仰首望月，長長吁一口氣，道：「亡師因中了沈木風一記重掌，致內腑受傷劇重，終生不能再習武功，為了把他一身武功傳授兄弟，忍受那纏身的病魔，苦受五年，五年來，兄弟親目看到他傷勢發作的痛苦，日必一次，這痛苦在兄弟心中凝結成一股強烈的復仇怒火。」

蕭翎道：「原來如此，那是難怪馬兄對那沈木風恨入刺骨了。」

馬文飛道：「兄弟銜恨那沈木風，雖是種因恩師之仇，但和百花山莊為敵，卻並非全是舊恨，就兄弟所知，武林同道不少都受過那沈木風的荼毒，蕭兄途中所遇，大都是滿懷激憤，聞聲而來的武林同道，當知兄弟之言非虛了。」

蕭翎道：「在下確信馬兄所言非虛，但在下一步失足，回首已遲，沈木風雖無行，但在下不能無義，不過，兄弟可指月為誓，絕不助百花山莊行惡。」

馬文飛沉吟一陣，歎道：「間不疑親，蕭兄既然聲言在先，兄弟也不敢再以大義曉辯，但得蕭兄牢記今宵誓言，也不枉咱們今宵一晤。」

蕭翎道：「兄弟日後見過那沈木風時，定當竭盡所能，勸他遷過向善。」

馬文飛接道：「沈木風陷溺已深，想非蕭兄之力能勸得醒，但望蕭兄能獨善其身……」

他頓了一頓，接道：「兄弟言出肺腑，尚望蕭兄三思，咱們後會有期，兄弟就此別過。」抱拳一禮，轉身而去。

蕭翎回到茅舍中，唐三姑和金蘭、玉蘭，已經整好了行裝。

蕭翎環掠了三人一眼，道：「咱們即刻上路。」當先奔出了茅舍。

內室中傳出來錢大娘的聲音，道：「四位一路順風，恕老身不送了。」

蕭翎道：「老婆婆一番相助之情，蕭翎牢記不忘，日後有緣，定當圖報。」

室中又傳出錢大娘的聲音，道：「四位上路，老身亦將棄置蝸居而去，我已是風燭殘年之身，今後四海為家，天涯飄零，不知還能活得多久時光，蕭相公日後如能遇得老身幼孫錢玉，還望多多照顧。」

蕭翎道：「但得力所能及，自當盡我之能，我等就此別過。」

對茅舍抱拳一揖，大步而去。

廿七　骨肉親情

這時明月中天，已是三更過後時分。

蕭翎仰臉望望天色，道：「咱們得快些趕路。」放腿向前奔去。

這四人都有著一身輕功，棄車步行之後，行蹤實難追查，沿途之上再未遇上攔劫之人。

蕭翎伸手指著一所矗立在湖邊的白牆，笑道：「那就是我的家了，唉！我離家之時，才不過是一個十二、三歲的小孩，那時的身體十分瘦弱，此刻長大了許多，身體也強壯了，只怕爹娘也不會認識我了。」

金蘭看他臉上泛現出一片洋洋喜氣，雙目隱隱蘊含淚光，想是心中苦樂交集，百感叢生。

蕭翎不自覺地加快了腳步，行到門前。

只見籬門緊閉，樹木青翠，一片寂然。

蕭翎停在門前，輕輕咳了一聲，揮手彈一彈身上的灰塵，高聲叫道：「蕭福在嗎？」

他一連呼叫數聲，卻不聞響應之言。

一縷不祥的預感，陡然間泛上了心頭，臉上那苦樂交集之情，陡然間變得一片嚴肅。

金蘭、玉蘭、唐三姑，都察覺到有些不對，六道眼睛一齊投注到蕭翎身上。

玉蘭緩步行到了蕭翎身側，說道：「三爺，你可曾將家中地址，告訴過大莊主嗎？」

蕭翎搖搖頭歎息一聲，道：「沒有。」

突飛起一腳，踢開了籬門。

只見院中花樹，修剪得十分整齊，庭院中打掃得十分乾淨，毫無異徵可尋。

他心中的緊張，微微一鬆，大步向後堂行去。

廳堂的一切井然有序，有些布設，還在他腦際中留下清晰的印象。

唯一可疑的是前庭到後院，未遇見一個人影。

蕭翎只覺心中一股悶氣，難以遏制，忍不住大聲喝道：「有人在嗎，看看誰回來了！」

但聞回聲盈耳，不聞相應之聲。

五年前岳雲姑被殺的往事，陡然間回集心頭，這恐怖的往事，使蕭翎心頭凜慄，臉色如土，呆呆地站了一會兒，陡然奔向父親書房。

書室雙門虛掩，蕭翎一衝而入，只見書架上，列書依然，十分整齊，案上仍然展開著一卷古書，想是那蕭大人離開書室不久，只是去得十分慌匆，連開卷亦未合上。

一張素箋，壓在硯下，素箋一角，微微飄動。

蕭翎急忙奔了過去，取過素箋，只見上面寫著幾行草書，道：

自弟去後，小兄忽得急報，昔年幾個仇人，結夥尋小兄，欲報昔年之仇，深恐累吾弟父母，特遣急足，迎接雙親於百花山莊，吾弟見字，速返百花山莊，父子兄弟，亦可早日團聚一堂。

下面署名沈木風。

蕭翎瞧完素箋，長吁一口氣，道：「沈木風先到了我家，把我雙親接到百花山莊去了。」

金蘭吃了一驚，接過素箋，玉蘭和唐三姑也一齊伸過頭去，三人瞧過素箋，全都作聲不得。

書房爲一片沉痛、哀傷的氣氛籠罩，不知過去了多少時間，金蘭才長長歎息一聲，道：「三爺，事已至此，急應善後，總該想些辦法才是。」

蕭翎咬牙切齒地說道：「這手段太卑下了，還有什麼兄弟之情，談什麼結盟之義。」

金蘭道：「三爺請暫息胸中之怒，想一個法子應付才是。」

唐三姑眼珠轉了兩轉，道：「看室中纖塵不染，想是蕭老伯父和伯母，去了不久，咱們如若兼程疾追，或可在途中攔下。」

蕭翎精神一振，道：「他們不知我家所在，我也從未和百花山莊中人談起，他們必是跟蹤咱們而至，只不過搶先咱們一步罷了，現在要追，還來得及。」

金蘭道：「三爺不可妄動，聽妾婢一言如何？」

蕭翎本已要舉步而行，聽得金蘭之言，不禁一怔。

金蘭道：「如三爺追上了老爺、夫人，但他們卻以老爺、夫人的生死，要挾咱們束手就戮，那時又當如何？」

唐三姑怔了一怔，道：「這個，這個……」

金蘭道：「那時，只有束手聽命，大莊主既愛三莊主的武功，又怕三莊主背棄於他，三爺不恥他的行徑，在大莊主的心目裏是心上刺、眼中釘，如不能收爲已用，那就將殺之以除後患……」

玉蘭輕輕歎息一聲，接道：「三爺，金蘭姊姊說得不錯，大莊主用心在迫三爺早回百花山莊，絕不致使老爺和夫人受到傷害。」

蕭翎望了金蘭和玉蘭一眼，長長吁一口氣，道：「天涯遼闊，海角綿長，你們找一處人跡罕至的地方住下來吧！等那百花山莊解體之後，你們就可無後顧之憂了。」

金蘭淒涼地一笑，道：「三爺呢？」

蕭翎道：「我要回百花山莊，拜見雙親。」

玉蘭幽幽地說道：「如大莊主以老爺和夫人的生死，威迫三爺爲百花山莊效命，三爺要怎麼辦？」

金蘭緩步走到蕭翎身前，柔聲說道：「武林中有一句俗語說，是福不是禍，是禍躲不過，如是三爺獨回百花山莊，必將使大莊主加深了戒備之心，如是帶著妾婢們同返，可使他鬆懈不少戒心。」

玉蘭道：「妾婢們生死早不足惜，三爺不用爲我們擔心事了。」

蕭翎凝目沉思了片刻，回顧唐三姑一眼，道：「唐姑娘家世顯赫，料想那沈木風不敢找上門去，姑娘自是不用再回百花山莊去了。」

唐三姑道：「好吧！我回去見得祖母之後，定當求她老人家出手助你一臂之力。」

蕭翎苦笑一下，堅決地道：「咱們走吧！」

他心急如焚，一路趕奔，金蘭、玉蘭和唐三姑，只好陪著他兼程趕路。

這時，到了湖北境內。

唐三姑孤身入川，蕭翎帶著金蘭、玉蘭奔回百花山莊。

一向清靜的百花山莊，此刻卻懸燈結綵，到處人蹤。

蕭翎強忍著心中的悲憤、激動，緩步向莊中行去，他這些日來的諸般遭遇，使他學會了如何忍耐，剛剛行近莊門，瞥見周兆龍吉服駿馬，由莊內奔出。

周兆龍遙見蕭翎，一躍下馬，急步迎了上來，笑道：「三弟回來的正好，咱們這百花山莊，近來群豪畢至，有幾位難得一見的武林高人，都將來此。」

蕭翎淡淡說道：「這麼說來，小弟是適逢其會了！」

周兆龍道：「小兄實料不到，三弟回來的如此迅速，適才接得飛鴿傳書，謂三爺回到山莊，小兄正待遠迎，三弟已經返回了。」

蕭翎輕輕咳了一聲，道：「不知家父、家母是否已到？」

周兆龍愕然說道：「兩位老人家也來了嗎？」

蕭翎瞧他裝模作樣，心中怒火陡增，冷笑一聲，道：「二莊主參與機密，這等事也不知道嗎？」

周兆龍略一怔神，笑道：「三弟慢慢講，小兄的確不知。」

蕭翎從懷中摸出沈木風的留字，遞了過來，道：「二莊主如是真不知，請拿去過目。」

周兆龍看了一遍，且聽他一口一個二莊主，語氣雖然平和，但卻掩不住內心的激動和心中的憤怒，心知事態嚴重，哪裏還敢再出主意，微微一笑，道：「此事小兄確然不知……」語聲微微一頓，又道：「三弟見得大哥時，想大哥必定有一番詳細說明，走！我帶你去見大哥去。」大步向前行去。

蕭翎緊隨周兆龍身後而行。

金蘭和玉蘭對望一眼，悄然隨在蕭翎身後。

蕭翎、周兆龍、金蘭、玉蘭四人，穿過了幾重庭院，行到望花樓前，只見樓下門戶緊閉，高掛著一個「不見賓客」的牌子。

周兆龍回頭對蕭翎說道：「大哥正值坐息時間，不見賓客，咱們等會兒再來如何？」

蕭翎道：「既是兄弟相稱，如何還以賓客自居？」左掌一揮，拍在大門之上，高聲說道：「快些開門！」

這一掌暗運內力，只震得兩扇大門吱吱作響。

周兆龍臉色大變，閃身退到一側。

兩扇緊閉的木門呀然大開，一個全身勁裝的佩刀大漢當門而立，冷冷地瞧了周兆龍一眼，問道：「哪一個出手打門？」

蕭翎道：「三莊主蕭翎。」

那大漢道：「此時此刻，大莊主不見客，三莊主瞧到了門上木牌，還要出手打門，豈不是明知故犯！」

蕭翎突然一揚右手，啪的一聲，抽那勁裝大漢一記耳光，道：「狗奴大膽，敢對我如此無禮！」

一則是蕭翎出手太快，二則那大漢又毫無防備，這一記耳光，不但打得清脆悅耳，而且落手奇重，那大漢被打落兩顆大牙，滿口鮮血淋漓而下。

周兆龍一皺眉頭，欲言又止。

蕭翎冷冷說道：「哪一個有膽子敢攔阻於我，那是活得不耐煩了，快些給我閃開。」大步直向門裏衝去。

那大漢霍然退後兩步，刷的一聲，抽出肩上單刀，說道：「大莊主規令森嚴，二莊主和三莊主如是要硬闖，屬下只好開罪了。」

蕭翎雙目中殺機閃動，回顧了周兆龍一眼，道：「這人目無尊上，該不該殺？」

左手一伸，拂向那大漢握刀右臂，右手卻疾快地拍出了一掌。

他左手施出十二蘭花拂穴手，右手卻用的連環閃電掌法，這兩種絕世武功，合併用出，威力何等強大，那大漢勉強接下四、五招，右肘間「曲池穴」被蕭翎一指拂中，右手單刀，砰聲落地，半身僵木。

蕭翎飛起一腳，把那大漢踼了一個跟頭，大步直向二層樓上衝去。

周兆龍眼看蕭翎情緒激動，滿臉煞氣，心知他心中已充滿著悲憤，此刻如若攔阻他，只怕要翻臉成仇。

他爲人城府深沉，從不願做沒有把握的事，當下一語不發，緊隨蕭翎身後，登上二樓。

金蘭望了玉蘭一眼，低聲說道：「咱們隨著三爺上去？」

玉蘭滿臉堅決之色，道：「我也是這般想法。」聯袂而行，奔上二樓。

只見二層樓上，站著兩個全身黑色勁裝的大漢，左面一人手中握著一把雁翎刀，右面一人手中拿著一對判官筆，並肩而立，擋住了去路。

顯然，這兩人早已聽得樓下的爭吵，兵刃都已出鞘。

蕭翎怒目圓睜，冷冷地問道：「你們認識我嗎？」

那手執判官筆的大漢倨傲地說道：「這望花樓乃是大莊主居住之地，除了大莊主召見之外，任何人不得登樓。」

蕭翎道：「如是我一定要上去呢？」

左面大漢答道：「咱們雖認得兩位莊主，但手中兵刃無眼，卻認不得三莊主。」

蕭翎怒道：「狗奴才，你竟敢這樣放肆。」右手一揚，點了出去。

一縷指風，疾奔而去，那大漢還未舉起手中雁翎刀，修羅指力已中小腹，張嘴噴出一口血來，仰面摔倒地上。

那手執判官筆的大漢，料不到蕭翎出手一擊，就把同伴傷在當場，生死不明，雙筆一振，分攻向蕭翎兩處穴道。

蕭翎冷笑一聲，道：「自尋死路，怪不得我出手毒辣了。」

身子一側，巧妙地避開雙筆，人卻直欺過去，右手橫劈一掌，推出一股潛力，逼住了雙筆，左手翻轉之間，扣住了那大漢右臂，微微一扭，只聽格登一聲，生生把那大漢一條右臂扭斷，接道：「暫斷一條右臂，略示薄懲。」

一抬左腳，踢中那大漢穴道，大步上了三樓。

周兆龍眼看蕭翎瘋狂的舉動，連傷二層樓門守衛，心中暗自吃驚，想這一十三層望花樓中的守護武功，一層高過一層，蕭翎這等衝搏之戰，必也是一層比一層激烈，這些人都是百花山莊中的精英高手，沈木風絕不會坐視他們傷亡殆盡，說不定立時就要鬧出兄弟反目的慘劇。

忖思之間，人已衝上了三層樓。

這三層樓上，是一個五旬左右的老者，左手執著鐵盾，右手握著一把短刀，面色一片鐵青，當門而立，眼看蕭翎和周兆龍走了上來，仍是一語不發。

蕭翎重重地咳了一聲，問道：「你不認識我嗎？何以不知禮數？」

那老者道：「望花樓侍衛除了沈大莊主之外，從不對其他人行禮。」

蕭翎道：「你口氣不小！」

那老者冷笑一聲，道：「三莊主如肯聽在下良言相勸，還是暫時下樓的好。」

蕭翎道：「如我一定要上呢？」

那老者右手短刀在鐵盾之上一碰，道：「不是你死，便是我亡！」

蕭翎道：「你留心了。」呼的劈出一掌。

那老者左手鐵盾斜裏推出，接下蕭翎掌勢，右手短刀「丹鳳撩雲」，橫裏捲了上來。

那鐵盾光滑異常，蕭翎掌力擊在鐵盾之上，立時被滑向一側。

蕭翎身子一側，避過一刀，飛起一腳，踢向那老者小腹。

那老者左腕一沉，手中鐵盾封住了下盤，右手短刀一振，閃電一般，削向蕭翎的右腿。

蕭翎看他門戶封閉得十分嚴謹，疾快地收回了踢出的一腿。

那老者趁勢而上，鐵盾主守，短刀主攻，竟然是凌厲至極。

金蘭低聲說道：「三爺！請改用兵刃！」

周兆龍怒聲喝道：「賤婢多口！」

蕭翎掌勢一變，展開反擊，一連攻出四掌，招招如電光石火一般，快速絕倫，劈向那老者手腕，把劣勢穩了下來。

玉蘭刷的一聲，抽出了背上長劍，道：「三爺接劍。」

二婢似是已狠了心，周兆龍雖在身側，她們也不再顧忌。

周兆龍正待出言喝止，忽聽蕭翎大聲喝道：「放手。」砰的一掌，擊在那老者右腿之上，手中的短刀應聲落地。

蕭翎一招得手，哪還容他逃開。

右腳趁勢飛起，踢中了那老者左腕，手中鐵盾，也被踢落地上，左掌五指疾出，按在那老者左肩之上，冷冷說道：「你以下犯上，該當何罪？」

那老者一閉雙目，不聞不理。

蕭翎心中一動，暗道：這些人何以對那沈木風如此忠心，竟是視死如歸，這其間定然是有原因，必得查個明白不可。

只聽周兆龍道：「三弟不可殺人！」

蕭翎並無殺那老者之心，借勢順水推舟，收回揚起的掌勢，道：「二莊主之命，饒你不死就是。」

只聽一陣森冷的笑聲，傳了過來，道：「長幼有序，三弟在激憤之中，能聽你二哥之命，足見情義深重了！」

蕭翎抬頭望去，只見沈木風那高大微駝的身子，站在四層樓梯口處，望著幾人。

周兆龍欠身抱拳一禮，道：「見過大哥。」

沈木風一揮手，道：「二弟不用多禮。」

他似是有一股特別震懾人心的殺氣，金蘭、玉蘭雖已下定了必死之心，但一見沈木風出現之後，竟是嚇得渾身發抖，齊齊跪了下去，道：「奴婢們叩見大莊主。」

沈木風淡淡一笑，道：「你們陪侍三莊主遠道跋涉，都算得有功之人，快些起來吧。」

金蘭、玉蘭似是料不到沈木風這般和氣，大有受寵若驚之感，呆了一呆，才站起身來，說道：「多謝大莊主。」

沈木風目注蕭翎，說道：「爲兄因昔年結仇很多，不得不使望花樓門禁森嚴一些，屬下無知，竟連二弟、三弟也敢阻擋，那是自討苦吃，怪不得三弟教訓他們了……」

微微一頓，接道：「三弟遠道歸來，爲兄的亦該稍示慰問，請上樓來，咱們兄弟喝上幾杯，爲兄還有事和兩位商量。」

蕭翎幾度想啓口相詢父母何在，但卻勉強忍了下去，當先舉步而行。

沈木風回目望了金蘭、玉蘭一眼，笑道：「金蘭、玉蘭此刻的身分，已是三弟婢妾，一起上樓來吧！」

周兆龍怔了一怔，只覺沈木風對待蕭翎的寬厚，乃是從所未有之事。

金蘭、玉蘭齊齊躬身一禮，緊隨在周兆龍身後登上了十三層樓。

十三層樓上，早已擺好了一桌豐盛的酒席，四個綠衣美婢，亦在席前恭候。

沈木風坐了首席，蕭翎、周兆龍左右打橫，金蘭、玉蘭也被讓入席中。

沈木風端起酒杯，笑道：「三弟往返跋涉，受盡辛苦，為兄的先敬一杯。」

蕭翎正待舉杯，心中突然一動，放下酒杯，說道：「小弟心中有幾句話，如鯁在喉，不吐不快。」

沈木風笑道：「三弟儘管請說。」

蕭翎道：「小弟回籍探親，沿途之上，遇上了無數武林人物攔截，要查看小弟所帶之物，小弟心中無愧，自行啓箱讓他們查看，卻不料那箱中，竟然放著一個人頭。」

沈木風神情平靜地微微一笑，道：「他們瞧見那人頭之後，有何反應？」

蕭翎原想當面揭穿沈木風陰謀之後，他必然有些尷尬、愧疚之色，哪知沈木風竟是平靜的出奇，似是這些根本和他無關一般。

蕭翎心中又急又氣，半晌講不出話來。

倒是金蘭壯著膽子接道：「那些人見得人頭後，立時激憤難耐，硬指三爺是殺人兇手。」

沈木風點頭笑道：「其實，這正是小兄為三弟安排下的成名之路。」

蕭翎冷冷說道：「這麼說將起來，大哥是有心了？」

沈木風道：「不錯，這都在小兄的預計之中。」

蕭翎只覺心中一陣激動，強自按捺下心中的怒火，又道：「那擄來小弟的父母，也是大莊主的安排了？」

沈木風點點頭，道：「咱們百花山莊，結仇甚多，武林中人都視小兄為眼中之釘，急欲拔去而後快，三弟加盟百花山莊一事，已是天下皆知，如小兄不把兩位老人家遷來百花山莊，若被其他武林中人擄去，那還得了！」

蕭翎看他神色平靜，不禁心中一動，暗道：看將起來，他已是早有準備，我如立刻翻臉，亦是無補於事，必得出他意料之外。

心念一轉，壓下怒火，起身抱拳一揖，微笑說道：「大哥思慮周到，小弟感激不盡。」

這一著果然是大出了沈木風意料之外，不禁一呆，臉上微現驚愕之色，但瞬息之間，又恢復鎮靜的神情，哈哈一笑，道：「小兄早就瞧出了三弟乃是智勇兼具之人，果是沒有走眼……」

蕭翎只覺心中有如刺入一把利劍，全身微微顫抖，但他心中知道事關父母生死大事，絕不能亂了章法，強自裝出笑容，說道：「小弟已數年未拜慈顏，心中孺慕情切，急欲早日拜見雙親。」

沈木風哈哈一笑，道：「兩位老人家車馬勞累，正在休息，三弟又何必急在一時，待兩位老人家疲累恢復之後，三弟再見不遲。」

蕭翎只覺一股激憤，直沖上來，霍然站了起來。

玉蘭心中大急，暗中伸出一指，擊在蕭翎腿上。

蕭翎乃極端聰明之人，受到玉蘭彈指警告，立時清醒過來，迅即改變了心意，道：「大哥設想如此周到，小弟理該一拜才是。」

他一撩衣襟，當真要拜倒下去。

沈木風右手一揮，一股暗勁湧來，肅然說道：「三弟不用多禮，小兄有幾句至要之言，想和三弟談談！」

蕭翎也正好借階下台，原位落座，道：「大哥有什麼吩咐？」

沈木風道：「小兄這次重出江湖，心中早把三弟目為勁敵，有道是雙雄不並立，這區區一座百花山莊，如何能夠容得下小兄和三弟兩個英雄人物？」

蕭翎道：「大哥太過多心，小弟是向無雄主一方之意。」

沈木風道：「縱然是三弟淡薄名利，但咱們兄弟卻是道不同難相為謀，終歸是要翻臉成仇，干戈相見。」

蕭翎道：「因此大哥擄來了我的父母，做為人質，好讓我為百花山莊賣命？」

沈木風淡然一笑，道：「未雨綢繆，有何不對？」

蕭翎只覺一股激憤之氣從心底直泛上來，忍不住拍案而起，道：「大哥如此無情，休要怪小弟無義……」

刷的一聲，撕下一片袍角，道：「咱們兄弟就此割袍斷義，劃地絕交。」

沈木風縱聲長笑，說道：「冰火難同爐，咱們兄弟早晚都有此日……」笑聲一斂，冷冷接道：「咱們兄弟間情義既絕，從今之後，是各憑智謀，爭霸於江湖之上了？」

蕭翎呆了一呆，道：「小弟向無爭霸江湖之心。」

但聽沈木風冷笑一聲，道：「你縱無爭霸江湖的用心，但我卻認爲你是我沈某人謀霸武林的一大阻力……」語聲微微一頓，起身說道：「明日午時，請到望花樓下，和令尊、令堂一晤，此刻恕我不留大駕了。」言語之間，不但盡絕了兄弟情義，而且下令逐客。

蕭翎悲憤塡胸，但想到父母的安危生死，空有一腔悲憤，不敢發作，強按激動，拱手說道：「明午在下當依約而來。」轉身大步下樓。

金蘭、玉蘭緊隨著站了起來，舉步欲行。

周兆龍突然怒聲喝道：「賤婢敢爾。」

霍然離位，直向二婢衝了過去。

沈木風右手一揮，一股潛力應手而生，攔住了周兆龍，道：「放她們去吧！」

金蘭、玉蘭回過身來，盈盈一禮，道：「多謝大莊主。」

周兆龍目睹二婢背影消失，才茫然說道：「大哥當眞要放過那兩個丫頭嗎？」

沈木風笑道：「人急拚命，狗急跳牆，如若那蕭翎無人從旁相勸，難免要生出拚命之心，豈不是要白費了爲兄的一番心機嗎？」

周兆龍道：「大哥妙算，小弟難及了。」

沈木風笑道：「那蕭翎此去之後，傳了令諭下去，各地暗樁，只可暗裏監視，不可出手干擾。」

周兆龍應了一聲，下樓而去。

且說蕭翎步下了望花樓，穿過花木庭院，直出百花山莊。

金蘭、玉蘭緊隨身後而行，三人默然疾走。

片刻間已走出五、六里路。

金蘭低聲說道：「三爺準備到哪裏去，可曾想到過嗎？」

蕭翎沉吟了片刻，道：「咱們先找一處隱秘所在，好好的休息一下。」

金蘭道：「據妾婢所知，這百花山莊，方圓百里之內，到處都有他們的眼線。」

蕭翎雙目神光一閃，道：「只要被我發現，那就別想活命。」

玉蘭道：「賤妾之意，在未見老爺、夫人之前，三爺還是別傷百花山莊中人。」

蕭翎心中一陣劇疼，湧出來兩眶熱淚，仰臉說道：「我蕭翎未在二老膝前，盡過半點孝心，卻先連累二老受苦，這罪孽是何等深重……」珠淚紛紛，順腮而下。

金蘭探手入懷，摸出了一方絹帕，遞了過去，柔聲說道：「老爺、夫人，吉人天相，三爺不用太過憂苦，此時此情，三爺必得振起精神，謀慮善後，設法救出老爺、夫人，才是道理。」

蕭翎接過絹帕，拭去淚痕，歎道：「百花山莊中高手如雲，埋伏重重，我蕭翎雖是不怕，但救人談何容易。」

金蘭柔婉的一笑，道：「此事也不用急在一時，咱們從長計議，先找容身之處再說。」

蕭翎突然想起那座荒涼的破廟來，在那裏，他收服了中州二賈，也遇著毒手藥王。

那座破落的大廟，留給他極深的印象，心念一轉間，立時想了起來，當下說道：「走！我帶你們去一個容身所在。」

三個人施展開輕身挺縱之術，直向郊野奔去。

蕭翎輕車熟路，帶二婢放腿急奔，不過頓飯工夫，已到那破落大廟所在。

此刻，舊地重遊，不禁又想起往事，帶著二婢直向那後院東廂房走去。

兩扇油漆剝落的大門，緊緊地關閉著。

蕭翎低聲說道：「你們小心戒備！」右手微微加力，推向木門。

只聽呀然一聲，積塵飛揚中，木門大開。

蕭翎緩步走入室中，直奔靠南面一具棺木，手上蓄勁，推開棺蓋。

那棺木中仍是一無所有。

蕭翎的目光緩緩由兩人臉上掠過，道：「咱們就在這裏坐息一夜。」

太陽落下了西山，夜幕低垂，黑暗增加了破落荒廟中的恐怖氣氛。

蕭翎閉上雙目運氣調息，片刻工夫，已入物我兩忘之境。

廿八　江湖險詐

一夜匆匆，轉眼間天色大亮。

蕭翎長長吁一口氣，轉臉望去，只見金蘭和玉蘭俱已醒來。

蕭翎仰天長長吁一口氣，道：「此刻距中午，尚還有幾個時辰，不如咱們借此機會練習一下拳腳，順便我再指點你們幾招對敵手法，雖然時間短促，難有大效，但對敵之時，不無小補。」

帶著二婢，行到廟外雜林之中，指點二婢兩招武功，自己又練了一陣拳腳，才向百花山莊奔去。

三人聯袂趕往百花山莊。

周兆龍卻早已在莊前相候，一見蕭翎，立時大步迎了上來，道：「小兄還道三弟忘記了今午之約。」

蕭翎冷冷說道：「咱們兄弟情義早絕，二莊主不用這般稱呼了。」

周兆龍眼看蕭翎激動、憤怒之情，急急說道：「兄弟帶路。」舉步向前行去。

玉蘭急行一步，走在蕭翎身側低聲說道：「三爺，鎮靜些，不要亂了方寸。」

蕭翎長長吁一口氣，黯然說道：「家父母年老體衰，如何能受得折磨。」兩行珠淚，奪眶而下。

穿行過幾重花樹，已到了望花樓下。

只見盛宴早開，沈木風端坐在首席之上，另一個枯瘦的黑衣老人，和那沈木風對面而坐。那人臉上肌肉僵硬，形容古怪，如不是兩隻眼睛可以轉動，簡直是一具殭屍。對此人，蕭翎有著深刻的印象，他是那古廟中所遇的毒手藥王。

花樹環繞的廣場中，只擺了一張席位，除了沈木風和毒手藥王之外，再無其他人在座。毒手藥王一見蕭翎，雙目中突然閃動著一片神采，不停地在蕭翎身上打轉。

沈木風微微一笑，欠身說道：「三位請坐。」言下之意，把金蘭、玉蘭也當做了客人。

蕭翎大步而入，昂然入席。金蘭、玉蘭緊在蕭翎旁側坐下。

沈木風淡淡一笑，端起了酒杯，說道：「兩位姑娘，明珠不棄，能得蕭兄賞識，在下要替兩位恭喜了！」

玉蘭欠身說道：「大莊主言重了，奴婢們是敬重三爺為人，感德圖報。」

沈木風臉色突然一整，接道：「咱們百花山莊的規戒，十分森嚴，如有背叛，絕不輕饒。」舉起雙手，連擊兩掌。

只聽花木叢中，響起了一聲長嘯，緊接著望花樓頂，響起了相應之聲。

蕭翎只覺心頭響起了一陣劇激的跳動，不自禁地抬頭望去。

只見一根竹竿，緩緩由望花樓頂，伸了出來，長竿高吊著一個僅著短褲的赤身人。

沈木風目注那高吊著的赤身人，微微一笑，道：「此人暗生異心，背叛於我，應該身受亂箭穿心之苦。」語音甫落，突聽嗤的弦聲破空，一支長箭，由高樓中一座窗口射了出去，正中那人的大腿之上。

只聽一聲尖叫，一串血珠滴了下來。那血珠就滴落在宴前四、五尺處，染紅了一片黃沙。

沈木風回顧了蕭翎一眼，笑道：「他死得很痛快。」仰臉一聲長嘯。

那伸出的長竿，緩緩收了回去，東西角樓處，卻同時伸出兩根長竿，長竿上各吊著一個軟椅，分坐一男一女。蕭翎仔細看去，登時魂飛魄散！那一男一女，竟是自己的父母。

沈木風微微一笑，道：「蕭兄看清楚了嗎？」

蕭翎只覺由心底泛升起一股寒意，出了一身冷汗，緩緩說道：「看到了，快放下來。」

沈木風笑道：「咱們兄弟情義，早已斷去，這話不覺太自信了?」

蕭翎舉手拂拭一下臉上的冷汗，道：「你有什麼話，說吧！」

沈木風哈哈一笑，道：「如是蕭兄不和我沈某人割袍斷義、劃地絕交，這兩位老人家也就是我沈木風的長輩，那自是敬如上賓、尊如師長了。」

蕭翎只覺他每字每句，都如鐵錘一般，敲在心上，心頭激憤異常，但想到父母的安危，只好強自忍了下去，盡量平和地說道：「往事已過，不堪回首，咱們還是談談眼下的事，大莊主也不必再耍花招，你要我蕭翎辦什麼？還是明說吧！」

沈木風微微一笑，道：「好！打開天窗說亮話，只要你設法取到當今少林寺掌門方丈的人頭，令尊立即可獲自由。」

玉蘭突然接口說道：「大莊主要蕭爺取得少林掌門方丈項上人頭，只放蕭老爺一人自由，那麼夫人可是另有條件？」

沈木風道：「你聽的倒是清楚得很。」

蕭翎只覺一股怨憤之氣，直沖而上，霍然站了起來，怒聲說道：「那你就說吧，還有什麼條件？」

沈木風哈哈一笑，道：「容易多了，容易多了，只要你混入武當山去……」

蕭翎冷冷接道：「殺了那無爲道長，好使武當門下恨我入骨！」

沈木風道：「你對那無爲道長有恩，他絕然不會防你，你只要出其不意的暗施毒手，豈不是方便得很？」

蕭翎仰天長長吁一口氣，道：「除此之外，還有別的辦法嗎？」

沈木風搖頭笑道：「別無可代之策，但限期可以訂長三月，在此三月之內，在下自會善視令尊、令堂。」

蕭翎心知再言無益，緩緩站了起來，強自按下激動的心情，一拱手，道：「三月限滿，在下定當重來百花山莊……」

沈木風接道：「令尊、令堂年邁體衰，只怕是難當刑具加身之苦，蕭兄重來百花山莊，望你已取得了少林掌門和無爲道長的人頭。」

蕭翎只覺沈木風每字每句都如利劍一般刺入胸中，全身震顫，轉過身子，步履踉蹌而去。

金蘭、玉蘭互相望了一眼，齊齊站起身來，欠身一禮，轉身追上蕭翎，出了百花山莊。

蕭翎氣憤填胸，心頭一片茫然，不辨方向地一陣亂走，直待走到江邊，才停了下來。

金蘭、玉蘭知他心頭煩惱，也不敢多言相勸，相隨身後而行。

蕭翎望著那滔滔江流，突然長長吁一口氣，回頭說道：「我很好，兩位不用多擔心了。」

玉蘭雙目眨動了一陣，道：「此時此情，必得以大智慧、大定力，應付難關，尚望三爺能夠保持冷靜，或可想出良策拯救老爺、夫人。」

蕭翎輕輕歎息一聲，道：「我已和那沈木風、周兆龍割袍斷義，以後不用稱我三爺了，直接叫我蕭翎吧！」

玉蘭搖搖頭，道：「這個妾婢們擔當不起。」

蕭翎道：「彼此都是人，哪來的尊、卑之分，叫我蕭翎有何不可？」

金蘭道：「蕭爺既是瞧得起我們姊妹，妾婢就斗膽叫你蕭相公了。」

蕭翎道：「隨便你們叫吧！」緩緩坐了下去。

玉蘭屈下一膝，柔聲說道：「妾婢身受相公大恩，朝思暮想，無以爲報，如今老爺和夫人，被困百花山莊，照料乏人，妾婢想返回百花山莊，請求那沈木風讓妾婢去照料老爺、夫人，相公有金蘭姊姊照顧，實不用妾婢……」

蕭翎接道：「什麼？你要回百花山莊？」

玉蘭俊目四顧了一陣，低聲道：「相公，百花山莊的周圍，到處都有暗樁，妾婢之意，咱們先兜上一個大圈子，擾亂那些暗樁的耳目，再設法找一處坐息。」

蕭翎道：「好吧！就依你之見。」當下轉向正南行去。

三人奔行的速度甚快，眨眼之間，跑出了好幾十里。

蕭翎停住腳步，四下一望，只見一座茅屋，孤立在荒涼的田野中。

玉蘭微微一笑，道：「相公，咱們到那茅屋中養息一下精神吧！這四周一片遼闊麥田，一眼可見百丈內的景物，如是百花山莊中的暗樁盯來，最是容易發現。」

金蘭道：「咱們最好能設法抓住一、兩個暗樁，要他傳出一些假訊，混亂那大莊主的耳目，那就更好了。」

玉蘭道：「小妹也有此意。」

二女膽氣似是逐漸地壯大起來，只看得蕭翎心中大感奇怪，暗忖：這兩人對那沈木風一向都敬畏異常，此刻怎的竟似變了一個人般。

心中念頭轉動，不覺間問道：「你們兩個好像膽子大得多了？」

玉蘭柔婉一笑，道：「那是因為我們想通了一件事。」

蕭翎道：「想通了什麼？」

玉蘭道：「士為知己者死，相公待我們恩情深厚，妾婢們但願能為相公盡點心力，雖粉身碎骨，亦在所不惜，這心願使妾婢膽氣大增。」

蕭翎道：「原來如此。」

談話之間，人已行近茅舍。這是荒涼的荒屋，房中堆了很多麥草，別無他物。

蕭翎大步行入屋中，說道：「這地方不錯啊！咱們就在這裏養息精神。」

玉蘭玉腕一翻，刷的一聲，拔出背上長劍，目注堆積的麥草，高聲說道：「快些給我出來，不然我要放火了。」

蕭翎一皺眉，正待發問，忽見玉蘭連連向他施眼色，只好忍了下去。

金蘭冷哼一聲，道：「妹妹給我一個火摺，咱們燒他出來瞧瞧。」

只見麥草分裂，跳出一個蓬頭赤足的小叫化，望了二婢一眼，哈哈大笑道：「好啊！兩位姑娘竟然把我小叫化給騙出來了。」

玉蘭目光轉動，上下打量了那小叫化一眼，道：「你是誰？」

那小叫化笑道：「小要飯的，天下何處不可見，用不著大驚小怪。」

玉蘭冷冷說道：「風聞人言，江湖之上，有一個丐幫，幫中之人，都是乞丐裝束，但人人武功了得，你可是丐幫中人？」

那小叫化反問道：「你們可是百花山莊中人？」

蕭翎一直冷眼旁觀，不插一語。

金蘭、玉蘭雖是聽聞過很多江湖事，但也只是在那百花山莊中聽人談起過，並未實際在江湖上走動，經驗究是不多，聽那小叫化反問之言，立時啓口道：「不錯，不過現在已經不是了。」

那小叫化雖然刁鑽古怪，但也聽得愕然不解，茫然問道：「為什麼？」

玉蘭道：「咱們目下已脫離了百花山莊……」

忽然覺著不對，急急接道：「你問得這樣清楚，是何居心？」

小叫化笑道：「縱然你們是百花山莊中人，我也不怕，不錯，我就是你聽聞過的丐幫中人。」

玉蘭喜道：「久聞丐幫中人，個個是忠義俠士，今天有幸一晤。」

那小叫化衣著雖然破敗，油污滿臉，但卻掩不住清秀之貌，被玉蘭高帽子一戴，反而有些不好意思起來，哈哈一笑，道：「姑娘誇獎了。」

小叫化把目光緩緩移注到蕭翎身上，不停地上下打量。

蕭翎一抱拳，道：「在下亦聽過丐幫的名聲，只不知兄台如何稱呼？」

那小叫化道：「兄弟彭雲，請教大名。」

蕭翎道：「在下蕭翎！」

彭雲雙目突然閃動了一陣，道：「原來是百花山莊中的三莊主，小要飯曾從那豫、鄂、湘、贛總瓢把子口中，聽得蕭兄大名。」

蕭翎道：「那馬文飛可在此地嗎？」

彭雲道：「他和敝幫中幾位長老，走在一起。」

蕭翎道：「在下有事，希望能見馬總瓢把子一面，不知彭兄可否告訴他們的所在？」

彭雲道：「目下他們身在何處，小要飯的也不知道，不過，我卻可以替你找找，但不知那馬總瓢把子，是否肯和你相見。」

蕭翎道：「但願彭兄通知那馬總瓢把子一聲就是，見與不見，由他決定。」

彭雲道：「好！明日日落之前，小要飯的給你回信……」微微一頓，接道：「這地方暫時奉讓三位。」縱身一躍，飛出茅舍眨眼不見。

蕭翎望著那小叫化的身形去遠，才回顧了玉蘭一眼，道：「你怎的發現這室中有人呢？」

玉蘭微微一笑，伸手指著門邊，道：「只怪那小叫化太愛吃了。」

蕭翎順著她手指瞧去，只見一塊雞骨棄置在窗台邊，不禁讚道：「你很細心。」

玉蘭道：「相公誇獎了。」

金蘭突然插口說道：「丐幫中人，突然在此出現，只怕是有爲而來。」

玉蘭道：「大莊主重出江湖一事，恐已引起天下武林的關注，紛紛趕來此地，查看形勢，唉！只怕近日之內，即將有一場驚人的搏殺惡戰。」

金蘭道：「咱們藉機和天下英雄聯手！」
玉蘭搖頭接道：「不行。在未救出老爺、夫人之前，咱們還不能和百花山莊中人正面衝突，如是過分激怒那沈木風，只怕是兩位老人家要吃虧。」
蕭翎輕輕歎息一聲，緩步走向茅屋一角，盤膝坐了下去。
玉蘭道：「相公放心打坐，妾婢爲你護法。」
提起手中長劍，步出茅舍，環行了一周，重又入室，低聲對金蘭說道：「四周形勢開闊，最利於守，姊姊也請調息一下，由我一人護法即可。」
金蘭道：「好！一個時辰之後，叫我接你的班。」起身走向屋角，盤膝坐下，運氣調息。
荒涼的茅室之中，只餘下玉蘭一個清醒之人，手握長劍，耳目並用。
突然間，響起了一陣轆轆輪聲，由遠而近，直行過來。
玉蘭悄然而起，行至門側，探首望去，果見一輛馬車，急急馳來。
在這荒涼的郊野中，突然馳過來一輛馬車，自然非平常的事。
玉蘭正待回身叫喚，突見車簾挑了起來，跳下來一個白色勁裝、胸繡金花的嬌媚女人。
只聽那婦人咯咯笑道：「三莊主在這裏嗎？」口中問話，人已直向茅舍中闖了過來。
來人正是滿身藏有劇毒之物的金花夫人。
玉蘭自知攔她不住，故意提高聲音，道：「夫人別來可好。」想藉此驚醒蕭翎、金蘭。
金花夫人一陣風般，衝入了茅舍，蕭翎已聞驚而起，暗作戒備。

金花夫人舉起纖白玉手，理一下鬢前散髮，笑道：「幸喜你沒走遠。」

蕭翎對金花夫人，有著畏懼和厭惡的混合心情，當下答道：「夫人找我，有何見教？」

金花夫人咯咯一笑，道：「小兄弟，談談你今後行跡如何？你認爲沈木風會放過你嗎？」

蕭翎斬釘截鐵地道：「我不怕他。」

金花夫人笑道：「不用強嘴，你不是已經答應他，去殺那少林掌門方丈嗎？」

蕭翎道：「那沈木風卑鄙無恥，竟把我父母擄作人質，迫我去殺那少林掌門方丈！」

金花夫人突然一整臉色，道：「小兄弟，你認爲你殺了那少林寺掌門方丈之後，那沈木風當真會釋放令尊、令堂嗎？」

蕭翎呆了一呆，道：「那沈木風爲人老奸巨猾，是否會臨時變卦，很難預言。」

金花夫人突然仰臉咯咯大笑起來。

蕭翎被她笑得心頭火起，怒聲喝道：「你笑什麼？」

金花夫人道：「我笑你吃了沈木風的苦頭之後，對他的爲人，仍是一點也不瞭解，你想，武林中還有八大門派，和無數的高手和他作對，你武功愈強，他愈要緊緊的掌握住你不放，如今他既然掌握了控制你的一道無形枷鎖，豈肯輕易放開！」

蕭翎只覺她言來理由甚足，不禁黯然一歎，道：「夫人說得不錯。」

金花夫人嫣然一笑，道：「小兄弟不用急苦，好在沈木風目下絕不會有一點虧待令尊和令堂之處，咱們有足夠的時間救他們出來。」

蕭翎怔了一怔，道：「你爲什麼要這般的相助於我？」
金花夫人笑道：「我天生怪癖，越是討厭我的人，我就越要幫他，直到他不討厭我時爲止。」
這幾句雖是說的笑話，但蕭翎卻聽出那笑語中藏著無比的淒涼。
金蘭、玉蘭突齊齊欠身作禮，道：「夫人如肯相助蕭相公，公子必然終身難忘此恩。」
金花夫人咯咯笑道：「也不用他感激我，你們好好的照顧著他，不可貿然從事，我要去了！」轉身一躍，人已到了室外。
只聽輪聲轆轆而去，帶起了兩道煙塵。
玉蘭望著那急馳而去的車影，長歎一聲道：「如若她說的都是真話，她不算一個壞人。」
忽聽蕭翎長長歎息一聲，道：「你們也該休息一下，養養精神了，咱們隨時可能會遇上一場惡戰。」言罷，當先閉目而坐。
玉蘭、金蘭相互望了一眼，輕輕掩上木門，並肩盤膝而坐，運氣調息。
蕭翎心有所思，憂苦重重，一時之間竟是難以入定，抬頭看二婢，似已入禪定之中，當下悄然站了起來，目光轉處，忽見後窗處那垂著的草簾，微微啓動了一下。
他出道時間雖然不長，但一直處在一個險惡、憂患的境遇之中，這使他閱歷大增，看那垂著的草簾不似被風吹動，立時選擇一個有利的方位，坐了下去，微閉雙目，暗中監視。
過了片刻，那垂下的草簾，又輕輕啓動了一下，重歸靜止。

這一次啓開的距離甚大，顯是有人在窗外用手拉動。

蕭翎心中忽然一動，悄然取出千年蛟皮手套戴好，暗道：我倒瞧瞧是什麼人物？仍然端坐不動。

大約又過了一盞熱茶工夫，那垂覆的草簾突然開啓，一雙明亮的大眼睛，一張端莊嚴肅的粉臉，緩緩探了進來。

這面孔蕭翎十分熟悉，一見之下，立時認出是歸州酒樓上遇見的那位青衣姑娘，心中暗道：她既在此處出現，想那端木正亦在左近了。

心中念頭百轉，人卻是仍然端坐不動。

只見那明亮的大眼睛，閃動出一片殺機，冷冷地投注過來。

蕭翎想到她那日在酒樓上刺殺周兆龍的往事，被自己橫裏阻擾，使她功敗垂成，也是難怪她對自己記恨甚深。

忖思之間，那張由窗口探入的粉臉，已緩緩收了回去。

緊接著寒光一閃，一縷銀芒破窗飛了進來，直射向蕭翎前胸。

蕭翎右手疾抬，接住了飛來暗器，凝神一看，原來是一枚小巧的銀梭，梭尖處閃起一片藍汪汪的顏色，顯是劇毒淬煉之物，暗道：幸好我早已有備，戴上了手套。順手把銀梭放在身後，仍然靜坐未動。

只見那充滿著仇恨的星目，又在窗口出現，瞪著蕭翎瞧了一陣，移注在二婢身上。

不久，窗口星目緩緩移開，啓開的草簾，也緩緩放了下來，顯然並無暗算二婢之心。

蕭翎暗暗吁了一口氣，忖道：自己身上既無傷痕，人又原姿未動，難道她就瞧不出一點破綻嗎？

他反覆忖思，仍是想不出那青衣少女，何以會如此大意。

又過了一陣，玉蘭、金蘭先後禪定醒了過來，二婢經此調息，精神大見好轉。

蕭翎也未把經過之情說明，悄然將毒梭藏好。

玉蘭打開了木門，望望天色，道：「天已黑下來了，咱們也該走啦。」

遙聞馬嘶之聲，傳了過來。

只聽馬蹄聲，由遠而近，行近了小廟。

一個粗重的男子口音說道：「是一座小茅屋，進去歇息一下。」

玉蘭輕輕一扯金蘭衣袖，分藏門內兩側。

只聽步履聲響，一個全身黑衣的大漢，快步走了進來。

蕭翎心中還未決定該如何對付來人，但意識中，卻有著不讓對方發現之意，一提真氣，身子平飛而起，貼在屋面之上。

那大漢警覺之心甚高，一腳踏入屋門，突然停了下來，刷的一聲，抽出了背上單刀，喝道：「裏面是什麼人？」

原來蕭翎飛身而起的舉動，太過匆忙，未留心衣襟帶起了風聲。

玉蘭翻腕抽出長劍，正待躍出屋去，突見人影一閃，穿了出去，只見那快速的身法，已知是蕭翎無疑，當下急急喝道：「相公不可放過他們。」緊隨著躍出屋外。

凝目望去，蕭翎已和人動上了手，那人手中雖有單刀，但已被蕭翎掌力緊逼得不能施展，落敗不過是轉眼間事。

玉蘭目光一轉，只見丈餘外處一人已然騎上馬背，立時繞過蕭翎，追了上去。

馬上人眼見玉蘭追來，立時一帶馬頭，急奔而去。

玉蘭一提氣，放腿疾追，眨眼之間，已追出五丈開外。

忽聞衣袂飄起，掠頂而過，一條人影，有如飛鷹下撲，一把抓住了那馬上人，生生從馬背上拖了下來。

玉蘭伸手提起那人，仔細一瞧，竟是個十四、五歲的童子，當下忖道：這三個人不知是何來路，咱們得仔細審問一下。緩步走回屋中。

金蘭早已把屋外之人，提入室中，玉蘭放下手中童子，低聲對蕭翎道：「相公請問。」

蕭翎搖搖頭，道：「還是你來問吧！」

玉蘭一揚手中寶劍，掠著三人面上掃過，道：「老老實實答覆我的問話，如有一句虛言，被我聽出破綻，當心性命！」一掌拍活那黑衣大漢身上穴道，卻順勢一腳踢中他「湧泉穴」，接道：「還是你先說吧！」

那大漢道：「在下先要知道姑娘身分，如是該說，咱們就一一奉告，如是不該說，姑娘也不用多麻煩了，一劍把咱們殺死就是。」
玉蘭道：「很乾脆，那你先問吧！」
黑衣大漢道：「姑娘是哪一道中人物？」
玉蘭沉吟了一陣，道：「那是咱們公子，我們姊妹，奉伴公子遊玩山水，很少和武林人物來往。」
黑衣大漢道：「請問你們相公貴姓？」
玉蘭心下好生爲難，想到蕭翎加盟百花山莊一事，天下皆已知聞，如若說出蕭翎之名，這大漢定然認爲是百花山莊中人……一時竟是想不出如何回答。
只聽蕭翎接口說道：「在下蕭翎。」
那大漢喜道：「你就是蕭大俠？在下久仰了。」
蕭翎一皺眉頭，道：「不敢，不敢。」
那黑衣大漢望著蕭翎，說道：「蕭大俠找得我們好苦，真是踏破鐵鞋無覓處，遇得全不費工夫。」
蕭翎訝然說道：「你們找我？」
那黑衣大漢道：「在下受人之托，轉交給蕭大俠一件東西。」伸手探入懷中，摸出一封書簡，遞向蕭翎手中，道：「蕭大俠先請瞧過這封書簡，咱們再談不遲。」
蕭翎接過書簡，心中大是疑惑：此信不知是何人手筆，也不知寫的什麼？如何能和我蕭翎扯上關係。

忽聽玉蘭出言喝道：「相公不可造次，江湖之上，無所不有，先讓賤妾問出此信來歷，再作決定。」回頭對那黑衣大漢說道：「這信是何人所托的？」

黑衣大漢目注玉蘭，吞吞吐吐地道：「是一位岳姑娘所托……」

蕭翎只覺心頭突然被人打了一拳，起了一陣劇烈的波動，良久難以自制。

玉蘭似已覺出蕭翎激動的神情，伸出手去握住蕭翎的右腕，說道：「相公，你怎麼啦？」

蕭翎道：「我很好，你不用擔心……」

目光轉到那大漢臉上，問道：「那位岳姑娘在何處？」

黑衣大漢道：「那位岳姑娘曾經告訴我等，她已在信中寫得明白，只要我等把此信親手交給蕭翎，也就是了。」

蕭翎道：「你們是在何地遇上岳姑娘的？」

那大漢道：「大巴山中。那時是黃昏時分，我等誤入了別人的禁地，給人生擒，被囚在一座高峰之上，讓我等自生自滅，那山峰高出雲表，罡風如刀，上面苦寒無比，普通之人，不消兩、三個時辰，便被凍僵，就算是有著武功之人，也難支持多久，正當不立之時，岳姑娘卻突然出現……」

蕭翎心中一動，暗道：我那岳姊姊用的軟劍，江湖之上甚少見到，他如見過，定然知道。急急接口說道：「那位岳姑娘用的什麼兵刃？」

黑衣大漢道：「沒帶兵刃。不知她使用何物，斬斷了我等身上捆綁的牛筋，解救了我等性命，指示了我等下山之路，囑我等代她轉交一封書信，飄然而去。」

玉蘭晃燃火摺子，說道：「相公，打開書信瞧瞧吧！不要被他們欺騙過去。」

蕭翎依言拆開書信，只見上面寫道：「見字即來大巴山秀雲峰下。」

簡簡單單的十一個草書。

蕭翎想不到竟是這樣一封簡單的信，他盡力回想岳小釵的筆跡，但相處之時，自己年紀幼小，根本已無法想起，是否看到過岳小釵的筆跡。

蕭翎心中對那岳小釵的懷慕，十分殷切，雖然覺著這封簡單的函件，疑綻重重，但心中又盼望它確是岳小釵所寫的。

深重的懷念，使他赴約之心，油然而生。

夜霧更濃，茅屋內外，一片漆黑。

忽然，聽得一陣細語之聲，傳了過來。

那聲音十分遙遠，雖聞其聲，卻無法辨出說的什麼！

玉蘭低聲對著蕭翎說道：「如有武林人物進了百花山莊百里之內，每到天色入夜之後，三更之前，那人在百花山莊之內所作所爲，都被詳細的記入了一封密函之中，送往百花山莊……」

蕭翎吃了一驚，低聲向玉蘭說道：「此地似是一個四通八達的要隘，不宜久留，趁天色未明，咱們帶著三人走吧！」

玉蘭道：「好，賤妾開道！金蘭姊姊請照顧這三個人，如是他們故意刁難，不願行動，或是招惹同道，無事生非，那就先殺了他們！」

她似有意讓三人聽到，最後這句話，故意提高了聲音。

玉蘭當先出了茅屋，蕭翎緊隨玉蘭身後而行，金蘭走在最後，監視著三人的行動。

夜色逐漸的消退，東方天際，已隱隱泛現出銀白之色，但霧氣卻更見濃重。

玉蘭對四周地勢，似是十分熟悉，一語不發，低頭疾走。

大約有頓飯工夫之久，到了一座竹籬環繞的茅舍前面。

此際，天色已經大亮，景物已清晰可見，只見那茅舍修築得十分整齊，竹籬內栽植了不少花草，牛羊成群，散在四周青草地上。

玉蘭走上前來，叩動竹籬，高聲叫道：「有人在嗎？」

只見茅舍兩扇緊閉的木門，呀然大開，一個全身黑衣的大漢，大步奔了出來，一面高聲問道：「什麼人？」

玉蘭道：「我！快些開門！」

黑衣大漢開了籬門，一眼見是玉蘭，立時拜了下去，恭謹地道：「原來是玉蘭姑娘，小的未能遠迎……」

玉蘭一擺手道：「不用客氣啦！快些回房中去。」

那大漢望了蕭翎一眼，抱拳道：「諸位請進。」

蕭翎心中暗暗忖道：這玉蘭確是不可輕視，竟是早已有準備，到處布有安身退路。心中在想，人卻急步走了進去。

那黑衣大漢匆匆關上籬門，把蕭翎一行人讓入茅舍，翻身撲倒地上，對玉蘭行起大禮來，玉蘭嬌軀一閃，扶起那大漢，說道：「不用多禮，我們腹中飢餓，可有食用之物？」

那大漢道：「小的立刻去為幾位準備，姑娘請稍候片刻。」匆匆出室而去。

金蘭一蹙柳眉，道：「你怎識得此人？」

玉蘭微微一笑，道：「我對他有過救命之恩，想不到此刻，竟有用著他之處。」

金蘭心知旁人在側，玉蘭不便言明，也不再多問。

只聽那年紀較大的老者，重重咳了一聲，道：「幾位將我等三人帶來此地，不知用心何在？」

蕭翎心中暗道：不錯啊！把他們三人帶來，總該有個發落才是，但自己又想不出適當之策，回目對玉蘭道：「聽他們之言，不似作偽，不如放他們去吧！」

玉蘭道：「目下這歸州附近，正雲集著無數高手，龍蛇混雜，正邪皆有，如若咱們一步失錯，後悔就來不及了！」

那老者憤憤地說道：「我等受人之托，忠人之事，卻不料落得如此下場。」

蕭翎突然站了起來，右手連揮，拍活了三人的穴道，道：「三位如是說的實言，我蕭翎心領盛情，日後見面，必有一報，三位如說的謊言，最好別再和我等見面了，三位請吧！」

那黑衣大漢打量了蕭翎一陣，道：「咱們說的句句實言，蕭大俠如是不信，那也是無法之事。」回身大步而去。

那一老一少，緊隨那大漢，出了茅舍。

請續看《金劍雕翎》之三

臥龍生武俠經典珍藏版 22

金劍雕翎（二）

作者：臥龍生
發行人：陳曉林
出版所：風雲時代出版股份有限公司
地址：10576台北市民生東路五段178號7樓之3
電話：(02) 2756-0949　　傳真：(02) 2765-3799
執行主編：劉宇青
美術設計：許惠芳
行銷企劃：林安莉
業務總監：張瑋鳳
出版日期：臥龍生60週年珍藏版 2023年1月
版權授權：春秋出版社呂秦書
ISBN ：978-986-5589-87-5
風雲書網：http://www.eastbooks.com.tw
官方部落格：http://eastbooks.pixnet.net/blog
Facebook：http://www.facebook.com/h7560949
E-mail：h7560949@ms15.hinet.net
劃撥帳號：12043291
戶名：風雲時代出版股份有限公司

風雲發行所：33373桃園市龜山區公西村2鄰復興街304巷96號
電話：(03) 318-1378　　傳真：(03) 318-1378
法律顧問：永然法律事務所 李永然律師
北辰著作權事務所 蕭雄淋律師

行政院新聞局局版台業字第3595號 營利事業統一編號22759935

定價：320元　

國家圖書館出版品預行編目資料

金劍雕翎／臥龍生 著. -- 臺北市：風雲時代出版股份有限公司，2021.06- 冊；公分（臥龍生武俠經典珍藏版）
ISBN：978-986-5589-86-8（第1冊：平裝）
ISBN：978-986-5589-87-5（第2冊：平裝）
ISBN：978-986-5589-88-2（第3冊：平裝）
ISBN：978-986-5589-89-9（第4冊：平裝）

863.57　　110007334